A *Kizomba* da Vila Isabel

Festa da negritude e do samba

Carlos Fernando Cunha
Nathalia Sarro
Vinícius Natal

A *Kizomba* da Vila Isabel

Festa da negritude e do samba

Prefácio de *Nei Lopes*

EDITORA OUTRAS EXPRESSÕES
MÓRULA EDITORIAL

Rio de Janeiro - Outubro de 2023

CRÉDITOS

Projeto gráfico e capa
Alexandre Machado

Revisão
Luiz Ricardo Leitão / Renato Cascardo

Ilustrações (capa)
Antonio Vieira

Fotos e ilustrações (miolo)
Antonio Vieira / Arquivo Nacional / AGCRJ / Carlos Cunha / Nathalia Sarro / *O Globo* / Vila Cultural / Adilson Soares / Alcy Plaisant / Alisson Lima / Analimar Ventapane / Décio Bastos / Diego Mendes / Leila Bennini / Lícia Caniné / Osni Fernandes / Nelson da Motta / Silvia Nara Pires / Theresinha Cardoso

Pesquisa adicional
Thiago Mendes

Impressão e acabamento
Gráfica Paym

UNIVERSIDADE DO ESTADO DO RIO DE JANEIRO - UERJ

Reitor
Mario Sergio Alves Carneiro

Diretora da Comuns
Ana Cláudia Theme

Diretora do CTE
Sonia Maria Wanderley

CATALOGAÇÃO NA FONTE
UERJ/REDE SIRIUS/NPROTEC

C972 Cunha, Carlos Fernando.
A Kizomba da Vila Isabel : festa da negritude e do samba / Carlos Fernando Cunha, Nathalia Sarro, Vinícius Natal; Prefácio de Nei Lopes. – Rio de Janeiro : Mórula Editorial; São Paulo : Outras Expressões, 2023.
368 p. – (Acervo Universitário do Samba; v. 6)

ISBN 978-65-81315-85-6
ISBN 978-65-87389-35-6

1. Negros - Dança. 2. Festas e danças – Vila Isabel (Rio de Janeiro, RJ). 3. Samba. I. Título. II. Série.

CDU 394.2(815.3)

Bibliotecária: Cintia Sales CRB-7/6139

Editora Outras Expressões

Rua Abolição, 201 – Bela Vista
CEP 01319-010 – São Paulo – SP
editora.expressaopopular.com.br
livraria@expressaopopular.com.br
facebook.com/ed.expressaopopular

Mórula Editorial

Rua Teotônio Regadas, 26 / sala 904 – Lapa
CEP 20021-360 – Rio de Janeiro – RJ
www.morula.com.br
contato@morula.com.br
facebook.com/morulaeditorial/

1ª edição: outubro de 2023

Coordenação
Andressa Lacerda

Supervisão editorial
Luiz Ricardo Leitão

Equipe
Daniela Seixas, Marcelo Braz,
Susana Padrão e Thiago Mendes

Assistente de Produção
Tatiana Agra

Visite nossa página no *Instagram:*

@acervodosambauerj

TÍTULOS JÁ PUBLICADOS

Volume 1
Aluísio Machado: sambista de fato, rebelde por direito

Volume 2
Zé Katimba: antes de tudo um forte

Volume 3
Noca: da Portela e de todos os sambas

Volume 4
Rosa Magalhães: a moça prosa da avenida

Volume 5
Tiaõzinho da Mocidade e os bambas de Padre Miguel

Volume 6
A *Kizomba* da Vila Isabel: festa da negritude e do samba

PRÓXIMO LANÇAMENTO:
Batuqueiro, mandingueiro, diferente: Salgueiro, o "Quilombo" moderno

Nota dos Editores

Oito anos após o lançamento do vol. 1 da nossa série biográfica, o livro-CD *Aluísio Machado: sambista de fato, rebelde por direito*, escrito pelo Prof. Luiz Ricardo Leitão, o *Acervo Universitário do Samba* tem a honra de apresentar aos amantes da cultura popular brasileira o sexto fruto deste incansável exército de Brancaleone, o livro-DVD *A **Kizomba** da Vila Isabel: festa da negritude e do samba*, assinado por Carlos Fernando Cunha, Nathalia Sarro e Vinícius Natal. O traço singular desta criação é que, pela primeira vez em nosso projeto, o protagonista da narrativa não é um *bamba* da caneta (como Aluísio, Zé Katimba, Noca da Portela e Tiãozinho da Mocidade) ou uma pródiga carnavalesca (ave, Rosa Magalhães!), mas sim o épico desfile de 1988 da Vila Isabel – "*Kizomba, festa da raça*" –, decerto uma das mais notáveis expressões de resistência cultural do samba carioca. A "novidade", porém, nos enche de orgulho, pois o surpreendente e vitorioso cortejo é um marco não apenas na história da nossa folia, mas também no seio da comunidade do Morro dos Macacos e da buliçosa terra de Noel.

O mote inspirador da obra foi o documentário ***Kizomba**: 30 anos de um grito negro na Sapucaí*, dirigido pela cineasta Nathalia Sarro e produzido pelo Departamento Cultural da Vila Isabel, lançado em 2018 no Museu de Arte do Rio (MAR), que finalmente aparece em suporte físico, encartado na terceira capa desta obra. Ao longo dos capítulos-quesitos que desfilarão diante dos seus olhos, os leitores e leitoras hão de descobrir a magia daquela festa ancestral concebida por Martinho da Vila, com o apoio decisivo de Lícia Maria Caniné, a *Ruça*, que presidiu com muita garra uma escola sem quadra e sem "padrinhos". Juntos com sua comunidade, a dupla nos provou que, apesar de escassos recursos materiais e financeiros, mais vale uma ideia na cabeça, um samba empolgante, uma bela narrativa visual e um povo em comunhão para encantar a avenida e arrebatar o título com o qual muitos componentes da escola sequer haviam sonhado.

Em tempos de profunda intolerância étnica, religiosa e social, além de espúrias manifestações de racismo no Brasil e no exterior, é sempre oportuno revisitar o cortejo realizado no ano do centenário da pretensa *abolição da escravatura*, um festivo manifesto ainda bafejado pelos novos ventos democráticos que sopravam timidamente no país em meados da década de 1980. Afinal, aquele foi o ano em que, após o melancólico desfecho da ditadura em 1985, finalmente se promulgou, no dia 05/10/1988, a chamada "*Constituição Cidadã*", que buscava promover uma nova era de justiça e igualdade em nossa sociedade, sempre avessa à garantia e à ampliação dos direitos de nossos trabalhadores e trabalhadoras. Por isso, acalentamos a esperança de que a memória do desfile sirva de alento e estímulo à luta dos herdeiros e herdeiras da Mãe África, que, a exemplo da negra Anastácia, não se deixaram escravizar e fizeram da *Kizomba* a sua própria Constituição.

Por outro lado, fazendo jus ao esforço extraordinário despendido para a produção e publicação desta obra, cabe-nos consignar aqui a inestimável colaboração prestada ao projeto por diversos pares e instituições. A começar pela UERJ, reiteramos nossa gratidão à equipe do **Centro de Tecnologia Educacional** (CTE-UERJ), dirigido pela Profª Drª Sonia Wanderley (docente do Instituto de Aplicação), em particular às figuras de Cássia Ferreira e Félix Milesi (TV UERJ), Daniel Barros Luz, Eduardo Sobral e Gledson Augusto (Rádio UERJ), além de Renato Cascardo (revisor do texto). Agradecemos igualmente o valioso apoio da **Diretoria de Comunicação Social** da UERJ (Comuns), unidade à qual o *Acervo* se vincula, em especial à jornalista Ana Cláudia Theme, sua diretora. Contribuição deveras imprescindível nos prestou também a Diretoria Financeira da UERJ (DAF), dirigida pela colega Márcia Carvalho da Cunha, que subsidiou parte dos custos de edição da obra.

Na linha de frente da produção do volume, contamos uma vez mais com a ágil assistente Tatiana Agra (responsável pela reprodução do DVD) e as professoras Andressa Lacerda (atual coordenadora do *Acervo do Samba*) e Daniela Seixas, a dupla de cartógrafas desta série. A supervisão editorial, como sempre, coube ao Prof. Luiz Ricardo Leitão. Já na pesquisa do acervo iconográfico, além do árduo labor de Thiago Mendes, estudante do IFCH-UERJ e bolsista do projeto, logramos obter preciosas imagens do Departamento Cultural do GRES Unidos de Vila Isabel e de vários órgãos públicos, como o Arquivo Geral da Cidade do Rio de Janeiro e o Arquivo Nacional.

Somadas a essas valiosas fontes, dispusemos ainda de inúmeras fotos de acervos pessoais dos integrantes da Vila. Por isso, agradecemos a Alcy Plaisant, da ala "Feitiço da Vila", à cantora Analimar Ventapane, testemunha ocular da história da branco & azul há décadas, a Theresinha de Jesus Cardoso, porta-bandeira da Velha Guarda, e a Silvia Nara Pires, filha da cantora Dinorah. E ainda aos ritmistas Adilson Soares, Leila Bennini e Nelson da Motta, que estavam no glorioso desfile da Sapucaí em 1988, além de Mashu Miyazawa, difusor da *Swingueira* no Japão. Nessa galeria, incluem-se, por fim, Décio Bastos, integrante da comissão de frente na "Kizomba" e ex-diretor geral de Harmonia da escola, Osni Fernandes, filho de Seu China, Alisson Ramos Lima e os ritmistas *Mangueirinha*, discípulo confesso de Mestre Trambique, e Luiz Cândido. E, se não bastasse o vasto material fotográfico, a obra também pôde desfrutar do traço *sui generis* de Antonio Vieira, autor dos inspirados desenhos e vinhetas que unem Brasil e África desde a primeira até a última página desta *Kizomba*.

Afora esse imprescindível suporte estrutural, não poderíamos tampouco deixar de registrar o apoio cultural da empresa **Cor Atual**, na figura do amigo Francisco José, além do infalível parceiro Elídio de Souza, que contribuíram em muito para os eventos de lançamento deste livro-DVD. Da mesma forma, cumpre-nos agradecer a diretoria do **GRES Unidos de Vila Isabel** pela parceria firmada para a consecução desta iniciativa editorial, a qual, bem o sabemos, representa também uma exaltação à força e à história de resistência da criativa agremiação da terra de Noel.

Por fim, saudamos com muito prazer e gratidão os amigos do selo *Outras Expressões* da **Editora Expressão Popular** (SP) e da **Mórula Editorial** (RJ), todos eles decisivos para a publicação desta série, que já reúne seis volumes e possui novo título previsto para 2024. O zelo, empenho e competência da equipe de Miguel Yoshida e seus pares, em São Paulo, assim como a dupla Marianna de Araújo e Vítor Monteiro de Castro, no Rio de Janeiro, nos fazem crer que o grito forte dos Palmares segue correndo por terras, céus e mares deste Brasil que, a despeito dos caretas e fascistas de plantão, é batuque, canto e dança, jongo e maracatu. E que a força da cultura e um bom jogo de cintura façam, afinal, valer os nossos ideais. *Valeu, Zumbi!*

UERJ, 19 de setembro de 2023
Os Editores

Sumário

Prefácio

A Kizomba dos "Ancestrais Esquecidos"

Anos 70. O Brasil vivia tempos nebulosos. A *Senhora Liberdade* tentava abrir as asas sobre nós, quando, ecoando um clamor vindo da Travessa das Belas Artes, o mago Joãozinho Trinta bradava: "*Quem gosta de pobreza é intelectual!*". Na sequência, o inefável Clóvis Bornay, na edição de 2 de março de 1974 da saudosa revista *Manchete*, proclamava, no mesmo tom: "*Quem foi que disse que escola de samba pertence aos negros? Os melhores sambistas são brancos!*"

Ngana Zâmbi conserve essas doces figuras da Cultura brasileira sob sua santa guarda. Mas o caso é que, no momento desses transbordamentos, nós lá em casa também nos inquietávamos com o ambiente das escolas de samba. Integrando a ala de compositores da agremiação que escolhera para chamar de sua, o autor destas linhas se perturbava ante as inovações que chegavam, quase sempre na direção contrária dos cânones estabelecidos, com muita luta, por ancestrais como Paulo da Portela, Antenor Gargalhada, Heitor dos Prazeres, Zé Espinguela e tantos outros.

Eis que então nos chega a provocação do amigo mestre Muniz Sodré – um dos maiores teóricos da Comunicação no Brasil e fora dele – para que puséssemos nossa "bronca" no papel. E aí nasceu nossa primeira publicação em livro, intitulada *O Samba na Realidade*, obra em que procurávamos explicar o porquê das transformações que ocorriam "depois que o visual virou quesito", como disse a dupla de bambas Neném e Pintado, pela voz de Beth Carvalho. Mas o alvo da crítica, tanto a deles quanto a do nosso livrinho, ia além do que percebíamos e apontamos. Pois o "enredo" dos nossos adversários não era o visual, nem o samba acelerado. Seu nome era *Sociedade de Consumo & Economia de Mercado*, como só depois aprendemos, E é o mesmo até hoje, embora às vezes disfarçado de alinhamento político.

O portelense Antônio Candeia Filho também se incomodava. E sua reação foi no sentido da criação do *Grêmio Recreativo de Arte Negra e Escola de Samba Quilombo*, entidade engajada no movimento pelos direitos do povo afro-brasileiro, à qual se associaram sambistas de diversas escolas, como, entre outros, o autor destas linhas, o parceiro Wilson Moreira e os vila-isabelenses Martinho José Ferreira e Luís Carlos Baptista, o "Luiz Carlos da Vila".

Fundado em 1978, o GRANES Quilombo teve a honra de ver os fundamentos de sua criação (samba e arte negra) como inspiradores do bem-sucedido Olodum, que, além de ser o mais famoso bloco afro do carnaval baiano, é uma entidade que conjuga artes e ação social, sendo por isto conhecida em âmbito internacional. Como Candeia imaginava para sua agremiação.

Entre os princípios básicos do Quilombo, enquanto escola de samba, figuravam, por exemplo: a não utilização de alegorias, tampouco o uso de fantasias luxuosas ou o recurso à dança coreografada... E quanto a personagens de destaque, só os celebrados por suas habilidades nas artes do Samba, como o foram Clementina de Jesus e Cartola.

Martinho da Vila foi um dos amigos e companheiros mais entusiasmados com as ideias que Candeia trazia ao fundar o Quilombo. Certamente, inspirou-o muita coisa da estética proposta pelo autor de "Dia de Graça", que expressava a triste realidade do sambista que "se veste de rei" no desfile da "avenida" para depois voltar para o seu "humilde barracão", numa contradição que Martinho conhecia bem – da mesma forma que conhecia, desde sua primeira viagem a Angola, em 1972, tanto os "musseques" (favelas) de Luanda, quanto a pujança cultural que a pátria de Agostinho Neto, apesar dos mais de três séculos de colonização portuguesa, muito ainda tinha para mostrar e encantar.

Infelizmente, Antonio Candeia Filho faleceu no mesmo ano da fundação do Quilombo. Morreu sem ver sua escola de arte negra realizar o que sonhara. Nem viveu para ver e participar da maior festa que uma agremiação do Samba, em todos os tempos, já ofereceu ao povo, ao Brasil e à Cultura brasileira. Mas EU – agora despido do plural majestático – estava lá e conto o que vi, como vi e porque vi.

Era quase véspera do carnaval de 82. E, no Quilombo, samba-enredo sobre o poeta Solano Trindade, que eu escrevera em parceria com Zé Luiz do Império e Luiz Carlos da Vila, era um forte candidato ao primeiro lugar. Mas não ganhou; e o resultado me entristeceu bastante. Por esse motivo, o "Dávila", como eu o chamava, para meu consolo, me convidou para uma festa em homenagem ao Martinho, no dia seguinte. Fui. E lá conheci a Sonia.

[Câmera corta para minha sonhada casa de vila, em Vila Isabel,]

Preparativos para o carnaval de 88, Martinho e Ruça convidam o casal Nei e Sonia para a "*Kizomba* da Vila" na Marquês de Sapucaí: – *Vocês vão como se fossem pra uma festa. Porque Kizomba, em Angola, é festança. E a nossa vai ser mais ainda.*

Terno e sapato branco todo sambista tem. E sua dama também sempre tem um vestido branco caprichado. Então, só tive trabalho de comprar uma gravata azul da cor do céu, pra rimar e harmonizar com a Vila Isabel.

***

Em suas andanças e festanças pelo universo dos umbundos, quimbundos, quicongos, chócues e outros povos falantes de línguas do grupo Banto, Martinho da Vila, inteligente e perspicaz, assimilou muita coisa. Mesmo porque as línguas mencionadas são aparentadas e semelhantes, como o português do Brasil em relação ao espanhol falado nas Américas.

Hoje, como uma espécie de embaixador extraoficial das culturas dos povos bantos no Brasil e vice-versa, Martinho tem conhecimento e sensibilidade suficientes para admirar elementos da cultura material, intelectual e espiritual dos povos que conheceu. E, assim, juntamente com a querida e destemida *Ruça*, idealizou uma *kizomba* com máscaras, insígnias, lanças, escudos, esculturas, cerâmicas, miçangas, colares, manilhas, tecidos estampados, instrumentos musicais e de trabalho etc., etc., etc... E com eles foi montado o cenário da grande celebração.

Assim, a "*Kizomba* da Vila" representou, acima de tudo, uma grande oferenda ritual celebrada pelo Samba, o Rio de Janeiro e o Brasil em honra daqueles que o antropólogo belga Jan Vansina denominou "os ancestrais esquecidos". Segundo esse cientista, quase metade dos africanos que atravessaram o Atlântico e chegaram às Américas na condição de escravizados eram bantos, da África Central, sobretudo dos atuais territórios de Congo e Angola. O desconhecimento deste fato histórico levou à difusão capciosa da ideia de superioridade dos africanos procedentes, sobretudo, dos atuais territórios de

Nigéria e Benin, que nos legaram, por exemplo, o axé, o afoxé, o acarajé, os orixás etc. Preferindo o enfrentamento das revoltas, eles ganharam merecida e maior visibilidade, enquanto que os de Angola, Congo e vizinhanças, de quem herdamos o samba, a cuíca, o dendê, o fubá, o mocotó, o maxixe, etc., etc., etc., agiam nos interstícios, nos quilombos, com a força de seus inquices.

É claro que, ao aceitar o honroso convite, eu e minha *fenda* (mulher nobre) ainda não tínhamos noção dessa importância. Mas hoje, relembrando, os olhos de Sonia ainda brilham extasiados:

> *– A maior surpresa foi ver, de dentro, uma escola de samba trocando o luxo pelo extremo bom gosto. A sensação que a gente sentia era a de estar numa Angola, ao mesmo tempo real e ideal. Sem lantejoulas, mas com miçangas; de todas as cores. Sem sedas e veludos, mas com todas aquelas chitas ricamente estampadas com que a Mãe África sempre marca sua presença. Um mundo de palha, mas indestrutível, imune a todas as chamas. Porque era um chamado. Do Cuanza ao Cunene! Do Oiapoque ao Chuí! De São Sebastião do Rio de Janeiro a São Paulo de Luanda!*
>
> *Agora, volto eu pra dizer que até mesmo a carência, naquele momento, de lugar para a Vila ensaiar entrou no samba: "nossa sede é nossa sede" – cantava a moçada, molhando a palavra e saboreando as iguarias do banquete ambulante. Que era "à vera" e "à pamparra", servido com uma fartura que vocês nem imaginam. Só quem provou é que sabe. E todo esse bom gosto fruído ao som de um dos mais emocionantes sambas-enredo de todos os tempos...*
>
> *Valeu, Zumbi! Valeu, Vila! Valeu, Martinho! Valeu, Ruça! Valeu, Raça!... Valeu Dávila! Valeu, Candeia!!!*

Nei Lopes
Seropédica, agosto de 2023

À memória de todos os sambistas
vitimados pela pandemia da Covid-19.

A Mestre Mug e Mestre Trambique,
eternos regentes da ***Swingueira****.*

A Rodolpho e Luiz Carlos da Vila,
saudosos poetas da escola de Noel.

A Paulo Brazão e Seu China,
raízes profundas da Unidos de Vila Isabel.

A Dinorah, madrinha abnegada da
escola mirim Herdeiros da Vila.

Introdução

Abram alas para a Vila! A Kizomba pede passagem

É importante dizer para o leitor desavisado que falar de Kizomba envolve uma tarefa difícil para três apaixonados pela Unidos de Vila Isabel. Não vivemos e nem desfilamos no carnaval de 1988, mas crescemos ouvindo que a Kizomba tinha sido o melhor desfile da Vila Isabel e, talvez, um dos mais emblemáticos cortejos da história do carnaval carioca. Representação da negritude. Subversão pelo visual criativo. Palha, ráfia, pouco brilho e muita luta e suor. A ideia de que, no desfile, era como se "todos estivessem incorporados". Falar de um momento tão importante e significativo foi um árduo desafio, mas prazeroso por tudo aquilo que a Kizomba representa para tanta gente.

É fundamental ressaltar que o olhar que vocês irão acompanhar é o de três torcedores apaixonados pela agremiação que cresceram embalados pelos sambas de Martinho, Luiz Carlos da Vila – da Penha à Isabel –, pelo violão de Cláudio Jorge, pelas batucadas de Agrião, Marcelinho Moreira e Paulinho da Aba, pelos tantos *laiaraiás* do Boulevard. Fomos crescendo, nos envolvendo e fazendo daquele ambiente familiar nosso canto, casa, céu, refúgio. Morada de espírito, alma enluarada. Chegamos, hoje, com a consciência de que muito do que entendemos como Vila Isabel, agora, se deveu à memória elaborada de um desfile que parece ainda não ter tido fim, pois foi, como toda obra de arte, feito para ser eternizado.

Sambamos muito, rimos muito, bebemos muito, pesquisamos e ouvimos... Ouvimos muito, pois aprendemos desde cedo que é através da escuta dos mais velhos que conseguimos tomar prumo na vida. Ouvir é *Sankofa*: olhar o ontem pelo hoje, atravessar os corpos e o tempo por uma temporalidade infinita que transborda e ultrapassa os limites naturais. Afinal, assim também é feita e pensada a História, que só faz sentido se olhada pelas lentes do presente.

Qual é o sambista que nunca se viu no mais ancião da Velha-Guarda? E qual é o que nunca se lembrou do quanto era feliz sendo a criança a correr pelo terreiro, que hoje é quadra? Foi dessa forma que fomos construindo nossa identidade: sambando e aprendendo, dentro do terreiro Unidos de Vila Isabel, a louvar nossa ancestralidade. E, logo, todo debate que remetia à nossa ancestralidade nos levava, invariavelmente, à *Kizomba* e à Unidos de Vila Isabel.

Eu, **Vinícius Natal**, desde pequeno já frequentava os ensaios no antigo "*Vilinha*" - apelido carinhoso dado à Associação Atlética Vila Isabel –, na Escola Municipal Equador ou no Clube Maxwell. Na companhia de minha avó compositora, Dona Ivanísia, pude compreender o grande complexo de saberes que envolvem uma escola desde cedo, frequentando seus locais de confraternização, testemunhando muitas querelas em torno das disputas de samba e torcendo para o sucesso do desfile pela televisão. Meu maior divertimento, então, era tentar achar meus conhecidos na TV:

- Olha lá! É minha avó desfilando atrás do carro.

- Aquele não é o fulano, da bateria?

Aos catorze anos, comecei a frequentar os ensaios de bateria e, aprendendo a tocar tamborim, tive meu primeiro desfile na *Swingueira* em 2002, no enredo "*O Glorioso Nilton Santos: sua bola, sua vida, nossa Vila*", desenvolvido pelo carnavalesco João Luiz de Moura. Daí em diante, frequentando todos os eventos possíveis do calendário festivo da escola, aprendi a ser sambista, ritmista e cidadão pela batuta de Mestre Mug e pelo afago carinhoso de Tia Cirene e Tia Beta. Memórias afetivas que construíram parte deste coautor que, aqui, se apresenta como historiador e atual pesquisador da escola.

Apesar de não descender de uma linhagem de sambistas, eu, **Nathalia Sarro**, dei a grande sorte de nascer no lugar certo. Meus pais escolheram Vila Isabel como residência quando se casaram, e neste bairro fui criada e vivo até hoje. Como já disse por aí, é impossível morar em Vila Isabel e passar ileso pela relação com a Escola. Querendo ou não, o Grêmio Recreativo vai atravessar a sua vida, e eu quis muito. Meu gosto pelo carnaval é a herança que minha amada avó Oswaldina me deixou. Foi ela que por anos fez minhas fantasias e chegava lá em casa com o jornal no sábado de carnaval, escolhendo com a minha mãe qual seria nosso roteiro de blocos.

Aos catorze anos, minha mãe ganhou ingressos para a disputa de samba na escola e me disse "*Nathalia, você tem que ir, você vai amar!*". A Vila Isabel ganhou meu coração de cara, um mundo novo surgia para mim ali naquele momento. Em 2005, eu descobri meu lugar no mundo, quase na esquina de casa. O lugar onde a vida faz mais sentido, e a felicidade toma conta do corpo inteiro.

Quando recebi o convite do diretor e amigo Vinícius Natal para integrar o Departamento Cultural da Unidos de Vila Isabel, eu jamais poderia imaginar quantas coisas incríveis construiríamos com aquele grupo. Eu o conheci no Museu do Samba, então Centro Cultural Cartola; foi o meu primeiro estágio como estudante de História e ele era coordenador do setor de pesquisa. Foi com o projeto de depoimentos do Vila Cultural que eu entendi que samba, pesquisa, memória e audiovisual poderiam caminhar juntos. A partir dos depoimentos, surgiu a ideia de fazer um filme sobre a *Kizomba, Festa da Raça*, como já foi detalhado por Vinícius.

O projeto do documentário passou por um bom tempo de maturação. Precisávamos aprender como fazer um filme. A ideia inicial era fazer um registro que contasse a épica história do mais marcante desfile da Vila e levar essa obra às escolas públicas e privadas do bairro e do entorno. O objetivo era trabalhar junto com crianças e adolescentes, de acordo com a lei 10.639[1], a história e cultura negra afro-diaspórica. Debater sobre representatividade, intelectualidade e arte negra carioca. Falar sobre escola de samba e carnaval

---

1 Lei n 10.639 de 9 de janeiro de 2003. Altera a Lei nº 9.394, de 20 de dezembro de 1996, que estabelece as diretrizes e bases da educação nacional, para incluir no currículo oficial da Rede de Ensino a obrigatoriedade da temática "História e Cultura Afro-Brasileira", e dá outras providências. O cumprimento da lei ainda enfrenta muita dificuldade; mesmo vinte anos depois educadores e instituições encontram no racismo a barreira para viabilizar uma educação antirracista.

como caminhos de conscientização e transformação social e enquanto espaço de crescimento coletivo e individual. E, para minha felicidade, a película acabou ganhando contornos ainda maiores, sendo, inclusive, a fonte de inspiração para este volume VI do *Acervo do Samba UERJ*, uma "*festa da negritude e do samba*" no terreiro Unidos de Vila Isabel.

Eu, **Carlos Fernando Cunha**, colori meu coração de branco e azul aos treze anos, quando pela TV assisti ao desfile da Vila Isabel em 1984, ouvi o lindíssimo samba de enredo de Martinho e o vi num carro todo branco, ele, nosso Rei Negro, homenageando Tom Jobim. Até então, filho de pai portelense e mãe mangueirense, torcia pelo Império Serrano. Para mim, tudo se azulou naquele "*Pra tudo se acabar na quarta-feira*". O tempo passou e fui fazer graduação em Educação Física na UERJ. Pelos braços da professora Maria José, a *Zezé*, mergulhei na cultura popular e no samba. Ainda como estudante da UERJ, atuei como bolsista de extensão num projeto no campo de futebol no Terreirinho, complexo do Morro dos Macacos. Com amigos da UERJ, comecei a ensaiar na bateria de Mestre Mug. E a partir de 1997, depois de ralar um bocado de tempo, passei a integrar a *Swingueira*, primeiro no tamborim, depois na caixa e, finalmente, no meu querido tarol. E sigo com o povo da *Kizomba* levantando poeira e balançando a roseira na Sapucaí.

O ponto que uniu nossas trajetórias foi um só: o ofício na História e a preocupação com a memória de parte da nossa identidade, o samba e um olhar diferenciado e atento para a história de Vila Isabel. Se havia uma narrativa que privilegiava os feitos do Barão de Drummond e a construção de um bairro projetado em um modelo francês, por que não falamos, por exemplo, das famílias negras descendentes de escravizados que, no pós-abolição, foram responsáveis pela ocupação dos morros locais? Há, então, um privilégio branco ao se contar a história do bairro. Para isso, a *Kizomba* nos despertou e aguçou a curiosidade. Onde estavam e quem eram as pessoas que construíram aquele espaço, por que eram silenciadas – não só as que desfilaram em 1988, mas as que construíram Vila Isabel em seus morros, vielas e boulevares?

Ao elaborarmos uma nova configuração para o Departamento Cultural da Vila – Vinícius Natal como diretor e Nathalia Sarro fazendo parte da equipe –, entendíamos que havia um longo e árduo trabalho a ser cumprido. Mais que ocupar um cargo na escola, nossa ideia sempre foi a de preservar e difundir a memória da agremiação, visto que fundadores e antigos componentes estavam nos deixando, fotos e documentos importantes eram descartados e cabia a nós, "herdeiros desse chão", viabilizar a manutenção desses fragmentos de construção identitária.

A tarefa não seria fácil, mas, com a presença de amigos-torcedores da escola[2], criamos o "Vila Cultural", nome dado ao Departamento Cultural da entidade. Sabíamos que muitos outros diretores por ali já haviam passado, mas construir um grupo, dar visibilidade ao trabalho e mediar com uma diretoria que, na maioria das vezes, não estava interessada na manutenção da memória no corpo da escola ou sequer entendia a sua importância foram estratégias fundamentais no desenvolvimento e fixação do grupo dentro da agremiação.

O trabalho de um departamento cultural pode consistir na atuação em diversas frentes: por exemplo, pode preocupar-se com a memória da escola, armazenando documentos e fotografias antigas; pode ainda voltar-se para o trabalho social junto à comunidade ou mesmo participar da elaboração dos enredos da escola junto ao carnavalesco. Em nosso caso, fizemos uma pesquisa de opinião na quadra que apontou que a expectativa da grande maioria era de que o departamento fosse voltado para a construção da memória na entidade. Assim, decidimos nosso foco de atuação, que consistia em tratar e armazenar fotografias, jornais, coletar depoimentos dos sambistas mais antigos e promover eventos de difusão de memórias e trajetórias.

Durante o processo de escuta realizado nas entrevistas com antigos sambistas, quando questionados sobre o momento mais impactante, todos eles respondiam com uma só palavra: *Kizomba*. Adjetivos como "fantástico", "emocionante" se repetiam a cada depoimento, muitas vezes seguidos de lágrimas

---

2 Integraram o Departamento Cultural, também, desde sua recriação em 2014: Ricardo Nicolay, Tadeu Goes, Fadla Martins, Rafael Arantes, Dalton Cunha, Thales Nunes, Carolina Perez, Vitor Hugo Santos, Hugo Oliveira, Fabiana Mello, Beatriz Barcelos, Danilo Garcia, Luiz Gaspar, Tathiane Queiroz e Thiago Mendes.

nos olhos. Tal fato chamou nossa atenção, entendo que se tratava da construção de uma espécie de mito urbano que reinava sobre a alma da escola.

Os mitos surgem a partir de fatos que ocorreram, efetivamente, ou que ganharam uma projeção de verdade e relevância em determinado grupo social. Fala-se de mitos gregos, romanos, egípcios, mas pouco se aponta para a criação dos mitos que envolvem negritude e afro-brasilidade. Mais ainda, pouco consideramos que os mitos são criados cotidianamente, a partir de realidades vividas ou idealizadas que se eternizam nas mentes e corações dos sambistas. Sendo assim, o desfile da *Kizomba* transbordou sua própria existência e se tornou um mito de ocorrência singular dentro do mundo do samba e, com mais força, dentro do terreiro Unidos de Vila Isabel.

Com o título ***Kizomba: 30 anos de um grito negro na Sapucaí***, pudemos demonstrar, por meio do documentário que está encartado neste livro, que, mesmo após trinta anos, o desfile havia marcado definitivamente a branca e azul Unidos de Vila Isabel. Mesmo que na história da agremiação poucos tivessem sido os enredos com temática exclusivamente afro – ou seja, enfocando o cotidiano, história ou imaginário mítico-religioso afro-brasileiro ou africano –, o sucesso de ***Kizomba*** foi fundamental na construção de uma identidade coletiva da escola pautada na negritude.

Dessa forma, foi possível entender que a *Kizomba* – e a chamamos, assim, de forma bem íntima, pois faz parte do nosso cotidiano até hoje, um desfile inacabado em sua perfeição – foi um dos grandes acontecimentos da história das escolas de samba. Mais ainda, foi um grande momento de representação do povo afro-brasileiro no país: todos os olhos do mundo, naquele momento suspenso, ritual, voltaram-se para a negritude e a urgência de se debater o racismo brasileiro[3].

---

3 Descrevemos esse trabalho porque ele foi fundamental na construção deste livro. O caminho que percorremos foi fundamental para o entendimento de que, na realidade, não se tratava somente de um desfile de escola de samba, e sim de um importante marco de reflexão acerca da condição do negro na sociedade brasileira a partir de um desfile de escola de samba.

Podemos dizer que a *Kizomba* nos ensinou que uma escola de samba ultrapassa a ideia de espetacularidade baseada em brilhos, paetês e uma visão elaborada de luxo e riqueza, representando, muito mais, a possibilidade de transmitir uma mensagem em prol de uma igualdade social desejada, e necessária. As escolas de samba são, também, um veículo de expressão dos anseios de uma parcela da sociedade excluída dos processos decisórios do que deve ser um país inclusivo e igualitário.

Nesse sentido, a *Kizomba* nos mostra que uma escola de samba, além da dimensão da espetacularidade e do *batidão technopop* (os desfiles são transmitidos nas redes de TV, rádio e pela internet, ingressos são vendidos a preços altíssimos, os camarotes da Marquês de Sapucaí, local oficial de realização dos desfiles do Grupo Especial das escolas, são ocupados por sujeitos externos às escolas de samba em sua dimensão comunitária), agrega, em torno de um pavilhão, diversos sujeitos que têm em sua formação uma conexão divina e ancestral com a instituição.

Noel Rosa já dizia que não se aprende a fazer samba no colégio e achamos que o poeta estava certo. As escolas de samba, além de serem um produto comercial exportável e rentável, são frutos da sociabilidade negra de sujeitos que, no pós-abolição, buscaram, na formação de associações negras, uma maneira de afirmação na sociedade racista do início do século XX. Quando olhamos para seus fundadores, constatamos, tranquilamente, que a grande maioria são filhos e netos de ex-escravizados do Vale do Paraíba e Minas Gerais. É sabido, também, que foram dessas regiões que partiram diversos contingentes de ex-escravizados que, ao conseguirem a liberdade jurídica – a tão sonhada alforria... – migraram para a então capital republicana, Rio de Janeiro, em busca de melhores condições de vida. É preciso reforçar que foi esse grande contingente de ex-escravizados que fundou as escolas de samba.

A memória de *Kizomba* nos leva a memórias afetivas de nossos ancestrais – fio invisível tênue, sensível, mas potente, de resistência. Não os conhecemos, mas sentimos suas presenças, pois sambar é, acima de tudo, uma devoção ao nosso passado. Visualizar a palha, a ráfia torcida, a negritude na pele e na singeleza... O cheiro do banquete, Brazão como o grande

Soba, raça e suor nos barracões e barraquinhas...A ideia de uma sociedade igualitária, a luta contra o *apartheid*, a dimensão simbólica da resistência em 1988... Memórias e sentidos que se entrelaçam e dão sentido ao desfile, que, como um raio de Oyá, corta o tempo e nos faz acreditar na força da ancestralidade que desaguou naquele desfile.

Das antigas sociedades africanas às lavouras e aos quilombos brasileiros, era muito comum a transmissão de conhecimento a partir da convivência e do aprendizado do mais velho para o mais novo. Essa relação de troca foi fundamental para a sobrevivência das escolas de samba enquanto produto da diáspora negra. Se, hoje, podemos vislumbrar crianças tocando taróis e tamborins inocentemente, até chegar o momento em que vão desfilar nos Herdeiros da Vila, aprendendo o ofício do "ser músico"; se podemos aprender sobre o passado a partir da escuta da Velha Guarda; se compreendemos a importância das tias baianas e suas feijoadas para a manutenção dos espasmos afro-diaspóricos nas comunidades, é porque há laços invisíveis que permitem olhar para o passado e ver a beleza de nossos ancestrais no hoje.

A persistência de *Kizomba* pelas vielas e becos dos Macacos ou nas esquinas do Boulevard 28 de Setembro representa, ainda, o eco das dores da escravidão negra que deixam cicatrizes sentidas, até hoje, em nossa sociedade. A baixa escolaridade, a inferioridade introjetada nos corpos negros desde a primeira infância apontando o "você não é capaz", a diferença econômica entre os amigos do morro e do asfalto... Olhar para as entranhas das escolas de samba é ver a herança desse duro processo que, apesar de tudo, representa, também, o orgulho de saber que descendemos de ancestrais corajosos que desafiaram o sistema colonial em busca de liberdade e cidadania.

Muito há de se caminhar no processo de igualdade racial no Brasil. Se negros e negras ainda estão na base da pirâmide das escolas de samba, sendo os que mais trabalham e menos recebem, reproduzindo uma desigualdade estrutural, isso é posto de forma bem-sucedida como parte de um projeto colonial bem arquitetado. Os direitos trabalhistas pouco são respeitados nas relações patrão-empregado dentro das escolas. Boa parte dos carnavalescos são brancos e, aliás, quando falamos em alto volume de circulação de capital, os postos também são brancos, ocupados por presidentes e cartolas. Muito ainda se exotiza a figura da mulata, associando-a à "símbolo exportação", e não valorizando-a pelo seu talento do samba no pé e singularidade artística.

Reconhecer que o desfile da Vila Isabel de 1988 foi um marco para as escolas de samba enquanto grito de expressão de resistência negra no carnaval, dentro de um contexto em que as escolas de samba cada vez mais têm seus espaços de poder – simbólico e financeiro – ocupados por sujeitos externos a esses meios, é o passo inicial para, hoje, entendermos que as escolas de samba, definitivamente, são frutos da resistência da cultura afro-brasileira.

A *Kizomba* não marcou o tempo apenas por ser um desfile considerado, por muitos, como um dos melhores que passaram pela Sapucaí. Além disso, seu componente político, ao dialogar com a Constituição de 1988 – que, para o movimento negro e indígena, foi fundamental nos avanços de demarcação de terras indígenas e quilombolas, por exemplo –, é admirável em meio a um processo de reinvenção política nacional.

Quando vivenciamos a cultura negra, sabemos que os conhecimentos se dão muito além do livro didático. A construção de uma epistemologia partindo dos valores do samba, ou seja, forma de pensar e refletir pelo batuque e seus desdobramentos, passa pelo gole de cerveja, pelos passos elaborados dos passistas, pelo rodopiar do casal de mestre-sala e porta-bandeira, pela anágua da baiana... Ao deslocar o olhar para outros saberes que não os encontrados nos bancos escolares, ampliamos nosso campo de visão e absorvemos distintas maneiras de conhecer e experimentar o mundo. A frieza do conhecimento objetivo iluminista dá lugar a uma construção emocionada, de envolvimento visceral com o objeto e o lugar ao qual pertencemos.

Afinal, qual é a nossa missão enquanto sujeitos-atores praticantes de uma ciência atravessada por corpos que vieram da diáspora negro-africana e ressignificaram, no Brasil, seus sofrimentos e filosofias de vida?

Sabemos que memória e história são construções narrativas e de ficção. A verdade, fria e crua, existe a depender do ponto de vista de quem olha, pois um fato é um fato de acordo com o prisma pelo qual o observamos. A diferença entre bem e mal, certo ou errado, dicotomias difusas que tantas vezes seguimos à risca, embaralha-se quando sorvemos os saberes de Exu, de uma Nova História Cultural ou da cultura como um conceito antropológico.

A diáspora, por ter sido uma experiência tão marcante para os corpos brasileiros, precisa ser levada em consideração quando tratamos de construir narrativas históricas, do nosso próprio passado. É chegada a hora de conectarmos os debates em torno da cultura – aquela vista, por muitos anos, como um ente etéreo, quase que com vida própria – às experiências da escravidão, do cativeiro, da dor da dissolução dos laços familiares e da experiência cotidiana do racismo epistêmico. Logicamente não estamos inventando a roda, mas sim sendo a continuidade de uma série de iniciativas que buscaram debater as escolas de samba a partir de sua vivência cotidiana negra, mesmo que, na negociação pela sobrevivência, entrasse em contato as camadas médias brancas da cidade[4].

Se, hoje, debatemos a respeito de reparação histórica – como o reconhecimento do Cais do Valongo enquanto patrimônio imaterial mundial pela UNESCO, por exemplo –, é preciso nos questionar de que maneira esses debates passaram, até hoje, pelo mundo do samba. E, ainda, se hoje subimos as *hashtags* "*blacklivesmatter*" – ou "vidas negras importam" –, é imperativo que a gente traga esse debate para dentro do ambiente do samba. Portanto, se a nossa forma de interpretar o mundo se pauta no samba e seus desdobramentos, enxergar *Kizomba* como expressão máxima de um grito de reconhecimento do negro na sociedade é iniciar o entendimento desse processo.

Dito isso, cabe frisar que o livro não possui apenas a intenção de contar, de forma reflexiva e a partir das vozes de quem desfilou naquele ano, como foi o histórico campeonato. Bem mais além desse propósito, ele também tem a ideia de mostrar como um olhar aguçado sobre um desfile pode nos

---

4 Em diversas áreas de atuação, Francisco Guimarães, o *Vagalume*, Candeia, Nei Lopes, Muniz Sodré, Ana Maria Rodrigues, Helena Theodoro, Lelia Gonzalez e outros intelectuais já pautavam o samba – e, por conseguinte, seu principal produto, as escolas de samba – como um fruto da diáspora negro-africana. Hoje, alguns estudos na academia começam a levar a sérios tais proposições e voltam-se, novamente, para a questão do espaço do negro nas agremiações.

despertar reflexões profundas sobre negritude, o samba como projeto de nação brasileira e suas disparidades sociais e, por fim, e memórias subterrâneas presentes nas gavetas e cabeças dos sambistas vila-isabelenses.

Não vimos o desfile de *Kizomba* e, muito menos, pudemos participar de um momento tão ímpar. Mas felicidade é saber que sentimos a *Kizomba* diariamente, pois onde há resistência, há *Kizomba*.

Vamos Kizombar, gente!

Concentração

A *Kizomba* nos arquivos da Vila

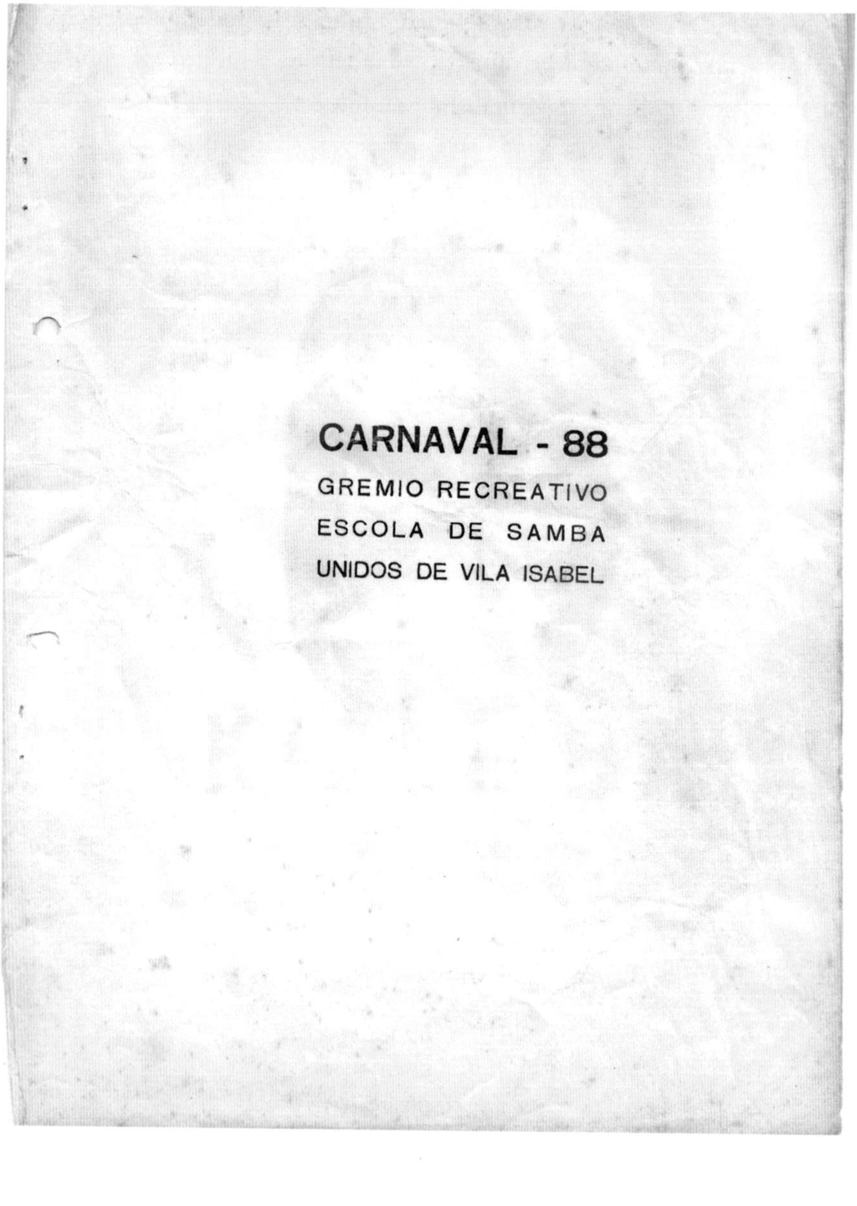

CARNAVAL - 88

GREMIO RECREATIVO

ESCOLA DE SAMBA

UNIDOS DE VILA ISABEL

3

GREMIO RECREATIVO
ESCOLA DE SAMBA UNIDOS DE VILA ISABEL
Fundado em 4 de Abril de 1946 Considerado de Utilidade Pública pelo Dec. Lei n.º 1343 de 27-6-67
Sede Provisória Administrativa
Rua Visconde de Santa Isabel, 34 Sala 402 - Tel. 268-7052 - Rio - RJ

SAMBA DE QUADRA (Esquenta Avenida) 1988

Bombril, Rodolpho, Jorginho Saberás

Sou da Vila não tem jeito
Comigo eu quero respeito
Que o meu negócio é sambar
O lálá
Se você não acredita
Por favor não me complica
Deixa esse papo pra lá
Sou da Vila o que que há?

Abra os braços Amor
Olha eu aí
Vou levantar poeira
Balançar a roseira
na Sapucaí

4

GREMIO RECREATIVO
ESCOLA DE SAMBA UNIDOS DE VILA ISABEL
Fundado em 4 de Abril de 1946 Considerado de Utilidade Pública pelo Dec. Lei n.º 1343 de 27-6-67
Sede Provisória Administrativa
Rua Visconde de Santa Isabel, 34 Sala 402 - Tel. 268-7052 - Rio - RJ

Enredo: KIZOMBA FESTA DA RAÇA
Autor: MARTINHO DA VILA
Alegorias, Figurinos e Adereços: Carnavalesco MILTON SIQUEIRA
Carnavalescos assistentes: PAULO CEZAR CARDOSO e ILVAMAR MAGALHÃES

Kizomba é uma palavra do Kimbundo, uma das línguas da República Popular de Angola.

A palavra Kizomba significa encontro de pessoas que se identificam numa festa de confraternização.

Do ritual da Kizomba fazem parte inerentes o canto, a dança, a comida e a bebida, além de conversações em reuniões e palestras que objetivam a meditação sobre problemas comuns.

A nossa Kizomba conclama uma meditação sobre a influência negra na cultura universal, a situação do negro no mundo, a abolição da escravatura, a reafirmação de ZUMBI DOS PALMARES como símbolo da liberdade do Brasil. Informa-se sobre líderes revolucionários e pacifistas de outros países, conduz-se a uma reflexão sobre a participação do negro na sociedade brasileira, suas ansiedades, sua religião e protesta-se contra a discriminação racial no Brasil e manifesta-se contra a apartheid na África do Sul, ao mesmo tempo que come-se, bebe-se, dança-se, canta-se e reza-se, porque, acima de tudo, Kizomba é uma festa, a festa da raça Negra.

Apresentaremos uma escola com características negras, onde todos os sambistas serão atores em desfile no Carnaval do Centenário da Abolição da Escravatura.

A miscigenação ficará marcada com a apresentação de um quadro denominado KILOMBO UMA DEMOCRACIA RACIAL, onde negros, brancos, índios, cablocos e mestiços, em geral, estarão irmanados em desfile.

5

GREMIO RECREATIVO
ESCOLA DE SAMBA UNIDOS DE VILA ISABEL
Fundado em 4 de Abril de 1946 Considerado de Utilidade Pública pelo Dec. Lei n.º 1343 de 27-6-67
Sede Provisória Administrativa
Rua Visconde de Santa Isabel, 34 Sala 402 - Tel. 268-7052 - Rio - RJ

Foram convidadas personalidades da África do Sul e de Angola, países estes que participaram das Kizombas realizadas no Rio de Janeiro; bem como, representantes de outros países que participarão do evento a ser realizado em novembro de 1988.

Grupos folclóricos brasileiros de outros Estados que participaram das Kizombas, também estarão representados.

Os artistas e intelectuais que são considerados Kizombeiros participarão do desfile no quadro KUDISSANGA KWA MAKAMBA, que quer dizer, ENCONTRO DE AMIGOS.

Paulo Brazão, um dos fundadores da Escola, será o abre-alas, representando um SOBA, o grande chefe, e o desfile encerrar-se-á com um grupo de samba no pé, logo depois do quadro que reverencia os grandes líderes, tendo à frente a Ala Anti-Apartheid.

A confraternização dos componentes será feita no setor da Escola onde representantes de cada ala desfilarão juntos, com suas fantasias variadas.

6

GREMIO RECREATIVO
ESCOLA DE SAMBA UNIDOS DE VILA ISABEL
Fundado em 4 de Abril de 1946 Considerado de Utilidade Pública pelo Dec. Lei n.º 1343 de 27-6-67
Sede Provisória Administrativa
Rua Visconde de Santa Isabel, 34 Sala 402 - Tel. 268-7052 - Rio - RJ

ALEGORIAS: Estrutura e Montagem - Jorge Índio

. O Pensador
. África
. Deuses Africanos
. Kilombo
. Bumba Meu Boi
. Festa do Divino
. Maracatu
. Banquete Popular
. Grandes Líderes (Lutherking, Malcon X, Samora Machel, Agostinho Neto, João Cândido, Winie Mandela, Amílcar Cabral e Manoel Congo

ESCULTURAS: Paulinho do Isopor

. Zumbi dos Palmares
. Mãe África
. Escrava Anastácia
. Clementina de Jesus
. Negros do Ganho
. Orixás
. O Pensador

ADEREÇOS:

. Máscaras
. Lanças
. Escudos
. Armas de Guerrilheiros

1988

7

GREMIO RECREATIVO
ESCOLA DE SAMBA UNIDOS DE VILA ISABEL
Fundado em 4 de Abril de 1946 Considerado de Utilidade Pública pelo Dec. Lei n.º 1343 de 27-6-67
Sede Provisória Administrativa
Rua Visconde de Santa Isabel, 34 Sala 402 - Tel. 268-7052 - Rio - RJ

SAMBA-ENREDO

(Rodolpho,Jonas e Luís Carlos da Vila)

Valeu Zumbi!
O grito forte dos Palmares
Que correu terras, céus e mares
Influenciando a abolição
Zumbi valeu
Hoje a Vila é Kizomba
É batuque, canto e dança
Jongo e Maracatu
Vem menininha pra dançar o Cachambú

REFRÃO: ô ô ô ô Nega Mina
Anastácia não se deixou escravizar
ô ô ô ô Clementina
O Pagode é o partido popular

O Sacerdote ergue a taça
Convocando toda a massa
Nesse evento que congraça
Gente de todas as raças
Numa mesma emoção
Essa Kizomba é nossa Constituição
Que magia!
Reza, Ajeum e Orixás
Tem a força da cultura
Tem a arte e a bravura
E o bom jogo de cintura
Faz valer seus ideais
E a beleza pura dos seus rituais

Vem a lua de Luanda
Para iluminar a rua
Nossa sede é a nossa sede
De que o apartheid se destrua

GREMIO RECREATIVO
ESCOLA DE SAMBA UNIDOS DE VILA ISABEL
Fundado em 4 de Abril de 1946 Considerado de Utilidade Pública pelo Dec. Lei n.º 1343 de 27-6-67
Sede Provisória Administrativa
Rua Visconde de Santa Isabel, 34 Sala 402 - Tel. 268-7052 - Rio - RJ

COMISSÃO DE FRENTE:

. Guerreiros (Responsável: ÉDER JÔ)

DESTAQUES:

. DIVA DE JESUS: Raínha Ginga
. ENI VIDAL: Mãe África
. MARIA TEREZA: África
. CARLOS FERNANDES: Índio
. RUBINHO: Branco
. MÁRCIA e MARCOS: Negros
. PILDES PEREIRA: Raínha do Maracatu
. JOSÉ CERQUEIRA: Rei do Maracatu
. JHOSE: Imperador Divino
. PAULO BRAZÃO: Soba - Grande Chefe
. POMPEU: Zumbi dos Palmares
. ANTONIO PITANGA: Ganga Zumba
. ZEZÉ MOTTA: Dandara
. LUA DE LUANDA: MARLI NASCIMENTO
e
MARLI MENEZES
. CARIBÉ DA ROCHA: Bumba-meu-boi
. VERA FISCHEP: Família de Guerrilheiros
. PERRY SALES: Família de Guerrilheiros
. CLAUDIA LENVERSON: Sacerdotisa
. FÁTIMA PRIOLI: Sacerdotisa
. PRISCILA LENVERSON: Sacerdotisa
. MARIA PADILHA: Ana de Ferro

Destaque dos Passistas:

. MARCIA MOURA

Passistas do Abre-Alas:

. JERÔNIMO
. ROGÉRIO
. CECÍLIA BAIANA
. ÉDSON

9

GREMIO RECREATIVO
ESCOLA DE SAMBA UNIDOS DE VILA ISABEL
Fundado em 4 de Abril de 1946 Considerado de Utilidade Pública pelo Dec. Lei n.º 1343 de 27-6-67
Sede Provisória Administrativa
Rua Visconde de Santa Isabel, 34 Sala 402 - Tel. 268-7052 - Rio - RJ

DIRETORIA:

. Presidente Administrativa: LÍCIA MARIA MACIEL CANINÉ (Ruça)
. Assessores diretos da Presidência: MARTINHO DA VILA
WALTER BARRIGA
. Vice-Presidentes: Administrativo: ADILSON
Carnaval: DIVA DE JESUS
Patrimônio: REGINALDO BENUTI
Financeiro: DJALMA CACHIMBO
Secretário: OLÍCIO ALVES DOS SANTOS
Relações especiais: Dr. JOSÉ MESSIAS
Jurídico: Dr. MIGUEL
Social: NICE
Divulgação: DINORAH
Deptº feminino: GILDA BRANQUINHA
Procurador: JOSÉ LEITE

COMISSÃO DE CARNAVAL:

. PAULO CEZAR CARDOSO (Presidente da Comissão)
. ILVAMAR MAGALHÃES
. ALFREDO JESUS
. REGINALDO
. PAULO FRANCISCO
. LOTA
. MARTINHO DA VILA
. DJALMA CACHIMBO

10

GREMIO RECREATIVO
ESCOLA DE SAMBA UNIDOS DE VILA ISABEL
Fundado em 4 de Abril de 1946 Considerado de Utilidade Pública pelo Dec. Lei n.º 1343 de 27-6-67
Sede Provisória Administrativa
Rua Visconde de Santa Isabel, 34 Sala 402 - Tel. 268-7052 - Rio - RJ

CONSELHO:

. Presidente do Conselho Deliberativo: CORNÊLIO CAPELETI

. Conselheiros natos: RODOLFHO DE SOUZA
JOSÉ LIMA FILHO
DAVID CORRÊA
DJALMA PEREIRA VICTORIO
PILDES PEREIRA
PAULO BRAZÃO
ORLANDO ALVES PEREIRA
WALDEMIR GARCIA
WALTENCYR COELHO
AYLTON GUIMARÃES JORGE

. Membros do Conselho: PAULO DELGADO (Cuia)
MARTINHO DA VILA
ALFREDO DE JESUS
WALTER F. LOBATO
EDE C. MADUREIRA
ORLANDO MATHEUS (Orlando Botafogo)
DJALMA FERNANDES (Djalma Sapo)
OLÍCIO ALVES DOS SANTOS
JOSÉ LEITE
WALDYR GALLARDI

. Representante junto à Liga Independente das Escolas:
Dr. JOSÉ MESSIAS

11

GREMIO RECREATIVO
ESCOLA DE SAMBA UNIDOS DE VILA ISABEL
Fundado em 4 de Abril de 1946 Considerado de Utilidade Pública pelo Dec. Lei n.º 1343 de 27-6-67
Sede Provisória Administrativa
Rua Visconde de Santa Isabel, 34 Sala 402 - Tel. 268-7052 - Rio - RJ

Diretor de Harmonia:
- JAIMINHO DA HARMONIA

Diretor de Bateria:
- MESTRE MUG

Madrinha da Bateria:
- RUÇA

Raínha da Bateria:
- WATUSI

Passista da Bateria:
- INDIARA

1º Mestre-Sala:
- CARLINHOS

2º Mestre-Sala:
- BIRA

1a. Porta-Bandeira:
- MARIAZINHA

2a. Porta-Bandeira:
- TUCA

Mestre-Sala e Porta-Bandeira Mirins:
- WALGNER e LUCIA HELENA

Puxador do Samba:
- GERA

Auxiliares:
- NANDO
- CAETANO

Acompanhamento:
- ARLINDO CRUZ
- WANDERSON MARTINS
- SOMBRINHA

Coordenador de Passistas:
- CIRO DO AGOGÔ

12

GREMIO RECREATIVO
ESCOLA DE SAMBA UNIDOS DE VILA ISABEL
Fundado em 4 de Abril de 1946 Considerado de Utilidade Pública pelo Dec. Lei n.º 1343 de 27-6-67
Sede Provisória Administrativa
Rua Visconde de Santa Isabel, 34 Sala 402 - Tel. 268-7052 - Rio - RJ

O R D E M   D E   A L E G O R I A

TRONO "PAULO BRAZÃO"
PEDE PASSAGEM "COROA DA VILA"
ABRE-ALAS "PENSADORES"
ALEGORIA DE PALHA "ZUMBI (ÁRVORE)
CARRO DOS ORIXÁS (ESCULTURAS)
QUADRIPÉS (BUSTOS) = MÃE ÁFRICA e ANASTÁCIA
CARRO DA ÁFRICA (ATABAQUES)
CARRO DO QUILOMBO
QUADRIPÉS DAS TRÊS RAÇAS
QUADRIPÉ MERCADOR nº 1
QUADRIPÉ MERCADOR nº 2
CARRO DO DIVINO (BRANCO)
CARRO REI DO MARACATU (LARANJA C/RENDA)
CARRO DO MARACATU (ELEFANTES)
CARRO DO BUMBA MEU BOI
CARRO DO SACERDOTE
1º CARRO DA LUA DE LUANDA
QUADRIPE CLEMENTINA
CARRO DO BANQUETE
QUADRIPÉS DOS LÍDERES NEGROS

13

GREMIO RECREATIVO
ESCOLA DE SAMBA UNIDOS DE VILA ISABEL
Fundado em 4 de Abril de 1946 Considerado de Utilidade Pública pelo Dec. Lei n.º 1343 de 27-6-67
Sede Provisória Administrativa
Rua Visconde de Santa Isabel, 34 Sala 402 - Tel. 268-7052 - Rio - RJ

FORMAÇÃO DA UNIDOS DE VILA ISABEL

CARRO TRONO "PAULO BRAZÃO"
CARRO PEDE PASSAGEM (COROA DA VILA)
COMISSÃO DE FRENTE
ALA DAS CRIANÇAS
CARRO ABRE-ALAS (PENSADORES)
ALA NOVO RIO
ALA GATAS E GATÕES
ALA SECOS E MOLHADOS
CARRO ALEGORIA DE PALHA (ZUMBI "ÁRVORE") ENI VIDAL
ALA AGBARA DUDU
ALA DAS BAIANINHAS "MORRO"
GRUPO IMPÉRIO DO FUTURO
ALA ENERGIA DA VILA
ALA BATERIA MIRIM VILA
CARRO DOS ORIXÁS (ESCULTURAS)
ALA DAS MUMUILAS
ALA DAS BESANGANAS
PASSISTAS ISOLADOS, WANDERLEY, MERCEDES, ESMERALDA DE BARROS, MARRON, TRIO DE PANDEIROS DA ANA DE OURO
ALA DO NESTOR - (DESTAQUE, MARCOS)
ALA RESA FORTE
ALA DAS FERAS
ALA DO MÉIER
1º MESTRE-SALA/PORTA-BANDEIRA
DOIS QUADRIPÉS (BUSTOS) MÃE ÁFRICA e ANASTÁCIA
PASSISTAS OFICIAIS DA VILA
BATERIA e CARRO DE SOM

14

GREMIO RECREATIVO
ESCOLA DE SAMBA UNIDOS DE VILA ISABEL
Fundado em 4 de Abril de 1946 Considerado de Utilidade Pública pelo Dec. Lei n.º 1343 de 27-6-67
Sede Provisória Administrativa
Rua Visconde de Santa Isabel, 34 Sala 402 - Tel. 268-7052 - Rio - RJ

ALA MELHOR NÃO
ALA ME ENGANA QUE EU GOSTO
CARRO DA ÁFRICA (ATABAQUES)
ALA DO SUFOCO
ALA COMIGO NINGUÉM PODE
CARRO DO QUILOMBO
ALA DOS DESQUITADOS
QUADRIPÉS DAS TRÊS RAÇAS - RUBINHO, MÁRCIA, MARCOS,CARLOS FERNANDES
ALA SOL E MAR
ALA DA GALERA
ALA AQUELE ALGO MAIS
ALA DA IMPRENSA
QUADRIPÉ MERCADOR nº 1
ALA UNIDOS POR ACASO
ALA MINA FLOR
QUADRIPÉ MERCADOR nº 2
ALA DIFÍCIL É O NOME
ALA DOS GAVIÕES
ALA BANDO DA LUA
ALA FEITIÇO DA VILA
CARRO DA FESTA DO DIVINO (BRANCO)
ALA COM BRONCA NINGUÉM NOS VENCE
MESTRE-SALA/PORTA-BANDEIRA (MIRIM)
ALA DA AMIZADE
CARRO REI DO MARACATU (LARANJA C/RENDA)
ALA URUSSAMBA
CARRO DO MARACATU (ELEFANTES)
ALA MELHOR NÃO
GRUPO IBSEM
GRUPO DO CARIBÉ

15

GREMIO RECREATIVO
ESCOLA DE SAMBA UNIDOS DE VILA ISABEL
Fundado em 4 de Abril de 1946 Considerado de Utilidade Pública pelo Dec. Lei n.º 1343 de 27-6-67
Sede Provisória Administrativa
Rua Visconde de Santa Isabel, 34 Sala 402 - Tel. 268-7052 - Rio - RJ

CARRO DO BUMBA-MEU-BOI
GRUPO QUIMBANDA DE ANGOLA
GRUPO DO ILÊ AYÊ DA BAHIA
GRUPO OJU-YA ONIM
GRUPO ALUMIE AYÔ
2º MESTRE-SALA/PORTA-BANDEIRA
CARRO DO SACERDOTE
GRUPO FILHOS DE DAN
GRUPO FILHOS DE GHANDI
CARRO DA LUA DE LUANDA
ALA DAS BAIANAS DA VILA
QUADRIPÉ DA (CLEMENTINA)
ALA DA VELHA GUARDA
ALA DA FAMÍLIA - VERA FISCHER e PERRY SALES
CARRO DO BANQUETE
GRUPO DA KIZOMBA (EM VOLTA DO CARRO DO BANQUETE)
ALA APARTHEID
QUADRIPÉS DOS LÍDERES NEGROS
QUIZOMBA DE COMPONENTES (ENCONTRO)
MACUIEIE
CAPOEIRA
SHOW ESNOBAÇÃO

01

O TERRITÓRIO
VILA ISABEL – BAIRRO E ESCOLA

Estátua de Noel Rosa no Largo do Maracanã, porta de entrada de Vila Isabel

Fonte:@acervodosambauerj

Morro dos Macacos, berço do GRES Unidos de Vila Isabel.

Foto: Diário do Rio

Vou cantando
Os meus encantos vou mostrar
Muito prazer eu sou a musa, sou a fonte
Deixa meu feitiço te levar
[bis]

Antes habitada pelos índios
Os jesuítas cultivaram
A flora no meu chão
Era a Fazenda dos Macacos
A preferida do Imperador desta nação
Também fui
O dote de D. Pedro pra duquesa
Com o progresso de Drummond
Ganhei cultura e requinte à francesa

Peguei o bonde
Passei no Boulevard
E a Confiança é doce recordar
Os "Três Apitos" cantados por Noel
Ainda ecoam pela Vila Isabel
[bis]

Blocos, corsos, lenhadores
Alegria dos meus carnavais
Embalei os namorados
Na magia do amor formei casais
Em noite de festas
Serestas, violões e os tangarás
Virei a predileta dos amantes e poetas
Gravados nas calçadas musicais
Desperta "Seu China"
Acorda Noel
Pra ver a nossa escola
Deste manto azul do céu
E o "Zé Ferreira" (Alô, Martinho!)
Vem saudando a multidão
Pode me chamar de Vila
Que orgulho é o meu "Brasão"

Quem põe não tira
Nesta ceia popular
Sou do morro à nobreza
E de quem quiser amar

(Evandro Bocão, André Diniz & Vilani Silva,
"Muito Prazer! Isabel de Bragança e Drummond Rosa da Silva,
Mas Pode Me Chamar de Vila" - GRES Unidos de Vila Isabel, 1994)

Mil novecentos e noventa e quatro foi um ano intenso: o Brasil ganhou a Copa do Mundo nos Estados Unidos, o Plano Real começava a dar sinais da melhoria de vida dos brasileiros, o sociólogo Fernando Henrique foi eleito presidente da República, consolidando a nossa tão jovem e frágil democracia. Morria, também, Ayrton Senna, deixando as manhãs de domingo de milhões de brasileiros mais cinza, bem como Mussum, sambista da mais alta patente e que, com riso e batuque, nos mostrava que era possível levar a vida de maneira mais leve.

Foi o ano também em que a folia carioca efervesceu e trouxe uma série de carnavais memoráveis... O samba da Mangueira, que falava sobre os "doces bárbaros", explodia nas quadras, durante o pré-carnaval, e se fazia uma promessa para o desfile. O Salgueiro, após um apoteótico desfile do "Explode Coração", era aguardado por público e mídia, atentos a saberem se iria repetir o sucesso do ano anterior. A Imperatriz Leopoldinense, que havia apresentado, em 1993, um carnaval sobre a figura do Marquês de Sapucaí, conquistou o campeonato com um enredo sobre indígenas que visitaram a corte francesa, no contexto de escravidão e aprisionamento indígena no Brasil; e a Vila Isabel olhava para dentro de si com um carnaval que cantava a sua própria história. Ora, conhecer a nossa própria história é fundamental e é sobre ela que iremos papear neste início de conversa. Pois se a *Kizomba* nos encantou no dia 15 – ou na madrugada de 16 – de fevereiro de 1988, ela foi gestada muito antes a partir de uma experiência negra e abolicionista do próprio bairro. É para lá, no axé de Zambi, que vamos caminhar – de chinelo de dedo, bem devagar, como nosso mestre nos ensinou ...

Os primeiros registros que temos contam que sua ocupação começou com os indígenas da etnia Tamoios, pertencentes ao tronco linguístico Tupi. Com a colonização portuguesa e a dizimação dos habitantes originários de *terra brasilis*, o território foi ocupado pela Companhia de Jesus, popularmente conhecida como "jesuítas", que explorou o solo com o cultivo de cana-de-açúcar – importante produto comercial que sustentou por muitos anos a coroa portuguesa. Após a expulsão desse grupo do Brasil pelo Marquês de Pombal, em 1759, o local passou a ser propriedade real, dando base, então, para a formação da então Fazenda dos Macacos.

Findo o período pombalino e com a expulsão dos Jesuítas do país, esse território passou a pertencer à coroa lusitana. D. Pedro I, após a morte da Imperatriz Leopoldina, sua primeira esposa, casou-se com Amélia de Leuchtenberg (Duquesa de Bragança), dando-lhe de presente as terras da Fazenda dos Macacos.

> *"Quando o aroma da cana adoçava o ar*
> *Eu era o berço nativo que a nobreza quis se encantar*
> *E no casamento Real, Dom Pedro à duquesa me presenteou"*[5]

Na ocasião da abdicação do trono de D. Pedro I, em 1831, e com o embarque da família à Europa, essas terras ficaram abandonadas e, após certo tempo, foram colocadas à venda. Foi aí que a então Fazenda dos Macacos, localizada entre a Serra do Engenho Novo e o Caminho Cabuçu (atual Rua Barão do Bom Retiro), seria vendida a uma importante figura para o desenvolvimento local: o Barão de Drummond.

---

5 Samba concorrente para o carnaval de 1994, composto por Jonas, Tião Grande, Jorge Tropical e Eraldo Devagar. Acervo Vila Cultural.

José Batista Vianna de Drummond nasceu em 1º de maio de 1825, na cidade de Itabira, estado de Minas Gerais, e veio para o Rio de Janeiro com vinte anos. Contam que sua amizade com o então imperador D. Pedro II facilitou a aquisição dessas terras compradas de D. Amélia em 3 de janeiro de 1872. Junto com Zeferino de Oliveira e Silva, criaram a Companhia Arquitetônica e, inspirados no modelo francês de urbanização, venderam lotes de terreno, atraindo comércio e idealizando o bairro de Vila Isabel, projetado pelo engenheiro Dr. Bittencourt da Silva.

De início, o bairro foi projetado com 13 logradouros: uma artéria principal chamada 28 de Setembro (em homenagem à data de assinatura da Lei do Ventre Livre, firmada em 28 de setembro de 1871, a qual faria com que todos os descendentes de escravizados, a partir daquela data, nascessem livres) e uma praça com nome de 7 de março – hoje carinhosamente chamada de "Praça Sete", atual Praça Barão de Drummond. As demais ruas receberam os nomes de Torres Homem, Teodoro da Silva, Souza Franco, Teixeira Junior, Conselheiro Nabuco, Conselheiro Otaviano, Andaraí Grande, Visconde de Abaeté, Visconde de São Vicente, Conselheiro Paranaguá, Duque de Caxias e Nova do Andaraí Grande.

As ruas e espaços foram loteados e, divididos, deram corpo ao futuro bairro de Vila Isabel. Em época de um efervescente espírito pela causa do fim da escravidão, diversos nomes de abolicionistas foram dados às ruas – mesmo que houvesse, por parte de muitos desses personagens, um maior interesse econômico do que, de fato, uma preocupação com o bem-estar social de negros e negras –, culminando com o próprio nome do bairro: Vila Isabel, em homenagem à princesa que assinou a Lei Áurea, em 1888.

Mesmo que o nome preste uma reverência à Princesa Isabel, um dos personagens da historiografia da abolição na segunda metade do século XIX, é necessário pontuar que, hoje, a história nos conta que houve milhares de iniciativas, urbanas e rurais, de negros e negras, que pressionaram as forças da monarquia para que a Lei Áurea fosse assinada. A construção da imagem da Princesa como uma grande redentora e "libertadora dos escravos" é datada e, à luz contemporânea, ultrapassada. Ainda que seja importante dialogar com o tempo em que sua imagem foi construída como tal, inclusive por muitos negros à época, é de suma relevância ressaltar como os usos do passado e o desenrolar das novas intepretações da história nos revelam novas camadas de sentido em torno de nossa memória social e coletiva.

Um exemplo de como esse passado é disputado e, constantemente, atualizado, são os usos que Vila Isabel, Imperatriz Leopoldinense e Mangueira apresentaram, em momentos distintos, da imagem da Princesa Isabel em seus carnavais. No primeiro caso, a disputa narrativa ocorre entre Imperatriz e Mangueira: enquanto, no ano de 1988, o GRES Estação Primeira de Mangueira questionava a abolição dizendo que "a Lei Áurea tão sonhada não foi o fim da escravidão"[6], a escola de Ramos exaltava, no ano seguinte, "A Isabel, a heroína, que assinou a lei divina"[7], em duas visões distintas em relação ao abolicionismo e ao papel da Princesa Isabel nesse processo. Por volta de trinta anos mais tarde, em 2019, esse dilema voltava à tona. Enquanto a Estação Primeira de Mangueira, novamente, questionava que "não veio do céu nem das mãos de Isabel a liberdade"[8], a Unidos de Vila Isabel, em um enredo sobre Petrópolis, entoava, em seu refrão final "Viva a Princesa!", dando o protagonismo da abolição à personagem[9].

O que, a princípio, pode dar a impressão de descompasso, nos revela uma disputa de memórias e sentidos em torno da figura de Isabel. Mesmo que na historiografia isso já tenha sido exaustivamente debatido e, cada

---

6 Samba de Hélio Turco, Jurandir e Alvinho. Enredo "100 anos de liberdade – Realidade ou Ilusão?", do carnavalesco Julio Matos.

7 Samba de Niltinho Tristeza, Preto Joia, Vicentinho e Jurandir. Enredo: "Liberdade, Liberdade! Abra as asas sobre nós", do carnavalesco Max Lopes.

8 Samba de Deivid Domênico, Tomaz Miranda, Mama, Marcio Bola, Ronie Oliveira, Danilo Firmino, Manu da Cuíca e L. C. Máximo. Enredo: "História pra ninar gente grande", do carnavalesco Leandro Vieira.

9 Samba de André Diniz, Evandro Bocão, Professor Wladimir, Júlio Alves, Marcelo Valência, Dedé Augusto e Ivan Ribeiro. Enredo: "Em nome do Pai, do Filho e dos Santos, a Vila canta a cidade de Pedro", do carnavalesco Edson Pereira.

Lei N.º 3353 de 13 de Maio de 1888.

Declara extincta a escravidão no Brasil

A Princeza Imperial Regente em Nome de Sua Magestade o Imperador o Senhor D. PEDRO II, Faz saber a todos os subditos do IMPERIO que a Assemblea Geral Decretou e Ella sanccionou a Lei seguinte:

Artigo 1.º É declarada extincta desde a data desta Lei a escravidão no Brasil.

Artigo 2.º Revogam-se as disposições em contrario.

Manda portanto a todas as autoridades a quem o conhecimento e execução da referida Lei pertencer, que a cumpram e façam cumprir e guardar tão inteiramente como n'ella se contém.

O Secretario de Estado dos Negocios d'Agricultura, Commercio e Obras Publicas e Interino dos Negocios Estrangeiros Bacharel Rodrigo Augusto da Silva, do Conselho de Sua Magestade o Imperador, o faça imprimir, publicar e correr.

Dado no Palacio do Rio de Janeiro, em 13 de Maio de 1888 – 67.º da Independencia e do Imperio.

Princeza Imperial Regente

Rodrigo A. da Silva

Carta de Lei, pela qual Vossa Alteza Imperial Manda executar o Decreto da Assemblea Geral, que Houve por bem sanccionar, declarando extincta a escravidão no Brasil, como n'ella se declara.

Para Vossa Alteza Imperial ver.

A histórica e controversa Lei Áurea: "realidade ou ilusão?"

Imagem: reprodução do documento original / Biblioteca Nacional

vez mais, se dê espaço para outros protagonismos das lutas sociais, sua imagem, até hoje, permanece *sub judice*. E se a imagem da princesa segue em permanente dúvida, assim também é a história do bairro cujo nome lhe dá identidade.

Mas, voltando à criação de Vila Isabel, desde a vinda da família real para o Brasil a cidade do Rio de Janeiro passou por um intenso processo de urbanização e, com isso, expandia seus limites para comportar a crescente população que habitava o espaço. Com a migração da corte europeia e o recebimento de ex-escravizados de distintas regiões do Brasil – principalmente Bahia, Vale do Paraíba e Minas Gerais –, era necessário criar uma infraestrutura para alocar esse novo contingente, incluindo mecanismos de distribuição de água e condições adequadas de higiene. A febre amarela assolava, cada vez mais, as famílias cariocas e a modernidade, nesse contexto, significava também limpeza urbana, implantação de novas tecnologias e meios de transporte. Se a tão falada "urbanização" e a "modernidade" chegavam com força, mostravam-se, também, como uma força desigual, pois, se para uns representava melhores condições de vida, para outros representava o aumento da pobreza e da segregação socioespacial.

Com a formação da Companhia Arquitetônica Vila Isabel, responsável por lotear o espaço e trazer serviços importantes como água, iluminação (inicialmente, a gás e, depois, elétrica), a configuração do novo bairro se desenhava, principalmente com a criação, em 5 de janeiro de 1888, do Jardim Zoológico, alocado no então Caminho do Goiabal, atual Rua Visconde de Santa Isabel. O local funcionou como Jardim Zoológico até 1940. Em 19 de outubro, encerrou suas atividades e, hoje, é chamado de Parque Recanto do Trovador. Foi lá que teria surgido a inspiração para o jogo do bicho, quando o empresário e amigo de D. Pedro II, Barão de Drummond, inspirado no jogo mexicano das Flores, vendia o ingresso de entrada com um bicho estampado, realizando um sorteio ao final do dia. O animal que aparecesse em uma tabuleta posta no alto era o "bicho" sorteado, gerando uma premiação.

Outra empresa importante para o desenvolvimento da região foi a Companhia Ferro-Carril Vila Isabel[10]. Com objetivo de ligar a região da grande Tijuca ao centro e ao subúrbio da cidade[11], houve o incremento dos serviços de bonde "de tração animal", inicialmente conhecidos como "bondes de burro", que já ocorriam aqui, na cidade do Rio de Janeiro, desde 1868. Com o avanço das linhas, era inevitável a passagem por territórios ainda não pavimentados e pouquíssimo habitados, como era o caso da região da grande Tijuca. A ideia da expansão dos transportes estava intimamente ligada ao processo de compras de fazendas e chácaras – não por acaso, o próprio Barão de Drummond era um dos sócios da Companhia Ferro-Carril de Vila Isabel e, ao mesmo tempo, proprietário de uma série de lotes na região.

> *Vale lembrar que, em 22 de fevereiro de 1872, Drummond tinha obtido, por meio do Decreto nº 4.895, a concessão para estabelecer a linha de trilhos urbanos entre a Corte e os bairros de Andarahy Grande, Engenho Novo e São Francisco Xavier (ROCHA, 1986; RENAULT, 1982). A nova empresa precisava de um local para sede. Um terreno de 270 metros de testada, localizado na rua dos Macacos, foi escolhido entre os lotes que Drummond havia separado para si por ocasião da venda de 25 de setembro e negociado "em troca de seiscentas ações da mesma Companhia.*[12]

---

10 O local que funcionou como sede da Companhia Ferro-Carril de Vila Isabel e, depois, garagem de bondes, localizado na então Rua dos Macacos, acolhe, atualmente, a sede da escola de samba Unidos de Vila Isabel e é tombado pelo Instituto Rio Patrimônio da Humanidade (IRPH), sob a lei 2.622 de 08 de abril de 1998.

11 O conceito de subúrbio é amplo e difuso nos dias de hoje. Para saber mais, ver *O rapto ideológico da categoria Subúrbio*, de Nelson da Nóbrega Fernandes, e os trabalhos de historiadores contemporâneos como Rafael Mattoso.

12 Cf. GASPAR, 2003, p. 57.

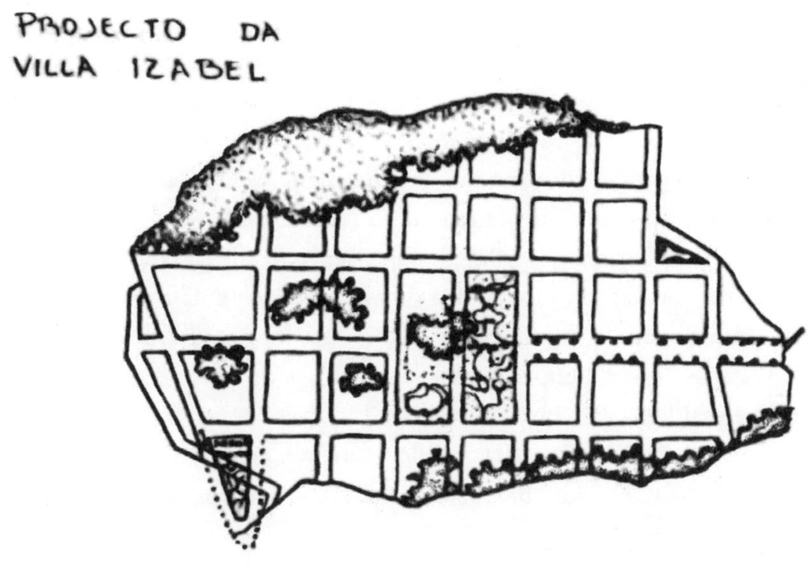

Planta do bairro de Vila Isabel, (17/01/1872), projetado e construído no século XIX.
Imagem: Arquivo Geral da Cidade do Rio de Janeiro (AGCRJ)

2. Vila Isabel: outras histórias

O bairro de Vila Isabel desenvolveu-se assim: ao mesmo tempo em que brindava sua gente com os ares monárquicos e uma herança aristocrática tatuada em seu nome, bailava ao som de abolicionistas e construía, em suas vilas e favelas, um espaço singular, abrigando um grande número de descendentes de escravizados vindos de diversas regiões do país. Entretanto, é interessante notar que, por muito tempo, uma narrativa oficial replicada por muitas gerações massificou uma história oficial que passa por uma urbanização realizada e projetada por homens brancos e que buscavam construir a localidade moldada à Europa, mais especificamente, ao modelo francês de vida. É importante frisar que a história de Vila Isabel vai mais além da construção de ruas abolicionistas sob um padrão europeu, mas também é marcada pela ocupação de seus morros e encostas por filhos e netos de escravizados.

Se, ao vasculharmos os jornais de época, encontramos a construção de uma "Vila Isabel" pautada em uma ideia de modernidade e na construção de um bairro europeizado, a mesma sorte não é vista ao procurarmos por "Morro dos Macacos", que estampa os principais jornais de época com exemplos de crimes e maldigos. É o caso de Porcina Thomasia de Souza, assassinada por seu companheiro, Eugenio Manuel de Santanna, em 1913. Acompanhemos, atentamente, a transcrição de uma notícia do jornal *A Imprensa*:

> *Nos crimes de que se tem vindo ocupando a imprensa nestes últimos dias faltava ainda um que atestasse a fereza, o sangue frio, a premeditação de um tipo qualquer que de humano trouxesse apenas a forma. Tivemo-lo ontem. (...) Até agora tivemos os casos passionais, os de impulso, os de valentia, embora todos condenáveis. Não correra ainda sangue, porém, ao gume da arma homicida do perverso por índole. A tragédia desenrolada na casinha de palha do Morro dos Macacos veio completar o quadro Rubro!*[13]

---

13 Cf. *A Imprensa*, 28/11/1913, p. 1.

De acordo com a matéria, quatro personagens estavam envolvidos no imbróglio. Um era o preto africano Satyro Antonio Nogueira, de 64 anos de idade. O homem era casado com Thomazia Pereira de Souza, preta, de 48 anos, cozinheira, brasileira, separada do marido. Os outros dois eram a filha de Thomazia, de nome Porciana Thomazia de Souza, de 21 anos, e o seu amante, Eugenio Deodoro Manoel de Santanna, de 24 anos, solteiro, brasileiro, servente de pedreiro.

Segundo o relato, eram constantes as brigas de Eugenio e Porciana, o que fazia sua mãe, Thomazia, intervir. Em um certo domingo, o casal se desfez e Porciana expulsou Eugenio de casa, deixando-o furioso e prometendo vingança. O texto, em tom de crônica, revelava um Eugenio ávido por vingança e com raiva da família que o expulsara e que planejava, incessantemente, seu retorno durante o tempo fora de casa. Já na alta madrugada, às quatro horas da manhã, Eugenio retorna. Empunhando uma enxada, avista a casa, furioso. Encontrando a porta fechada, arromba a entrada com força, acordando Porciana. A menina avista o ex-marido, mas não houve tempo para reações: Eugenio vai ao quarto de sua ex-sogra e a golpeia na cabeça, matando a mulher instantaneamente. Seu companheiro Satyro tenta defender a esposa, mas também é golpeado. Ao tentar fugir pela porta, Porciana tenta impedi-lo, mas recebe uma série de socos e cai, desacordada. O socorro é chamado, salvando Satyro e Porciana. Thomazia veio a óbito.

O que um breve relato de um caso bárbaro de assassinato pode nos revelar sobre a história construída sobre o Morro dos Macacos e o bairro de Vila Isabel?

É importante ressaltar que o registro, do ano de 1913, foi o primeiro encontrado em jornais da época que versavam sobre o Morro dos Macacos, em Vila Isabel. Grande parte dos registros do mesmo ano e de anos seguintes enxergavam os casos de polícia, as mazelas e as problemáticas de uma população recém-saída da escravidão, que começava a habitar morros e encostas da cidade em busca de trabalho e sobrevivência em uma cidade que os excluía. Dizia o jornal:

> *Da rua Vinte e Quatro de Maio parte, na direção do morro dos Macacos, a que chamam também de morro de São Lourença, a rua Victor Meirelles. No fim desta, na falta do muro existem*

várias choupanas, casas arranjadas de todos os lados, verdadeiro símile enfim das existentes no morro da Favella. Nestas casas habitam pessoas pobres e em uma delas residem os personagens que tomaram parte do fato ontem desenrolado. [14]

Tal trecho nos chama atenção não só para o início da construção das favelas na cidade, situando o bairro de Vila Isabel na divisa com Engenho Novo como um dos locais em que essa população negra e pobre se alocou, mas também para as relações familiares construídas na localidade. Mesmo que o primeiro caso em que o Morro dos Macacos aparece na imprensa se trate de uma notícia crime, é possível pensar, a partir do episódio, sobre como foram essas relações de sociabilidade familiares e internas ao Morro dos Macacos, e ainda com outras favelas e espaços da cidade, todos eles fundamentais para a construção das bases em que se formou, mais tarde, a escola de samba Unidos de Vila Isabel.

Se pouco sabemos sobre as famílias negras que, após a abolição, rumaram para o Rio de Janeiro, isso diz muito sobre uma construção da narrativa racista e classista que omite seus protagonistas em privilégio de uma escrita da história ocidental e branca. A própria visão do sujeito negro animalizado e violento, apresentada no início do século XX na grande imprensa, faz parte de uma estratégia colonial americana de controles dos corpos e da cultura, como nos demonstrou Martha Abreu em seu trabalho sobre *cake walks*.[15]

Com isso, propomos outra mirada para a história da formação das escolas de samba e, mais especificamente, da Unidos de Vila Isabel. Ela se dá não somente a partir de uma história "oficial" solidificada e mais difundida que privilegie atores brancos, de uma elite, que buscavam um modelo europeu de civilização, mas, sobretudo, olhando a história da Unidos de Vila Isabel a partir da trajetória de seus próprios atores: pobres, negros e que

---

14 *A Imprensa*, 28/11/1913, p. 1.

15 Cf. ABREU, Martha. *Da senzala ao palco: canções escravas e racismo nas Américas* – 1870-1930. São Paulo: Ed. UNICAMP, 2017.

enxergaram na formação das escolas de samba a possibilidade da criação de núcleos de sociabilidade que reafirmavam suas noções de cidade e identidade cultural em meio a uma urbe em transformação.

3. Vila Isabel: A Escola de Samba

Se estamos falando sobre o ambiente de preparação da *Kizomba*, o Morro dos Macacos e a própria formação da escola de samba Unidos de Vila Isabel, será imprescindível compreender o que queriam, àquela época, alguns moradores do Morro dos Macacos e adjacências ao criarem uma escola de samba.

Boa parte do que estará aqui exposto baseia-se nas memórias do filho de China, Osni Fernandes, o qual arquivou sua publicação na Biblioteca Nacional e, também, disponibilizou sua obra ao Departamento Cultural da agremiação. São lembranças tecidas em um fio narrativo que mistura a afetividade familiar com a vivência cotidiana da escola de samba que nasceu em seu próprio quintal. Memórias essas que tratam de um protagonismo do Morro dos Macacos na construção do grêmio recreativo e revelam, por outro lado, um esquecimento de muitos atores protagonistas dessa história.

Aliás, é bom frisar que não é nosso objetivo escrever uma história definitiva e única da Unidos de Vila Isabel. Se uma escola de samba é um coletivo, reunindo diversas experiências sociais, as próprias narrativas de fundação assim também o são. Nossa ideia central, aqui, é enxergar histórias ocultadas de família de sambistas primordiais para a construção das escolas de samba. É o caso de *Seu* China.

Antônio Fernandes da Silveira nasceu no Morro do Salgueiro em 27 de março de 1902. Lá, *Seu* China – apelido dado porque tinha os olhos puxados, tal qual um chinês – pertencia à "Depois eu Digo", escola com as cores verde e branco e que também rivalizava com outras agremiações no morro: a Unidos do Salgueiro e a Azul e Branco do Salgueiro. Essas escolas foram a base para a formação posterior do GRES Acadêmicos do Salgueiro, fundado, oficialmente, em 5 de março de 1953.

Durante muito tempo, uma historiografia do samba carioca situou a "Pequena África", expressão derivada do termo "África em miniatura", ditado por Heitor dos Prazeres ao jornalista Sérgio Cabral, para definir a área do centro em que viviam descendentes de escravizados e que formou, ao seu modo, um caldeirão cultural negro na cidade do Rio de Janeiro. Hoje, alguns autores já apontam para um processo de descentralização dessa região, ampliando seu raio para outras sítios como Madureira e Oswaldo Cruz ou a grande Tijuca – envolvendo os atuais bairros do Andaraí, Vila Isabel, Andaraí, Maracanã e até mesmo Engenho Novo. Tal processo teria se iniciado na segunda metade do século XIX, conforme a população negra e pobre deixava o centro da cidade e se dirigia às periferias/subúrbios, via trem ou outros meios de locomoção.

Um pouco antes, a partir do momento em que o Barão de Drummond iniciou o loteamento e a região de Vila Isabel começou a ser povoada, surgem os migrantes nordestinos, operários das fábricas próximas à região e, principalmente, os filhos e netos de escravizados que, no pós-abolição, sobreviveram e ocuparam a cidade com expectativas e esperanças. Na década de 1940, uma enchente no morro do Salgueiro derrubou muitas casas após sucessivos deslizamentos de encostas, obrigando muitos moradores a procurar outros locais de moradias em morros próximos. Um dos principais destinos foi o Morro dos Macacos[16].

A vida no local não era nada fácil, realidade próxima da maioria das favelas da cidade. Faltava água, o esgoto era quase inexistente, as casas eram precárias e a esperança de uma vida melhor findava, frustrada, a cada pôr do sol. Entretanto, o cotidiano caminhava lado a lado com a inventividade das culturas negras e pobres diante da precariedade. Os batuques nas latas, que depois se fizeram instrumentos, a porta-bandeira que rodava com o cabo de vassoura na laje com seu mestre-sala, ainda meninos, bailarinos da vida e da dança, os pés que flutuavam nos malabares dos pandeiristas que

---

16 Depoimento de Tia Cirene e Ronaldo de Souza ao Departamento Cultural da Vila Isabel, em 21/06/2016.

treinavam com suas passistas... Imagens que, se hoje podem ganhar um contorno de estigma exotizador da pobreza no morro, muitas vezes acionado por sujeitos alheios a esse complexo afrodiaspórico de saberes, eram, de fato, a realidade cotidiana de seus moradores. As batucadas – das macumbas, dos pagodes, dos jongos e folias de reis – se misturavam e davam um tom ancestral à nascente da branco e azul.

E foi a partir dessas sociabilidades negras da cidade, ao longo da década de 1920 e 1930, que as escolas de samba se organizaram em torno de entidades organizadoras e, a partir de reuniões periódicas, lograram confabular e se organizar como instituições que mantinham atividades regulares em suas comunidades.

No trabalho de organização de acervo do Departamento Cultural da Vila, em 2014, encontramos alguns registros da União das Escolas de Samba, em 1938 – data anterior à fundação da Unidos de Vila Isabel. No documento, encontramos a assinatura de nomes importantes para a formação das agremiações, como Eloy Antero Dias, Paulo da Portela e Pedro Siciliano, entre outros, além de nos dar a dimensão da transformação das escolas de samba no decorrer dos séculos, as quais modificaram seus nomes, porém, ao mesmo tempo, permanecem como instituições poderosas em todo o Brasil e no mundo.

Foi esse ambiente encontrado por *Seu* China, que, por sua vez, já o havia vivenciado em suas altas madrugadas no Morro do Salgueiro. Ele residia na rua Senador Nabuco, nº 248, casa 3 (um dos principais acessos ao Morro dos Macacos à época), em um sobrado. No local, morava seu pai, José Fernandes da Silveira, conhecido como seu Juca, em uma espécie de cortiço com várias casas, cujo dono se chamava Álvaro.

A data oficial de fundação do Grêmio Recreativo Escola de Samba Unidos de Vila Isabel é 04 de abril de 1946 – "*Três dias depois da mentira*", como nos cantou o saudoso compositor Wilson Caetano. Há algumas versões que falam sobre sua origem e, no caso, não é nossa intenção cravar uma verdade única e absoluta. De certo modo, todas essas versões se cruzam e acreditamos, muito mais, em uma ideia de processo do que, de fato, numa origem única e absoluta.

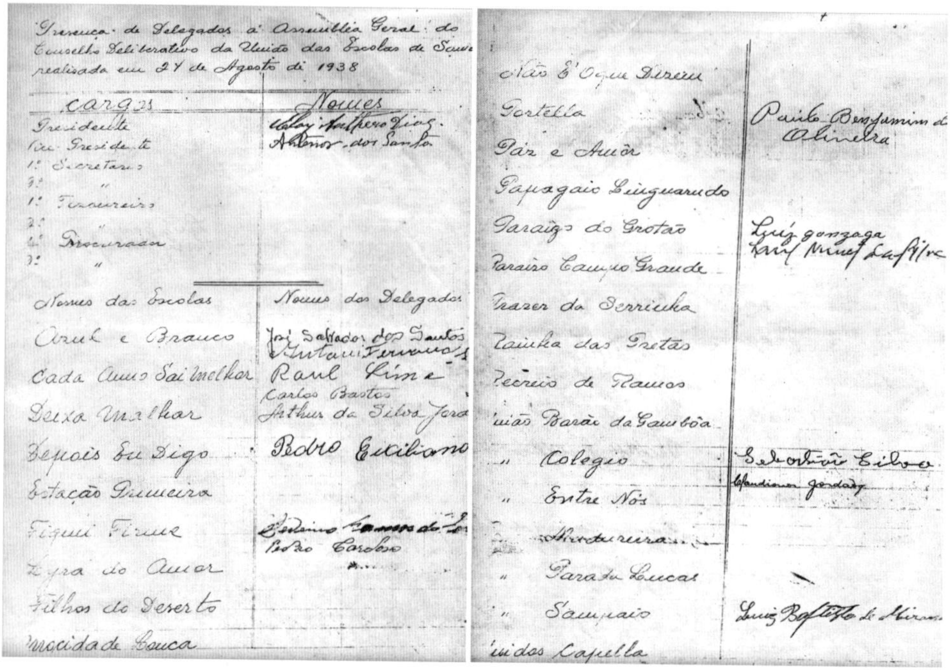

Presença de Delegados à Assembléia Geral do Conselho Deliberativo da União das Escolas de Samba realizada em 27 de Agosto de 1938

Cargos	Nomes
Presidente	[illegible]
Vice-Presidente	Antenor dos Santos
1º Secretario	
2º "	
1º Tesoureiro	
2º "	
1º Procurador	
2º "	

Nomes das Escolas	Nomes dos Delegados
Azul e Branco	José Salvador dos Santos Antonio Fernandes
Cada Ano Sai Melhor	Raul Lima Carlos Bastos
Deixa Malhar	Arthur da Silva [illegible]
Depois Eu Digo	Pedro Eciliano
Estação Primeira	
Fique Firme	[illegible] Pedro Cardoso
Lyra do Amor	
Filhos do Deserto	
Mocidade Louca	
Não É O que Dizem	
Portella	Paulo Benjamim de Oliveira
Paz e Amor	
Papagaio Linguarudo	
Paraiso do Grotão	Luiz Gonzaga [illegible]
Paraiso Campo Grande	
Prazer da Serrinha	
Rainha das Pretas	
Recreio de Ramos	
União Barão da Gamboa	
" Colegio	Sebastião Silva [illegible]
" Entre Nós	
" Aventureira	
" Para [illegible]	
" Sampaio	Luiz Baptista de [illegible]
Unidos Capella	

Lista de presença à Assembleia Geral do Conselho Deliberativo da União das Escolas de Samba, 1938.

Imagem: reprodução do Departamento Cultural do GRES Unidos de Vila Isabel

O filho de *Seu* China[17], Osni Fernandes, nos conta, em suas memórias, que havia na região um time de futebol composto por jovens, que, decidindo sair no folguedo de Momo, criaram um bloco de carnaval chamado "Coração da Vila", com as cores vermelho e branco, fundado por Celso Salgueirinho, Paulo Brazão, Tio Mané, Onijaque, Quinzinho, Toninho, Ailton Pinguim e Zé Maria – os dois últimos também fundadores de um afamado bloco da região, o "Maria Tataia". A reunião dos boleiros se dava no corredor onde *Seu* China morava e, desse grande grupo, nasceu a escola de samba Unidos de Vila Isabel, com as cores branco e azul. Participaram da fundação, além de *Seu* China, Paulo Gomes de Aquino (o Paulo Brazão), Antônio Rodrigues (o *Tuninho Carpinteiro*), Ari Barbosa, Celso da Silva, Joaquim José Rodrigues (o *Quinzinho*), Osmar Mariano e Servan Heitor de Carvalho – que também era presidente da União Geral das Escolas de Samba[18].

É interessante notar que o conceito de fundação em uma escola de samba é fruto de calorosos debates em torno de uma ideia construída de origem, que envolve também uma luta pela construção de tradições, memórias e autenticidade do passado. Osni conta que alguns nomes não constam na historiografia oficial de Vila Isabel como fundadores, como Jardelina e Clarendina, mulher e cunhada de *Seu* China, respectivamente. O próprio filho de China relativiza o protagonismo dos seus fundadores, afirmando que muitos que ali estavam presentes não assinaram a ata – e não se sabe até hoje o real paradeiro do registro de fundação da agremiação –, ressaltando o fato de que a taxa de analfabetismo, naquele momento, era grande entre os moradores do Morro dos Macacos.

---

17 Tanto *Seu* China quanto Servan haviam pertencido ao quadro da "Depois eu Digo", escola à qual também pertenceu Miguel Moura e que parece ter uma ampla relação com a fundação da Unidos de Vila Isabel.

18 Aliás, era muito comum que um sambista, nessa época, fosse fundador de várias escolas. Heitor dos Prazeres, Vizinha Faladeira, Unidos da Tijuca, Portela, Deixa Falar e Estação Primeira de Mangueira. Isso nos traz a ideia de grande circulação dos sambistas e seu trânsito entre diferentes agremiações.

Os primeiros carnavais da escola contaram com uma rede colaborativa formada em prol de "colocar o carnaval na rua". Era próximo a *Seu* China, em um terreno logo acima de sua casa, que ocorriam os primeiros ensaios da escola. Se, hoje, temos as quadras de ensaios das escolas de samba localizadas no "asfalto", naquela época inicial das agremiações os primeiros ensaios eram realizados dentro das próprias comunidades, servindo mesmo como espaços de integração, entretenimento e confraternização em torno do samba. Com o crescimento dos ensaios, *Seu* China conseguiu um terreno cedido pelo seu amigo, o João da Light, a fim de que os encontros da escola se realizassem em um local mais distante de sua residência. Conta-nos Osni que, em 1948, os ensaios passaram, então, a se realizar na Rua Conselheiro Correia, próximo à Senador Nabuco. Já o primeiro barracão – local de construção de alegorias e adereços – foi arranjado por Peti, que pediu a Dona Esther – dona de uma lavandeira próxima – que aos fundos se instalasse a Unidos de Vila Isabel.

Boa parte do interesse que uma escola de samba despertava em sua comunidade se dava através do samba "sambado", dançado, mas, principalmente, tocado. Se atualmente uma bateria possui mais de 200 componentes, a bateria da Unidos de Vila Isabel possuía, aproximadamente, 35 ritmistas regidos por Osmar Mariano, seu primeiro mestre de bateria, de acordo com os relato de Osni. Osmar Mariano era conhecido como um mestre exigente e brigão, mas que amava seu ofício e convertia sua dedicação em uma bateria de excelente qualidade. Com o crescimento da escola e seus desfiles, o grupo foi se ampliando e agregando ritmistas dos blocos da região, principalmente o de Dona Maria Tataia, que foi se dissolvendo e se associando ao corpo da agremiação. É do compositor Rosário um samba de terreiro recordado por Osni, a respeito da bateria:

Vamos animar o pessoal
Da nossa bateria
Principalmente Osmar
Que deve estar presente
Porque aqui o Estrelinha

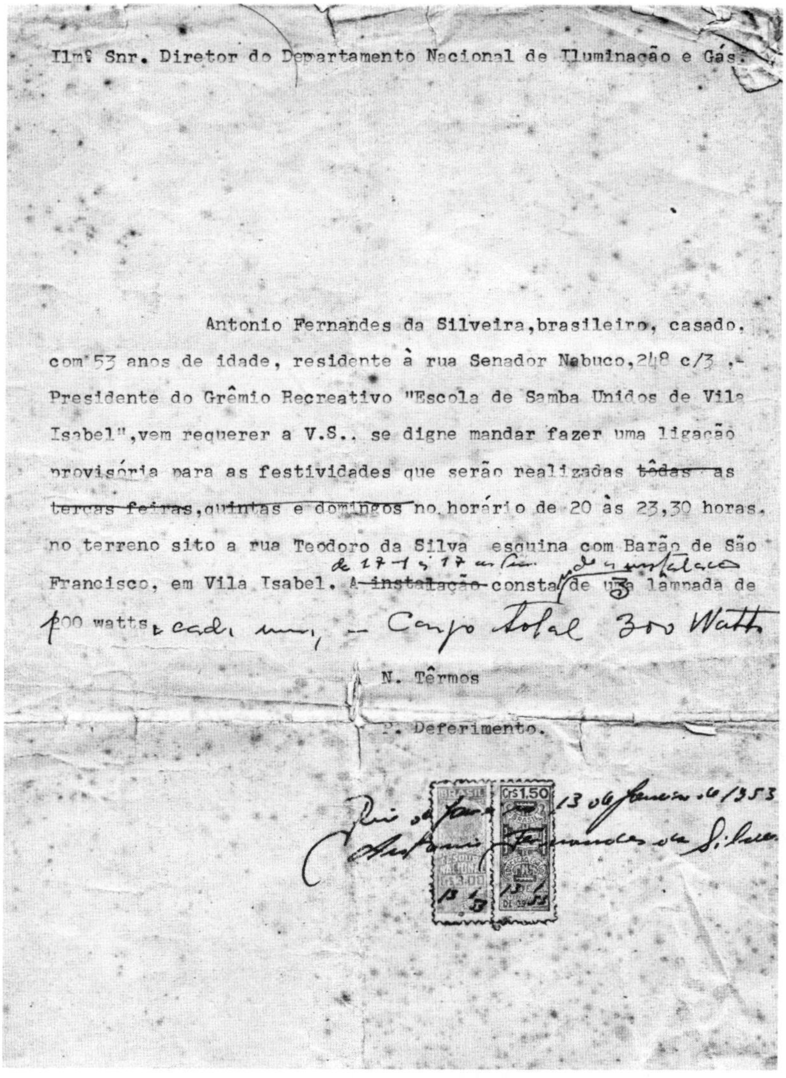

Ilmº Snr. Diretor do Departamento Nacional de Iluminação e Gás.

Antonio Fernandes da Silveira, brasileiro, casado, com 53 anos de idade, residente à rua Senador Nabuco, 248 c/3, Presidente do Grêmio Recreativo "Escola de Samba Unidos de Vila Isabel", vem requerer a V.S.. se digne mandar fazer uma ligação provisória para as festividades que serão realizadas ~~tôdas as terças feiras, quintas e domingos~~ no horário de 20 às 23,30 horas. no terreno sito a rua Teodoro da Silva esquina com Barão de São Francisco, em Vila Isabel. ~~A instalação~~ consta de 3 lâmpada de 100 watts cada uma, — Carga total 300 Watts

N. Têrmos

P. Deferimento.

Rio de Janeiro, 13 de janeiro de 1953

Antonio Fernandes da Silveira

Rascunho de documento elaborado por Seu China, solicitando ao Diretor do Departamento Nacional de Iluminação e Gás o serviço para uma festividade a ser realizada.

E o Tião Peitudo que são
Os bambas no surdo
O Zé que comprou uma barrica
Esse ano diz que vai sair puxando sua cuíca
Vocês vão ver como a Tabajara fica

Ora, se hoje estamos acostumados a chamar a bateria do Grêmio Recreativo Escola de Samba Portela de "Tabajara do Samba", à época a bateria da Vila Isabel também se intitulava "Tabajara", e não "*Swingueira de Noel*", como o é atualmente. E não era uma tarefa fácil organizar um ensaio, uma vez que boa parte dos terreiros em que se realizavam os ensaios para o carnaval se localizavam dentro das favelas cariocas. Nesses locais, a carência de serviços públicos – como água, esgoto e luz elétrica – era uma constante.

Havia, entre os colaboradores, uma intensa rede de solidariedade e amizade que, mesmo com discordâncias, persistia na construção de uma escola de samba como símbolo de representação de uma comunidade no carnaval. Uma prova desses laços afetivos é um samba escrito por Zé Leite, Osmar e Paulo Brazão. Não se sabe quem, de fato, seria o homenageado: enquanto o Jornal *Imprensa Popular* aponta que teria sido feito em homenagem a China, as memórias de Osni Fernandes contam que o samba fora feito em homenagem a Orlando, um componente da escola que ajudara muitos amigos de Vila Isabel arrumando emprego em uma fábrica de brinquedos, dentre eles Paulo Brazão, Djalma Sapo, Celso Salgueirinho e Birica. Eis a letra de "Amigo leal":

Fico muito grato
Pela sua lealdade
És como de fato
Um amigo de verdade
Se amanhã precisares de mim
Eu farei tudo para retribuir
Este favor que você me prestou
Um grande amigo pra mim
Tem sempre valor

A ESCOLA DE SAMBA "UNIDOS DE VILA ISABEL"

PREPARA-SE PARA REVOLUCIONAR OS SETORES DE MOMO

Vila Isabel o reduto famoso dos sambas de classe, o bairro alegre e festivo que foi berço de Noel Rosa, não podia deixar de comparecer brilhantemente aos domínios de Momo com o sequito dos seus foliões de grande estirpe. Vila Isabel, que também tem morros e sambistas é, sem dúvida, um dos mais animados e característicos municípios da Momolandia. E' isso que vai mostrar e provar, com um Carnaval de arromba, a Escola de Samba "Unidos de Vila Isabel". Os "azues e brancos" do morro dos Macacos já se prepararam para a grande festa. Sairão à rua num portentoso desfile de sambas e batuques. Apresentarão até um carro alegórico que será a legenda iluminada de u mbelissimo têma histórico. Na praça 11 concorrerão com as demais Escolas de Samba e, tudo indica, serão eles um dos vencedores. O presidente da agremiação, Sr. Antonio E. da Silveira, o vice-presidente, Sr. Ary Barbosa e o respectivo fiscal, Sr. J. F. de Assis, não tem poupado esforços e, em boa hora, confiaram a organização do prestito a elementos experimentadissimos e que, em matéria de escolas de samba, já se encontram no curso cientifico. A parte das baterias e do batuque propriamente dito foi confiado ao Sr. Osmar Mariano de Souza; tudo quanto se relacionar com a harmonia tem seu responsavel no técnico Paulo Gomes de Aquino, enquanto que o "mestre sala" será o Sr. Sebastião Divino. Com esse "team" e suas lindas morenas, a Escola de Sanba "Unidos de Vila Isabel" tem garantido o seu triunfo.

Imagem: A Noite, *12/02/1947*

Tem sempre valor
Salvaste a minha situação
Um amigo assim merece
Consideração
Hoje sou feliz e tenho prazer
Esta felicidade
Eu agradeço a você[19]

Outro ponto interessante de notar, nesses anos iniciais da Unidos de Vila Isabel, é que os primeiros carnavais pautaram questões importantes em relação ao pensamento da negritude à época. Lembremos que as décadas subsequentes à abolição da escravidão foram um momento de máxima importância para a reconstrução dos laços sociais e identitários dos negros no Brasil. As escolas de samba, então, tiveram um papel fundamental na reunião desses atores em torno de um pavilhão, batuque, rodas e requebres ancestrais. A partir da experiência das agremiações na cidade, foi possível que esses laços viessem a ser reatados e reconstruídos não em um formato que remoldasse uma África original, mas sim em formas peculiares de afro-brasilidades.

A figura de Miguel Moura, que é considerado o primeiro "carnavalesco", e a construção de narrativas em torno da ideia das memórias da escravidão nos dão uma dimensão da importância da Unidos de Vila Isabel para a construção de um conceito de negritude na escola. Mesmo que por vezes fosse quase invisível em seus enredos e sambas, sempre esteve lá, pois, de fato, o morro, seus descendentes de escravizados, o passado da escravidão negra – e ali também estavam suas memórias.

O primeiro enredo apresentado pela escola, intitulado "*De escrava a Rainha*", sugere a história de uma escravizada que se torna soberana. Osni relatou ao pesquisador Frederico Bezerra que o enredo era uma homenagem à figura das baianas na sociedade carioca e, por isso, sua comparação com a imagem de rainhas, expressa na letra do samba do GRESU Vila Isabel de 1947, assinado pelo pioneiro Paulo Brazão, que Fernandes nos relembra:

---

19 Apud *Imprensa Popular*, Coluna "Carnaval à Vista", p. 06.

Escrava Rainha

Liberdade de um novo
Império que surgiu
Eu dei liberdade
À escrava rainha gentil
Foi um brado de Noel
Que vibrou na História
Cantava suas melodias
Nos dias de glória

Paz, felicidade, liberdade
Agora a escrava rainha
Da sua vontade as nossas
Baianas eram desprezadas
Nas ruas e nos salões
Ninguém admirava mais

Agora a nossa rainha
Foi libertada
Elas cantam assim
Liberdade, liberdade!
Salve o glorioso Noel
Foi um soberano do samba
Em Vila Isabel

Já para o carnaval de 1948, Osni Fernandes atesta que o enredo foi feito por Miguel Moura e a temática era "Navio Negreiro", recordando-nos o samba, também composto por Paulo Brazão:

Canta Brasil o lamento negro de um passado
Pelo sofrimento a melodia de uma raça que sofria
Canta Brasil meu Brasil em um ritual de glórias

Pela liberdade recordamos Castro Alves
Pai da Gente de cor cantaremos em seu louvor
Essa melodia ao rufar dos tambores
De um negro em lamento febril meu Brasil
Meu Brasil canta para exaltar meu Brasil
Castro Alves em seu peito varonil
Exaltava em seus poemas contra o navio negreiro
Ilustre poeta brasileiro implorava em nome de Deus
Canta Brasil pra não se lembrar do passado que você sofreu

O samba de Brazão nos remete ao poema "Navio Negreiro", escrito por Castro Alves em 1870, que retratava os horrores dos navios "*tumbeiros*", os maus tratos e as péssimas condições em que viviam os escravizados ao saírem da África para o Brasil. Se, no início do século XX, o passado escravista deveria ser esquecido por vontade de uma elite brasileira , falar da figura da baiana e de Castro Alves seria uma forma ativa de rememorar o país sobre a dívida histórica que tinha com os negros descendentes de escravizados – ou seja, os próprios sambistas.

É nesse contexto que a atuação de Miguel Moura se faz essencial, pois, ao se colocar como um carnavalesco negro nos anos iniciais das escolas de samba – chegando, mesmo, a contestar, diretamente, sua perda de espaço no cenário carnavalesco e a ascensão de Fernando Pamplona –, pauta temas relativos ao passado escravista e à própria construção da negritude e sua memória. Não é ingênuo pensar, portanto, que junto de *Seu* China, Paulo Brazão e outros sambistas intelectuais da primeira hora do nascente das escolas de samba são sujeitos ativos na construção de um projeto de nação e modernidade pautados no samba e suas vivências afro-diaspóricas.

Outra atuação importante na escola era a de Djalma Sapo, um dos grandes artistas visuais e compositores da Vila. Também filho de *Seu* China, a criação da escola de samba em seu quintal e todo o cotidiano familiar envolvido despertou sua atenção para as artes. Frequentando os fundos da lavanderia de Dona Esther, local em que se confeccionavam as alegorias da agremiação, passou a conviver com os artistas da Vila que criavam os aspectos visuais e musicais dos desfiles.

Um de seus primeiros mestres foi Miguel Moura e, após sua saída para o carnaval de 1955, Djalma assumiu a função de ser um dos principais responsáveis pela elaboração do enredo e confecção do visual da escola, junto com Toninho Carpinteiro, fundador da escola e marceneiro, e o auxílio de "Bravo", profissional na pintura de figurinos e anúncios que atuava na região de Vila Isabel. Além de autor do enredo, Djalma Sapo foi o autor do samba de enredo do ano:

Quantas riquezas e quantas belezas mil
São obras da natureza do meu Brasil
A joia rara que vamos exaltar
No mundo mais bela não há
As suas cascatas
Lindas flores nos jardins
Suas verdes matas
Cachoeira, tudo, enfim
O céu azul luar cor de prata
Nas suas montanhas enormes
Tens um gigante que dorme
O que fizeste por nós
Mãe natureza não sabemos
Agradecer a vos
Tu és a única que tens o direito
De fazer tudo perfeito
Com sua formosura
Oh deusa da natureza

É interessante notar que tanto a presença de Miguel Moura como a de Djalma Sapo são ignoradas quando se fala em arte visual carnavalesca. Fato é que, já na década de 1950, as escolas de samba começavam a flertar com uma construção de visualidade pautada na indústria cultural do cinema e do teatro. Logo, coadunavam-se dois modelos de construção nas escolas de samba, durante esse período: um conectado a uma maneira mais orgânica de experimentar a escola de samba a partir de uma vivência cotidiana no morro, onde o fazer artístico passava muito mais por uma ideia do "fazer com", estar junto e construir coletivamente; e outro que passava pela aproximação, cada vez maior, com artistas das camadas médias e de círculos artísticos e intelectuais além-favela. De certa forma, no fim da década de 1950 e durante a década de 1960, esses modelos permaneceram coexistindo.

A biografia de Fernando Pamplona deixa evidente a opção de Nelson Andrade, patrono do GRES Acadêmicos do Salgueiro à época, em aderir a um visual mais conectado à experiência das camadas médias, convidando assim o cenógrafo para pensar a visualidade da escola de samba para o carnaval de 1960. Porém, é interessante notar que, já em 1958, Gabriel do Nascimento assume o posto de cenógrafo da escola, ganhando grande destaque na produção dos desfiles subsequentes na imprensa. Nota-se uma ampla circulação de Gabriel do Nascimento pelo mundo das artes e da cenografia carioca, não só por seus trabalhos em teatro e escolas de samba, mas também por sua candidatura em uma chapa que concorreu à diretoria do Sindicato dos Desenhistas de artistas e técnicos, em 1967 (*A Luta Democrática*, 10/02/1967, p. 2). O fato de Gabriel do Nascimento circular dentro de um circuito artístico não o impediu, entretanto, de construir densas relações sociais dentro da escola de samba. Por exemplo, em 1962 (cf. *Correio da Manhã*, 28/04/1962, 2º Caderno, p. 2), é noticiado seu casamento com Dulce Alves, grande jornalista vila-isabelense responsável por várias matérias e contatos da escola com a imprensa. Esse processo revela uma complexa rede de relações nas quais as escolas de samba e seus atores estão inseridas.

Processo parecido, entretanto, ocorreu dentro da Unidos de Vila Isabel, onde, nos anos 60, com o ingresso de novos diretores na escola e com a vitória, em 1960, no terceiro grupo com o enredo "Castro Alves", houve uma nova dinâmica no posicionamento da agremiação perante suas coirmãs e rivais. Na ocasião da vitória, Osni nos traz um samba feito por Birica:

A Vila está cheia de glória
Canta mocidade, parabéns pela vitória
E muitas felicidades
Pois cantar samba na Vila é banalidade

Unidos seremos fortes
Para cantar lá na cidade
Canta orgulhosa Vila
Todos se admiram
Pelo seu lindo papel
O seu orgulho pela vitória
Vila canta o seu passado de glória
Sua bandeira possui as cores lá do céu
Canta, canta Vila Isabel
Glórias à vitória, glórias a Noel!

Não seria "chover no molhado" – já que chuva forte lá na Vila é garoa, como nos disse o poeta Noel Rosa – reafirmar que tanto o bairro de Vila Isabel, quanto a sua homônima escola de samba possuem seus anos iniciais de formação pautados na convivência das sociabilidades negras. Se isso, hoje, fosse ao menos levado em consideração quando contamos a história da localidade, a narrativa seria bem diversa: creditar, unicamente, ao Barão de Drummond a fundação do local é um erro histórico que precisa ser reparado. É preciso um esforço para localizarmos e creditarmos tal mérito aos negros do pós-abolição que ocuparam a região e foram fundamentais na edificação do local e na própria construção do que seria a *Kizomba* anos mais tarde. Vamos a ela.

4. Vila Isabel: A "*Kizomba*"

Se, até aqui, vimos uma história resumida de Vila Isabel – afinal, a história é um fio tecido pelo tempo que jamais tem fim, pois possui vozes, origens e temporalidades distintas –, isso se deu com o objetivo de mostrar que "nossa *Kizomba*" principiou a ser gestada antes mesmo de começar a ser vivida, efetivamente. Não só porque a escola tem, em suas bases, enredos e personagens negros onde havia, de fato, um debate sobre a escravidão e suas heranças sob a perspectiva da época, mas também porque, em 1987, a escola conquistou um 5º lugar com o gostinho de "quase lá".

Em um vistoso desfile, a Vila Isabel apresentou o carnaval "*Raízes*", desenvolvido pelo carnavalesco Max Lopes. O enredo foi inspirado em um romance do sociólogo Darcy Ribeiro, o *Maíra*, e o samba composto por Martinho da Vila inovou ao apresentar um formato diferente e sem rimas. Em entrevista antes do desfile para a TV Manchete, Martinho se mostrava muito satisfeito com os preparativos da escola. Afinal, a Vila estava bonita com uma abertura em azul e prata. Ocas que pareciam flutuar na entrada da escola e índios sambando envoltos em uma forma circular que parecia emoldurar aquele espetáculo. O compositor estava confiante, pois o principal para uma escola de samba estava ali: ela tinha enredo, samba de enredo e a "bateria encaixada", o que significava que o ritmo estava plenamente em harmonia com o canto da escola e os intérpretes que cantavam o samba.

Nessa mesma entrevista, a semente da dúvida era plantada: a repórter questionava Martinho se ele seria o próximo presidente da Unidos de Vila Isabel, de acordo com os boatos que ouvira. Com muita calma, o cantor desconversou, dizendo que só estava pensando no desfile que estava entrando na avenida e o depois era o depois. Não havia nenhuma comprovação de que Capitão Guimarães sairia da escola e muito menos poderiam imaginar os percalços que viriam com a mudança brusca que a agremiação sofreria nos próximos meses.

Após o desfile, em que a Vila foi a 5ª colocada, Capitão Guimarães deixou a escola. Ao mesmo tempo, após uma longa batalha, o campo do América – atual *Shopping Boulevard*, ou "Iguatemi" – deixava de ser o seu local de ensaios[20]. O golpe seria duro. A agremiação sentiria fortemente a saída do patrono e, ainda, ficaria sem sua quadra para reuniões e realização de ensaios, uma ótima oportunidade para que arrecadasse fundos financeiros para sua manutenção e realização dos desfiles. A quadra de uma escola de samba nos remete aos terreiros e quintais – aqueles mesmos terreiros míticos da Praça Onze, o mesmo quintal

---

20 Aliás, boa parte da história da agremiação foi marcada pela ausência de uma sede administrativa própria e, também, de uma quadra de ensaios oficial, problema esse que foi sanado no ano de 2000, quando a Vila iniciou suas atividades no terreno do Detran, onde se localiza sua atual quadra de ensaios.

de *Seu* China, onde a Vila foi criada. É o local onde se realizam os ensaios e reuniões para a organização do desfile vindouro; mais ainda, é um espaço de confraternização, de compartilhamento de saberes e sentimentos. A escola ficava sem uma sede central em que pudesse reunir todos os seus e isso deveria ser sanado a qualquer custo.

Licia Maria Maciel Caniné, apelidada de *Ruça* (por ser uma mulher loira, alta, em meio à esmagadora maioria negra da escola), nos contou que a saída de Guimarães deixou um vácuo no poder da agremiação: afinal, quem iria assumir uma escola sem quadra e que acabara de perder o seu patrono? Após muito se conversar nos bares de Vila Isabel - salve o *Petisco da Vila*! -, chegou-se à conclusão de que ela mesma seria a candidata da eleição para presidir a Vila. Fizeram faixas, campanha no morro, almoço para angariar a confiança da escola, camisetas... Ufa! Deu certo! *Ruça* era a nova presidente da Vila Isabel!

Ela transformou sua casa em um grande local de encontros, reuniões, ateliê e debates sobre os rumos da escola. Entretanto, as conversas não eram apenas sobre o desfile de 1988. Afinal, qual era a função de uma escola de samba? Para que servia? O que deveria dizer um desfile de escola de samba?

Nas próximas páginas, iremos descobrir o que a *Kizomba* iria nos proporcionar...

02

ENREDO
KIZOMBA, A FESTA DA RAÇA

Capa da sinopse de "Kizomba, festa da raça", enredo do GRES Unidos da Vila Isabel em 1988
Imagem: acervo do Vila Cultural

A Unidos de Vila Isabel realizou na Passarela do Samba, em 1988, um dos cortejos mais singulares e marcantes da folia brasileira. Para a *História oficial*, aquele era o ano de celebração (?) do centenário da famigerada *Abolição da Escravatura*. Contudo, a contrapelo das narrativas vigentes, a comunidade do Morro dos Macacos decidiu lançar na avenida, por um punhado de boas razões, "*o grito forte dos Palmares, que correu terras, céus e mares, influenciando a Abolição*". O evento solene, obviamente, era mera conversa para boi dormir - e Martinho da Vila, *Ruça* e seus pares sabiam muito bem disso. "*Livre do açoite da senzala*, [mas] *preso na miséria da favela*[21]", o negro brasileiro precisou fazer das tripas coração para sobreviver ao violento *apartheid* social que lhe foi imposto na chamada era *republicana*, tratando de forjar novas vias de organização e sociabilidade para não sucumbir à penúria e resistir bravamente à repressão policial do Estado.

De fato, da festejada ***Lei Áurea***, restara-lhe apenas o "*sublime pergaminho*" assinado pela Princesa Isabel em 13 de maio de 1888... O Brasil dos marechais, a serviço dos *barões* do *café com leite* e dos *coronéis* dos latifúndios nordestinos, não promoveu sequer uma acanhada **reforma agrária**, tampouco investiu em políticas públicas de **Educação**, **Saúde**, **Habitação** e

---

21 Versos do samba de enredo "*Cem Anos de Liberdade: realidade ou ilusão?*", composto por Alvinho, Hélio Turco e Jurandir para o desfile da Estação Primeira de Mangueira em 1988, o ano do centenário da "*Abolição*".

Emprego (como diria um cartaz do movimento negro um século mais tarde, "*a Princesa [Isabel] esqueceu de assinar nossa carteira de trabalho!*"), obrigando a massa de ex-escravos que deixara as fazendas a refugiar-se à míngua nos morros e franjas das cidades. Em suma, conforme tão bem definiu o historiador Caio Prado Jr., os construtores da riqueza do país seguiam à mercê do secular "arranjo político" que aqui se impôs desde a "**Independência**" ("*simples transferência pacífica de poderes da metrópole para o novo governo brasileiro*"[22]), sendo reeditado na incensada "***Abolição***" e perpetuando-se com a melancólica "**Proclamação da República**", que veio a sepultar o moribundo Império com uma cavalgada no Campo de Santana – ou, segundo as palavras do percuciente Caio Prado: "*Uma simples passeata militar foi suficiente para lhe arrancar o último suspiro*"[23].

Por isso, a crônica dos poderosos é feita de acontecimentos que se deram à revelia do nosso povo, personagem sempre apartado da vida pública nacional, regida (desde a "Independência" até hoje) por uma classe dominante atrelada aos interesses estrangeiros, sem qualquer compromisso com os anseios das classes trabalhadoras – compostas, em sua ampla maioria, até 1888, pelos escravizados negros sequestrados da Mãe África. Só mesmo uma **escola de samba** poderia pôr em cena aquilo que foi apagado dos livros escolares e evocar as lutas desse imenso contingente de cativos, entre as quais avulta a longa e renhida guerra travada pelos negros foragidos das fazendas do Nordeste, que, nos idos do séc. XVII, se refugiaram em quilombos erguidos na região de **Palmares**, nas brenhas da Serra da Barriga, ao norte do atual estado de Alagoas.

---

22 Cf. PRADO JR., Caio. *A evolução política do Brasil.* 10ª ed. São Paulo: Brasiliense, 1977, p. 48. O historiador comenta ainda que, "*na falta de movimentos populares, na falta de participação direta das massas neste processo, o poder é todo absorvido pelas classes superiores da ex-colônia, naturalmente as únicas em contato direto com o Regente e sua política.*" Em suma, a Independência é muito mais obra de uma classe do que da nação em seu todo.

23 PRADO JR., obra citada, p. 90.

Cartaz do Movimento Negro Unificado Ilê-alyê Grupo Ginga, 1988.
Foto: exposição "Um defeito de cor". *Rio de Janeiro: MAR (2023)*

Por sua vez, era ainda quase inconcebível que, na pátria da *casa-grande e senzala*, os filhos e filhas da diáspora africana pudessem assumir qualquer protagonismo. Não havia conquistas, e sim concessões; quando sobreveio a dita "***Abolição***", ela foi pintada sob as cores de um cenário clássico, em tons suaves, como uma dádiva generosa da nobreza. Não havia como enaltecer a força dos herdeiros de Zumbi e Dandara, nem lhes creditar o mérito pela heroica resistência em prol da própria liberdade. E muito menos admitir, como frisou o historiador Décio Freitas quase um século depois, que "*nenhuma categoria social lutou de forma mais veemente e consequente contra a escravidão do que a dos próprios escravos*"[24].

Ainda assim, com engenho, altivez e arte, os negros e negras abrem espaço em nossa experiência periférica de *modernidade*, cientes de quão árida e tortuosa seria sua jornada. Entre a **I República** (1889-1930) e o **Estado Novo** (1937-1945), o périplo abrange as lutas sindicais abraçadas por categorias como os arrumadores do Cais do Porto, a partir das quais se projetam figuras emblemáticas como Paulo da Portela, Mano Elói e Aniceto do Império, além de grupos musicais de raro talento, sustentados pela escuta singular de seus criadores (caso do conjunto "Os oito batutas"). Isso para não falar daquelas dinâmicas e antropofágicas instituições surgidas a partir das décadas de 1920/30, que até hoje pulsam no coração da urbe: os briosos grêmios recreativos / escolas de samba.

1. A *Kizomba* da Vila Isabel: um enlace feliz do país recém-redemocratizado com a secular resistência da negritude

No dia 15 de janeiro de 1985, quase 21 anos após o fatídico golpe de 1º de abril de 1964, o Colégio Eleitoral da ditadura se reuniu para eleger o

---

24 Cf. FREITAS, Décio. *Palmares: a guerra dos escravos*. 2ª ed. Rio de Janeiro: Graal, 1978, p. 12.

A Abolição: fruto das lutas dos movimentos negros durante o século XIX, culminando na assinatura da Lei Áurea pela Princesa Isabel.

Fotos: Prefeitura de Salvador (monumento a Zumbi na Praça da Sé) e Arquivo Nacional

presidente que iria suceder o General João Batista Figueiredo, o intempestivo ditador que assumira o poder em 1979. Embora ele declarasse em alto e bom som preferir o odor dos cavalos ao cheiro do povo, a João havia sido confiada, pelo grupo do General Ernesto Geisel (ditador de plantão de 1974 até 1979) e do General Golbery do Couto e Silva (o maior estrategista político do governo), a missão de promover a "*abertura lenta, gradual e segura*" do regime militar. A iniciativa nada tinha de gratuita: desde meados da década de 70, a "*Redentora*" dava claros sinais de esgotamento, seja pela falência do modelo econômico do Ministro Delfim Neto (que pedira à população para "apertar o cinto", prometendo que mais tarde todos dividiriam o bolo), seja pelos atritos agudos entre os próprios militares (com a *linha dura* do Exército, liderada pelo General Sylvio Frota, promovendo ataques explosivos a bancas de jornais e outros atos terroristas ainda mais bizarros, como o frustrado atentado à bomba ao Riocentro em 1981).

A eleição de janeiro selaria formalmente o fim do largo período de trevas. A fim de aplacar o crescente descontentamento popular com o regime, o governo dos generais já acenara com algumas "concessões" desde o final da década anterior, entre elas a polêmica **Lei da Anistia**, sancionada por João Figueiredo em agosto de 1979, que permitiu o regresso ao Brasil dos brasileiros e brasileiras cassados e banidos pela ditadura (entre eles, Leonel Brizola, Luiz Carlos Prestes, Fernando Gabeira, Gregório Bezerra e tantos outros opositores da "*Redentora*"), mas também concedeu 'alforria' aos torturadores que atuavam nos porões da repressão. Era preciso, enfim, atenuar a pressão gerada pela grave conjuntura econômica do país, que, desde a crise mundial do petróleo em 1973, com a alta dos juros internacionais, sofria com o crescimento da dívida externa e o desequilíbrio da balança de pagamentos, cujo desdobramento mais agudo seria o aumento da inflação e da dívida interna.

A virada da maré contribuíra para a expressiva votação do *Movimento Democrático Brasileiro* (MDB) nas eleições gerais de **1974**, em que a legenda da oposição conquistou 160 cadeiras na Câmara dos Deputados, contra 204 do partido da situação, a *Aliança Renovadora Nacional* (ARENA), e venceu a briga por ⅓ das vagas do Senado, com 14,5 milhões de votos e 16 senadores eleitos, contra 10 milhões de votos e apenas seis cadeiras da ARENA. Esse avanço concorreu para a **reforma partidária de 1979**, em que o **bipartidarismo** cedeu vez a um **pluripartidarismo** fajuto, com a velha ARENA travestida de *Partido Democrático Social* (PDS) e o MDB esfacelado em cinco siglas, sendo seu maior herdeiro o PMDB, além do *Partido Democrático Trabalhista* (PDT), sob a liderança do recém-anistiado Leonel Brizola; o *Partido Popular* (PP), bem moderado, que abrigava Chagas Freitas e Tancredo Neves; o *Partido Trabalhista Brasileiro* (PTB), linha auxiliar do regime; e o *Partido dos Trabalhadores* (PT), que reunia as lideranças sindicais do ABC (entre elas, Lula), as pastorais da Igreja e alguns grupos de esquerda que haviam participado da luta clandestina contra o regime.

Sob esse 'novo' quadro partidário, a combalida ditadura, apostando na divisão dos adversários, resolveu promover **eleições diretas** para **governador** em **1982**. Embora o PDS tenha sido vencedor em doze unidades da Federação (a grande maioria no Nordeste), o governo obteve uma vitória ilusória. Urnas apuradas, a oposição conquistou o Executivo em dez estados do país, entre os quais os mais ricos e povoados, elegendo **Franco Montoro** (PMDB) em São Paulo, **José Richa** (PMDB) no Paraná, **Leonel Brizola** (PDT) no Rio de Janeiro e **Tancredo Neves** (PMDB) em Minas Gerais. E seria justamente **Tancredo**, velha *raposa* da política mineira que patrocinara a fusão do PP com o PMDB, o nome indicado para encabeçar a chapa oposicionista no Colégio Eleitoral de 1985. Após a derrota da Emenda das *Diretas Já!* no Congresso em 1984, quando, por falta de quórum (112 deputados ausentes), a proposta do deputado Dante de Oliveira (PMDB-MT) em prol da restauração das **eleições diretas para Presidente da República**, mesmo vitoriosa no plenário (298 votos a favor, 65 contra e 3 abstenções), não pôde ser aprovada, era essa a via vislumbrada pelas forças democráticas para dar fim ao regime de exceção no Brasil.

Compondo chapa com o traquejado político maranhense **José Sarney** (que, em face da iminente queda do regime, deixara o PDS e se filiara ao PMDB), **Neves** lograria derrotar **Paulo Maluf** (PDS-SP), o deputado ultraconservador que vencera Mário Andreazza (ex-ministro de Transportes do ditador Emílio Garrastazu Médici) na convenção do PDS, rachando a principal legenda da situação criada em 1979. Embora se tratasse de uma eleição indireta, sem interferência popular no processo, o pleito mobilizara bastante a maioria da população, que ansiava por mudanças no país – e vislumbrava em **Tancredo** o condutor de uma nova etapa de vida democrática no Brasil. Infelizmente, às vésperas de sua posse, o eleito acusou uma suspeita inflamação intestinal, vindo a falecer em 21 de abril de 1985, dia da Inconfidência Mineira, já com José Sarney investido do cargo de presidente.

A despeito dessa nova frustração por mais uma cruel ironia na história de nossa pátria, a esperança que brotara no seio das classes populares não arrefeceu. Ela continuaria a pulsar nos setores mais castigados pelo "milagre econômico" de Delfim Neto & Cia., entre os quais se incluíam, por certo, os negros e negras que viviam um oficioso *apartheid* nos morros e periferias das nossas excludentes metrópoles. Após quatro séculos de cruel cativeiro e quase cem anos da pretensa "libertação", o fim da ditadura e o anúncio de uma **Assembleia Nacional Constituinte** destinada a reescrever o arcabouço jurídico e social do país semeavam nas favelas, morros e grotões o sonho de uma vida mais digna e justa, que abolisse efetivamente a segregação dos filhos da Mãe África e dos povos originários desta terra, ocupada a ferro e fogo pelos colonizadores do *Velho Mundo*. Mal ou bem, a instalação no Congresso Nacional, em 1º de fevereiro de 1987, da **Constituinte** presidida pelo brioso deputado federal **Ulysses Guimarães** (PMDB-SP), um dos líderes da oposição à ditadura, era um signo de novos tempos no país – e essa expectativa de mudança sacudiu o Brasil de norte a sul, desde os povoados ribeirinhos da Amazônia até as favelas de nossas metrópoles, entre elas, por certo, o aguerrido Morro dos Macacos, no Rio de Janeiro.

Era preciso, afinal, reparar, tardia e urgentemente, a perversidade ditada pelo antigo regime colonial, que sequestrou do continente africano, entre os séculos XVI e XIX, cerca de seis milhões de homens, mulheres e crianças que para cá vieram acorrentados nos porões dos lúgubres *tumbeiros*. Eles pertenciam a distintos grupos étnicos oriundos das grandes costas que delineiam as terras banhadas pelo Oceano Atlântico: Costa da

Guiné, Costa do Ouro, Costa da Pimenta, Costa do Marfim e Benim. Sua identidade era igualmente definida por dois expressivos grupos linguísticos do continente africano: os **sudaneses** e os **bantos**. O primeiro abrangia os **nagôs** (*oyó, ixejá, ketu, ijebu, egbá, ifé, oxogbô* e outros), os **jejes** (*fon, ewé, ashanti* e *fanti*) e os **malês** (falantes do *haussá*); o segundo compreendia os *ovimbundos*, os *bacongos*, os *umbundos* e os *muxicongos*. Aqui desembarcados, todos eles acabaram por se dispersar pelas regiões onde o trabalho feito pelos escravizados era essencial para prover o exaustivo labor nas extensas lavouras da monocultura de exportação (como a cana-de-açúcar, o cacau e o algodão no Nordeste) e no avassalador ciclo da mineração do século XVIII nas Minas Gerais e no Centro-oeste da colônia

Durante a longa noite da escravatura, como já ressaltamos mais acima, não faltaram gestas de insurreição dos escravizados, entre elas a luta de **Zumbi**, **Dandara** e seus irmãos no **Quilombo dos Palmares**, ainda no século XVII. É importante ressaltar que, quando o enredo e o samba entoam o "*Valeu, Zumbi!*", estão totalmente conectados com uma luta social coletiva do movimento negro brasileiro por alçar, ao patamar simbólico, a figura de Zumbi como um grande líder da resistência escravista e símbolo máximo do orgulho negro. É nesse mesmo momento que, em 1986, o monumento a Zumbi dos Palmares é inaugurado na Avenida Presidente Vargas, bem próximo à antiga região da Praça XI e à Avenida Marquês de Sapucaí. Não era à toa que Martinho da Vila, permanentemente conectado aos debates do movimento negro brasileiro, entendia isso como uma extensão da luta antirracista da época.

Também "*Kizombou*" antes do desfile do carnaval carioca a extraordinária ***Revolta dos Malês***, ocorrida em 1835, em Salvador (BA), liderada por negras e negros muçulmanos, decerto o maior levante de cativos na história do país. Após a pomposa "*Abolição*", a resistência teria de ser ainda maior, já que o povo negro (oficialmente alforriado, mas sem dispor de direitos sociais básicos na sociedade dita *republicana*) continuou a padecer a exclusão e a repressão do Estado oligárquico no séc. XX. Só para ilustrar essa *via crucis*, vale lembrar a emblemática ***Revolta da Chibata***, deflagrada por marujos e tenentes da Marinha brasileira, que, em novembro de 1910, sob o comando de João Cândido Felisberto, o notável "*Almirante Negro*", se rebelaram contra os maus-tratos que sofriam (em especial, as terríveis chibatadas com que os oficiais brancos puniam seus subalternos negros) e as péssimas condições de trabalho que a força militar lhes impunha.

A Revolta da Chibata funciona como um exemplo de uma agenda de luta pelo reconhecimentos dos direitos do negro no pós-abolição que não começa, por ali, na década de 1910, e nem termina por ali. As lutas dos movimentos negros brasileiros – desde as resistências de escravizados à sua condição até os movimentos mais contemporâneos, como rodas de *rap* e samba, capoeira e empoderamento feminino, por exemplo – foram fundamentais para que a *KIZOMBA* fosse realizada.

Suas formas de **resistência cultural**, sobretudo o **samba**, obtiveram êxito não só no país, mas mundo afora. *Bambas* do quilate de Ismael Silva, Cartola, Wilson Baptista e Nelson Cavaquinho encantavam plateias com sua arte, mas jamais amealharam, com o maravilhoso cancioneiro que criaram, os dividendos a que seu talento fazia jus. Com o golpe de 1964, os tempos se tornaram ainda mais *bicudos* para os trabalhadores e as trabalhadoras do campo e da cidade: toda e qualquer organização popular – fosse ela operária, rural, estudantil, feminina, racial ou de bairro – se tornou absolutamente proscrita após o AI-5, decretado em dezembro de 1968. O **movimento negro** foi obrigado a submergir na clandestinidade, mas, pouco a pouco, os grupos organizados voltaram a se manifestar, como se viu em 20 de novembro de 1981, quando se celebrou o *Dia Nacional da Consciência Negra* no Memorial Zumbi, no Parque Histórico Nacional da Serra da Barriga, em União dos Palmares (AL).

Sob o impulso dos ventos democráticos que começavam a soprar com mais força no limiar da década de 1980, não apenas as **entidades sindicais** e **estudantis**, mas também os grupos do **movimento negro** e as **associações de moradores** dos morros e da periferia voltam a se manifestar na sociedade. Em meio à aguda crise do regime, todos lutavam por *liberdades democráticas*, *reajuste salarial*, *melhores condições de vid*a e, claro, por *justiça*

Cartaz do *Dia Nacional da Consciência Negra* (20/11/1981):
Memorial Zumbi – União dos Palmares
Imagem: exposição "Um defeito de cor". Rio de Janeiro: MAR, 2023.

e *igualdade social*, além do *fim da repressão policial*, que seguia a perseguir arbitrariamente as classes populares, em geral, e o povo negro, em particular.

Em realidade, até mesmo no auge dos "*anos de chumbo*", a causa da **negritude** jamais se calou, conforme atesta a criação do *Centro de Cultura e Arte Negra* de São Paulo em 1971, reunindo militantes, jornalistas, estudantes e intelectuais em torno da bandeira da **consciência étnico-racial** e da **memória africana**. Lá mesmo na capital paulista, em 1978, surgiria o *Movimento Negro Unificado* (MNU), impulsionado por um expressivo ato público organizado contra a discriminação sofrida por quatro jovens negros no Clube de Regatas Tietê. A *História oficial*, enfim, começava a ser arguida e a comunidade negra levantava sua voz na década de 1980, registrando em 1987, ano que antecede a nossa *Kizomba*, 573 grupos de militantes em franca atuação[25].

2. *Vamos Kizombar, gente!* Um enredo democrático e popular, sob a inspiração de Ruça e Martinho da Vila

Em 1987, a comunidade do **Morro dos Macacos**, coração pulsante do **GRES Unidos de Vila Isabel**, também se associou de forma expressiva à irrefreável onda democrática que se espraiava, em maior ou menor grau, pelos quatro cantos do país. Seria ela a grande força motriz para a eleição de **Lícia Maria Maciel Caniné**, a combativa ***Ruça***, militante do Partido Comunista Brasileiro (PCB). Politizada e corajosa, Lícia sequer titubeou ao propor, junto com o então companheiro **Martinho da Vila**, a realização de um desfile ultraengajado em 1988, ano do centenário da controversa *Lei Áurea*, convertendo o cortejo da Vila em um **grito forte** contra

25 Cf. MOTTA-MAUÉS, Maria Angelica. "Movimento negro no Brasil". Centro de Pesquisa e Documentação de História Contemporânea do Brasil, Fundação Getúlio Vargas, 2009.

o racismo e, ao mesmo tempo, uma grandiosa **festa** de confraternização da raça negra da Mãe África e do Brasil.

A construção desse lendário cortejo constituiu, em última instância, um eloquente exemplo de **trabalho coletivo** e **representativo**, cujo sucesso adveio, essencialmente, da força das **ideias** – e não da riqueza ostensiva dos *patronos* ou do poder político que algumas agremiações possuíam nos bastidores da folia. Como disse o poeta cubano José Martí, líder da independência de seu país: "*Trincheiras de ideias valem mais que trincheiras de pedras*"[26]. Não por acaso, até hoje a ***Kizomba*** é tão aclamada pelos amantes do carnaval, que compreenderam de imediato a dimensão dessa obra compartilhada pelos idealizadores e pelos integrantes da escola, cujas narrativas e memórias coletivas, coletadas amiúde pelos três coautores desta obra (várias das quais aparecem transcritas neste volume e no documentário que o acompanha), são unânimes em exaltar o caráter revolucionário e *sui generis* do enredo que ora revisitamos.

Ainda era o ano de 1987 e, já ao final do carnaval, um mar de incertezas inundava a escola: as dúvidas políticas rondavam a branca e azul, não sendo certa a permanência de Capitão Guimarães à frente dos trabalhos, tampouco a continuidade do carnavalesco Max Lopes. Entretanto, alguns jornais noticiavam "à boca miúda" que o próximo enredo da Vila seria "*Kizomba*"; e escrito por Martinho da Vila.

Em meio à situação política complexa da escola e à chegada de *Ruça* à presidência, os caminhos levaram à realização de um enredo que não se daria de forma gratuita: havia uma conexão com a escola construída durante anos, desde sua fundação aos pés do Morro dos Macacos em amplo contato com o asfalto, passando pela presença predominante de negros no corpo da agremiação. Afinal, não era toda escola de samba um braço da África? Se eram uma construção afro-brasileira – e, logicamente, sofrendo múltiplas influências de

---

26 MARTÍ, José. "Nossa América". In: LEITÃO, L. R. *José Martí: Antologia*. S. Paulo: Expressão Popular, 2023, p. 31.

diferentes outros folguedos como o entrudo, as grandes sociedades, blocos, etc. –, falar da herança e força negra era, em última instância, falar de si.

O enredo de uma escola de samba pode ser considerado como o impulso inicial no ano carnavalesco, que gira diferente para quem é sambista: se um ano comum vai de janeiro a dezembro, o calendário "sambístico" vai de um carnaval a outro, ou seja, da realização de um desfile até o vindouro, como nos disse Maria Laura Cavalcanti (2009). Ao se terminar um evento e se proceder à consequente apuração do resultado final, iniciam-se automaticamente os preparativos para o carnaval seguinte – e uma das primeiras etapas a ser realizada é, precisamente, a construção da narrativa do enredo.

Um enredo é uma narrativa criada, inicialmente, por um núcleo criativo da escola de samba, que pode envolver carnavalescos, pesquisadores, jornalistas e mesmo parte do corpo diretivo da escola. Essa história adquire diversos formatos no decorrer do ano carnavalesco. Ela é inicialmente apresentada em formato de uma sinopse direcionada aos compositores, que irão disputar para ter suas obras como samba de enredo na avenida, e também em formato de logomarca, importante passo para a definição da identidade visual que será utilizada na decoração da quadra, camisas do enredo da escola, artes voltadas para as redes sociais versando sobre anúncios do calendário de eventos e compromissos sociais, etc. A logomarca, bem como o texto da sinopse, então se desdobrou em múltiplos formatos que dão corpo e consolidam o enredo durante o ano carnavalesco.

Diferente de um senso comum, que conecta a ideia do enredo apenas como uma história contada na avenida, é necessário pensar sua atuação em um espectro mais amplo que, como a *Kizomba* nos ensina, pode, inclusive, assumir um caráter quase pedagógico e disseminador de uma mensagem por meio de texto, música, visualidade e expressões corporais. O trançar de múltiplas linguagens dentro de um discurso e narrativa principais dão ao enredo um caráter contínuo que se completa, apenas, quando as notas são lançadas no mapa de jurados e o último componente cruza a faixa final. Martinho e *Ruça* entendiam *Kizomba* dessa maneira, pois se, afinal, um enredo de escola de samba poderia ser resultado de um longo processo de maturação e se transmutava em múltiplas outras formas de contar histórias, esse mesmo feito seria possível de ser realizado na Unidos de Vila Isabel.

A escolha do mote que iria ser desenvolvido pelos carnavalescos **Milton Siqueira**, **Ilvamar Magalhães** e **Paulo César Cardoso** já ensejara, por si só, um exercício saudável de **democracia**, do qual falaremos logo adiante, recapitulando a entrevista concedida pela própria ***Ruça*** à cineasta Nathalia Sarro, coautora deste livro. Contudo, antes de rememorar em detalhes essa experiência transformadora que mobilizou milhares de pessoas, vale advertir que a destemida presidente nunca foi uma estranha no ninho do samba. Desde a adolescência, ela já convivia com o universo das agremiações cariocas, pisando com muito gosto na quadra do **Paraíso do Tuiuti**, cujo presidente de honra era seu próprio pai, e do **Império da Tijuca**, escola pela qual até hoje ela nutre um imenso carinho. Outros "amores" confessos de Lícia eram o **Império Serrano** e a saudosa **Unidos da Capela**, que brilhou na avenida até 1966, quando se fundiu com a Aprendizes de Lucas para criar o GRES **Unidos de Lucas**.

"Órfã" da **Capela**, o destino a faria se cruzar com a **Vila Isabel** ao conhecer o dileto companheiro Martinho da Vila – segundo *Ruça*, um caso típico de "*amor à primeira vista*". Seguindo o protocolo da época, o Zé Ferreira a visitou na casa de seus pais quando ela ainda morava no bairro de Bonsucesso, na movimentada Zona da Leopoldina. ***Ruça***, aliás, sempre se sentiu bastante "orgulhosa" de ter sido moradora do subúrbio, conforme ela mesma declarou a Nathalia no depoimento prestado durante a filmagem do documentário *Kizomba: 30 anos de um grito negro na Sapucaí*:

> *Eu adoro ser suburbana. E tem explicação... Eu acho que o suburbano é um ser solidário, é mais social do que qualquer outro ser. Então, eu tenho muito orgulho, principalmente de lá daquele meu pedaço, de Bonsucesso.*[27]

27 Entrevista concedida por Lícia Maria Maciel Caniné, a *Ruça*, a Nathalia Sarro, em Vila Isabel. Rio de Janeiro, 22/12/2017.

A primeira ida à Vila se deu em 1968, em plena ditadura militar, quando ela pisou a antiga quadra da escola no campo do América para celebrar seu aniversário, acompanhada do pai, um general médico do Exército, e de Martinho, que até então ainda era sargento do Exército. *Ruça* brinca com a situação do casal, pontuando que "*era a filha do general com o sargento: era inusitado, mas era legal...*" Isso aconteceu na noite de escolha do samba para o carnaval de 1969, cujo enredo era "*Yayá do cais dourado*"; o Zé Ferreira venceria uma vez mais a disputa (ele já assinara o hino de 1967, "*Carnaval das ilusões*", e o de 1968, "*Quatro séculos de modas e costumes*", os dois em parceria com Gemeu). A filha do general lembra que os "maledicentes" atribuíram a vitória à presença do "maioral" (seu pai) na quadra, mas, para ela, Martinho venceu porque o samba feito com Rodolpho de Souza "*era bom mesmo*".

Daí em diante, seus laços com a escola da terra de Noel se estreitaram ainda mais. *Ruça* desfilou como baiana, participou da direção de Harmonia e começou a interagir com a comunidade do Morro dos Macacos, sobretudo na campanha para tornar **Mestre Mug** o regente da *Swingueira*, cargo que ele ocupou pela primeira vez em 1979. Lícia Maria era, literalmente, uma guerreira incansável, com uma notável capacidade de liderança, dom que a militância no PCB só fizera aprimorar. No decurso da década de 1980, com a ascensão do movimento social, sua atuação na agremiação se tornou ainda mais incisiva. Por isso, quando houve o vácuo de poder em 1987, em face da saída de *Capitão Guimarães*, seu nome surgiu como opção para assumir a presidência da Vila Isabel. Bem que ela tentou convencer os pares a aceitar a missão, mas eles recusaram o convite, a começar pelo Zé Ferreira, que logo se esquivou da tarefa, e pelo respeitado compositor Rodolpho de Souza, parceiro de Martinho no hino de 1969. Até mesmo o nome do contraventor Waldemir Garcia, o *Miro*, que estava no Salgueiro, mas era vila-isabelense confesso (e já presidira a escola entre 1966 e 1968), veio a ser cogitado, mas o *bicheiro* também não quis regressar ao berço.

Ruça, então, não vacilou e topou participar de uma eleição que ainda se dava por via **indireta**, na contramão dos ventos democráticos que sopravam após o final da ditadura. Ciente de que a escolha seria restrita ao Conselho Deliberativo da escola, a candidata não perdeu tempo e, durante a campanha com o povo do Morro, anunciou que lutaria para mudar o Estatuto da agremiação, permitindo o voto de todos os associados da Vila:

> *A minha proposta era mudar o Estatuto, para que a comunidade escolhesse, a escola escolhesse seu presidente através do voto. A gente tinha que adequar a escola aos novos tempos de democracia. A ditadura tinha acabado.*[28]

Sob o comando inédito de uma mulher, a Vila iria respirar, enfim, ares efetivamente democráticos. As reuniões de diretoria, por exemplo, que até então se realizavam de portas fechadas, passaram a ser **abertas** aos associados – todos com direito a **voz** e **voto**, ao melhor estilo da democracia participativa que algumas prefeituras do país passariam a adotar na virada do milênio. A presidente contava, quase sempre, com o apoio irrestrito do pessoal do Morro dos Macacos, mas isso não os impedia de questionar algumas de suas propostas, como ocorreu com a equipe da Harmonia, que se opôs à indicação unilateral do nome de Jaiminho como diretor, alegando que aquilo "não era democracia". Reconhecendo o erro, Ruça recuou e lhes disse: "— Está bem! Vocês então têm 24 horas para decidir quem vai ser o diretor." Dito e feito: a galeria da Harmonia correu atrás e no dia seguinte levou a ela o nome de consenso do grupo para o cargo. Os leitores e leitoras sabem quem foi o escolhido? É fácil responder: Jaiminho! Era a mesma proposta da presidente, mas quem escolheu foi a base...

E assim a comunidade foi se unindo, superando a situação crítica da escola, que sequer possuía uma quadra para ensaiar nos finais de semana. Tudo foi conquistado com muita luta por todos. "*Nada foi dado, nem pago*", ressaltaria Lícia. Para cada problema, havia sempre uma solução, quase sempre insólita e audaciosa. "*Não tem quadra? Então vamos ensaiar na rua! Afinal de contas, o desfile não será mesmo na rua?*" Com tamanha lábia e determinação, *Ruça* conquistou o morro e o asfalto, impulsionando a Vila para o cortejo mais emblemático de toda a sua história. Conforme relembra a

---

28 Entrevista citada de *Ruça* a Nathalia Sarro. Rio de Janeiro, 22/12/2017.

Lícia Maria Maciel Caniné, a *Ruça*, celebrando a vitória com a comunidade da Vila

Foto: acervo pessoal de Lícia Caniné

presidente, mesmo sem dinheiro e sem luxo, a branca e azul resgatou a sua dignidade, o amor a si própria, levando para a Sapucaí em 1988 um carnaval de muita garra, cujo fundamento era um só:

> *Nós tínhamos uma verdade: era a nossa ancestralidade, a nossa história, a nossa dignidade. Foi isso que ganhou o carnaval. O nosso amor. Isso tomou os corações das pessoas. As pessoas à volta, na arquibancada, as pessoas choravam com a Vila passando, de emoção.*[29]

Com o povo da Vila unido, era hora de definir o enredo para 1988. Quem imagina que a ideia da épica ***Kizomba*** tenha surgido de maneira espontânea não sabe que o enlace promovido pelo tema já vinha sido gestado desde meados da década. *Ruça*, companheira fiel de Martinho nas viagens a **Angola**, salienta que, nos anos 80, aprofundando o intercâmbio com o povo de além-mar, o movimento negro, do qual ela participava ativamente em nome do PCB, já realizava, a cada dois anos, uma *Kizomba*: a primeira, em 1982, por iniciativa de Martinho, foi o *Canto Livre de Angola*; dois anos depois, em 1984, já com artistas de outros países africanos, aconteceria o *I Encontro Internacional de Arte Negra*, evento ainda mais grandioso do que a edição inicial, cujo objetivo maior era divulgar a desconhecida produção cultural do continente africano entre nós.

Foi assim que, numa das viagens de Martinho & Cia. a Luanda, o escritor **Manuel Rui Monteiro**[30] lhe sugeriu: — *Por que não, camarada, por que não fazer um enredo com a Kizomba?* A proposta de Manuel Rui era sedutora: o inusitado cortejo poderia contribuir em muito para difundir a fértil cultura africana no Brasil e, ao mesmo tempo, fazer ecoar no país a denúncia contra

---

29 Lícia Caniné, entrevista citada.

30 Nascido em Huambo (capital da província de mesmo nome), em 04/11/1941, **Manuel Rui Alves Monteiro** é um poeta e prosador angolano, com intensa participação na vida política, cultural e acadêmica do seu país.

o cruel regime de *apartheid* da África do Sul, ampliando a campanha em defesa da libertação de **Nelson Mandela**, perseguido pelo governo racista de sua terra e encarcerado desde 1962 em três distintas prisões nos arredores da Cidade do Cabo. Grande idealizador do enredo que pretendia difundir essas bandeiras entre nós, **Martinho** salienta que o enredo "*era cheio de mensagens*", encerrando-se, não por acaso, com a ala denominada "*Abaixo o apartheid!*", consigna que ecoava até no samba: "*E que o apartheid se destrua*"[31].

Juntava-se, enfim, a fome com a vontade de comer. No Brasil que mal se libertara dos sombrios "anos de chumbo", uma escola negra e democrática se dispunha a organizar uma ***festa da raça*** para estreitar os laços com os ancestrais e clamar por igualdade política, social e racial para os irmãos africanos, em especial o líder sul-africano a quem seu povo chamava de ***Madiba***. Era, enfim, uma luta político-ideológica travada na trincheira cultural. Segundo *Ruça*, o enredo "agradou de cara": na hora da escolha, com todos tendo direito de votar, foram apresentados vários temas, mas o mote proposto pelo Zé Ferreira foi o que obteve mais apoio entre os integrantes da escola.

É claro que Lícia e Martinho cortaram um dobrado para vencer certas resistências e preconceitos – tanto do asfalto quanto do morro – acerca da concepção estética e ideológica da ***Kizomba***, que, à falta de dindim, optou por um visual despojado, à base de fibras e tecidos simples, mas bem coloridos, de tons mais quentes, bem ao gosto de algumas culturas africanas. A ausência de brilho e a opção por fantasias que alguns tacharam de "pobres", no entanto, fez muita gente do bairro torcer o nariz para a escola e abdicar de sair no desfile de 1988. Já na comunidade dos Macacos, surgiram outros desafios provocados pelo mote de pura raiz africana, como ilustra sobejamente o caso da ala das ***mumuílas*** – mulheres da tribo Mumuíla, uma etnia seminômade que vive na província de Huíla, ao sul de Angola, a região mais árida do país.

---

31 Entrevista prestada por Martinho da Vila a Nathalia Sarro na quadra do GRES Unidos de Vila Isabel. Rio, 2017.

Pois bem: ao contrário do que muitos até hoje supõem, o grupo que desfilou não foi formado por jovens angolanas, mas sim por moradoras negras do morro, que, a princípio, não queriam participar, por conta da indumentária *sui generis* das próprias *mumuílas*. Com as vestes e os acessórios variando conforme cada etapa da vida, elas usam colares e tecidos bem vistosos, trazem os seios à mostra e admitem a poligamia em suas relações conjugais. Personificar essas figuras deixou muita gente de orelha em pé, forçando a presidente a ter de conversar com várias integrantes da ala e seus familiares. A própria *Ruça* recorda esse contratempo espinhoso:

> *Foi muito difícil para mim convencê-las a sair com seios nus, porque elas não queriam. E eu tive que contar a história, o que representava. Primeiro tive de convencê-las – depois, convencer pai, mãe, namorado, marido, noivo, quem quer que fosse... E elas tinham que saber, cada uma sabia o que representava, que tribo era, que momento elas estavam representando. Elas não estavam simplesmente se fantasiando. [...] Elas eram as* ***mumuílas****, elas eram uma tribo africana!*[32]

A montagem do desfile também deu muito trabalho. A investigação sobre o tema contou com o material trazido de Angola, além de muita informação e imagens pesquisadas no Arquivo Nacional e em outras instituições no Rio de Janeiro. Para deslanchar o trabalho, a figura de **Milton Siqueira**, o ***Miltinho***, seria fundamental: ele havia entendido plenamente o enredo e, em plena sintonia com os idealizadores, criou a base do cortejo. Sobre a opção por ***Miltinho***, escolha consensual de *Ruça* e Martinho, vale a pena citar o que o sambista, idealizador mor do enredo, revelou a Nathalia Sarro no depoimento por ele prestado para o documentário ***Kizomba**: 30 Anos de um grito negro na Sapucaí*:

---

32 Entrevista prestada por *Ruça* a Nathalia Sarro, no bar *Petisco da Vila*, em Vila Isabel (Rio), em 22/12/2017.

Quando eu fui escolher o carnavalesco, eu conversei com vários carnavalescos, alguns até importantes que se dispuseram a fazer. Eu entrevistei todos eles, mas eu queria ver alguém que se apaixonasse pela ideia, que os olhos brilhassem. Aí Miltinho foi o carnavalesco que brilhou.[33]

Infelizmente, já com as tarefas do barracão em pleno andamento, Milton descobriu que fora infectado pelo vírus HIV e começava a acusar os primeiros sintomas da Aids. Nesse momento inicial da doença, até então desconhecida da maioria das pessoas, ele ainda pôde coordenar, com o firme apoio da escola, a febril atividade da folia. Contudo, com o avanço da enfermidade, *Miltinho* ficou bastante debilitado, não podendo executar integralmente sua tarefa, de sorte que *Ruça* e Martinho pediram ajuda a **Ilvamar Magalhães** e **Paulo César Cardoso** (que ela foi buscar no Salgueiro) para ajudar Milton a concluir a jornada, mais uma das mil adversidades que a escola precisou driblar para levar a ***Kizomba*** para a avenida.

3. A *Kizomba* da Vila Isabel: um reencontro com a Mãe África

Por certo, não era a primeira vez que uma escola de samba carioca encenava nas avenidas da velha capital um tema de raiz afro-brasileira. A própria constituição das escolas de samba forma um exemplo de como, muito além da temática apresentada no enredo, se constrói como uma organização social com foco na resistência cultural negra. A partir de compositores, músicos e artistas visuais, consolidaram, com seus corpos e narrativas musicais, formas de um chamamento à memória ancestral – "*ori* memória", nos termos da

---

33 Depoimento de Martinho da Vila a Nathalia Sarro, na quadra do GRES Unidos de Vila Isabel, em 06/04/2018.

historiadora Beatriz Nascimento[34] – que dialogavam com um passado de dor, mas também de reinvenção e reelaboração cultural.

Em termos de enredo, cabe frisar que a própria **Vila** já rendera tributo às raízes africanas de nossa formação etnográfica e sociocultural nos primeiros desfiles que realizou entre as décadas de 1940 e 1950. A **negritude**, sem dúvida, despontara com força na agremiação que congregava a resiliente comunidade do Morro dos Macacos e os animados moradores do histórico bairro planejado pelo Barão de Drummond. E voltaria a ser um tema em relevo na década de 1980, quando **Martinho da Vila** e **Lícia Caniné**, a ***Ruça***, decidiram unir, na ***Festa da Raça***, os povos irmãos do Brasil e da África, congraçando na Passarela do Samba grupos negros vindos de todo o país e, ainda, de Angola, Moçambique e outras nações recém-libertas do jugo colonial no continente africano.

Advirta-se, porém, que, já nos idos de 1960 e 70, há libelos memoráveis em prol dos negros e dos oprimidos. Um deles é o "***Sublime Pergaminho***", desfile da **Unidos de Lucas**, em 1968, cujo samba denunciava: "*Era grande o suplício / Pagavam com sacrifício / A insubordinação*"[35]. Outro igualmente contundente é "***Os Sertões***", cortejo-manifesto que a **Em Cima da Hora** realizou em 1976, homenageando os revoltosos de Canudos – um tema tabu para o Exército e que resultou no rebaixamento da escola para o Grupo 2. Ainda assim, a discussão sobre o papel do **negro** ainda estava aquém da grave mazela social que o país padecia. É verdade que em 1969, no primeiro desfile após a decretação do sinistro AI-5, Silas de Oliveira, Mano Décio da Viola e Manoel de Oliveira assinaram no **Império Serrano** um torpedo poético antológico, de enorme veemência e beleza, reverenciando "***Os heróis da liberdade***", em que a causa da **emancipação** e a luta pelo fim da tirania também se estendiam aos filhos da

---

34 Cf. NASCIMENTO, Beatriz. O negro visto por ele mesmo. Revista *Manchete*. Rio de Janeiro, set. 1976, p. 130-131. E ainda: Kilombo e memória comunitária: um estudo de caso. Revista *Estudos Afro-Asiáticos*, Rio de Janeiro: CEAA/UCAM, v. 6-7, 1982, p. 259-265.

35 Carlinhos Madrugada, Nilton Russo & Zeca Melodia, "*Sublime Pergaminho*". GRES Unidos de Lucas, 1968

Mãe África, denunciando, sob o manto iluminista do mote, que "*Passava noite e vinha dia /O sangue do negro corria / Dia a dia...*"

Esses e outros eloquentes *manifestos* do nosso carnaval, concebidos e apresentados nas décadas de 1960/70 – entre o crepúsculo dos *anos dourados* e os terríveis "*anos de chumbo*" –, calaram fundo no imaginário popular, seja pelo seu vigoroso conteúdo social, seja pela inequívoca força poética que possuíam. Mas o mote da **negritude** ainda estava à espera de uma festa que traduzisse em múltiplas dimensões a grandeza e o legado político e sociocultural do povo negro, reunindo no terreiro da Sapucaí, sob a bênção de todos os orixás, as diversas faces e frutos da diáspora africana. Havia melhor ocasião para cumprir essa missão do que a folia marcada para o ano de comemoração do centenário da controversa "*Abolição*", sobretudo depois que se encerrara o longo período de 21 anos (1964-1985) em que o Brasil esteve mergulhado nas sombras de uma ditadura e enfim se descortinava o laborioso processo de redemocratização da nossa pátria?

Em meio a essa conjuntura singular do país, o povo de Vila Isabel enfrentava, por sua vez, um quadro bastante adverso na história da sua agremiação. Em 1987, já sem contar com a modesta quadra no campo do América FC, a **Vila** era uma escola sem sede, que vagava por clubes, escolas e ensaiava na rua para poder arregimentar os integrantes. ***Ruça*** assumia corajosamente o cargo de liderança da escola, empenhando-se em fazer a entidade "*renascer das cinzas*" e "*plantar de novo o arvoredo*". Ao seu lado, o companheiro Zé Ferreira, sonhando com uma "*festa da raça*", evocava o êxtase que lhe provocara a experiência de compartilhar sua arte com o entusiasmado público dos países africanos, especialmente os representantes da lusofonia (cite-se aqui **Angola**, **Cabo Verde** e **Moçambique**) e também o **Congo** ("*cantamos até para os pigmeus*", lembrou Ferreira com um sorriso nostálgico em entrevista ao lado da filha Mart'nália[36]).

Como se sabe, os irmãos e irmãs africanos já faziam parte da agenda artística e afetiva de **Martinho** havia anos. Ele tinha sido um dos mais ativos

---

36 Kizomba festa da raça". Depoimento prestado por Martinho da Vila, presidente de honra do GRES Unidos de Vila Isabel. In: *Mart'nália em África – Ao vivo.* CD + DVD (com documentário). Rio de Janeiro: Biscoito Fino, 2010.

integrantes da comitiva brasileira que, em 1980, cinco anos depois da Independência de Angola, a convite do então presidente Agostinho Neto, cruzou o Oceano Atlântico para participar do projeto *Kalunga*, que promoveu espetáculos em Luanda, Benguela e Lobito (três cidades da costa angolana), estimulando um fértil diálogo pós-colonial entre as duas nações. Martinho, Chico Buarque e o produtor Fernando Faro eram os pilares da iniciativa, que reuniu uma constelação de cantores e compositores da MPB, com figuras do naipe de Clara Nunes, Djavan, Dona Ivone Lara, Dorival Caymmi, Edu Lobo, Francis e Olívia Hime, João do Vale e João Nogueira.

Corriam ainda os tempos sombrios da atroz guerra civil angolana, em que as tropas da UNITA fustigavam o governo liderado pelo MPLA, conflito que só veio a ser superado no séc. XXI[37]. Mas nem sob a mira dos fuzis Martinho deixaria de visitar a pátria da *Kizomba*. "*Fiz muito* show *lá no período de guerra*", recorda ele, que foi cantar até para os mineiros do norte do país (região das pedras preciosas, cujo controle era vital para as forças estrangeiras que financiavam a UNITA), uma zona totalmente conflagrada, descendo do avião e correndo direto para o palco, enquanto a aeronave permanecia com as turbinas ligadas, pronta para decolar ao menor sinal de ataque do bando financiado pelos EUA e pela África do Sul.

Nada disso seria capaz de demover a dupla Zé Ferreira e *Ruça* de seu objetivo. Quem enfrentava o fogo cruzado das disputas políticas da agremiação, a penúria daqueles tempos bicudos sem sequer um teto, ou os bombardeios a poucos quilômetros do palco em Angola não tinha por que hesitar. Como cantou o samba épico de Jonas, Rodolpho e Luiz Carlos da Vila, a sede física era a sede "de que o *apartheid* se destrua" – e os líderes africanos alinhados

---

37 O Movimento Popular de Libertação de Angola (MPLA) é o partido dirigente do país desde sua Independência em 1975. Ele sofreu feroz oposição política e armada da União Nacional pela Independência Total de Angola (UNITA), liderado por Jonas Savimbi. Em meio à Guerra Fria, o MPLA contou com forte apoio do bloco socialista europeu e de Cuba, ao passo que a UNITA era financiada pelos EUA e pelo regime de *apartheid* da África do Sul.

Os líderes da Kizomba (da esq. para a dir.): Nelson Mandela, Martim Luther King, Samora Machel (Moçambique), Malcolm X, Amílcar Cabral (Guiné Bissau), Winnie Mandela e Agostinho Neto (Angola),
Foto: Delfim Vieira / O Globo (17/02/1988)

em um amplo painel no meio do desfile pareciam secundar o canto do povo que invocava a lua de Luanda para iluminar a rua. O grito forte da África e dos Palmares: ***Valeu, Zumbi!***

4. A *Kizomba* da Vila Isabel: uma festa libertária e um cortejo revolucionário

Apesar de conceder uma ênfase inaudita aos temas afro-brasileiros, o formato dos pioneiros cortejos da Vila nos anos 40/50 ainda estava bastante restrito a uma estrutura bem tradicional, acatada pelas agremiações que viveram a era Vargas. Todavia, um evento forjado coletivamente no Brasil recém-redemocratizado ao final dos anos 80, destinado essencialmente a congraçar "*gente de todas as raças numa mesma emoção*[38]", não poderia limitar-se aos cânones da estética *espetacular* então vigente. Tal qual fizera o Império Serrano em 1982, com o seu estonteante *Bumbum Paticumbum Prugurundum* – uma (auto) crítica ferina às "*Superescolas de samba*" e às "*superalegorias*" que escondiam gente bamba ("*Que covardia!*") –, era preciso "arrombar a festa". E isso, sem dúvida, pressupunha compor um samba tão criativo quanto aquele no qual

38 Verso do samba de enredo do desfile de 1988, composto por Jonas, Rodolpho e Luiz Carlos da Vila. É interessante notar o quanto esse verso nos remete à ideia de democracia racial, paradigma sobre as relações raciais brasileiras embasada na ideia de harmonia racial de Gilberto Freyre. Tal conceito foi fundamental para a formação de uma ideia de identidade nacional, na década de 1930, contribuindo para uma noção coletiva de que, no Brasil, não havia racismo. Mesmo que a *Kizomba* denunciasse os preconceitos raciais e atuasse como uma afirmação da identidade negra, apresentou, em seu enredo, a alegoria "quilombo da democracia racial", exaltando a mistura das três raças, conforme a transmissão televisiva da Rede Globo e documentação encontrada no Departamento Cultural da escola. O assunto é complexo e possui distintas camadas, sobre as quais não iremos nos debruçar neste livro. Contudo, é imprescindível frisar que, mesmo que a teoria de Freyre tenha adquirido força no Brasil, havia, sim, um pensamento pela igualdade racial negra, sem que isso significasse um elogio da mestiçagem como algo valorizado para a nação.

Aluísio Machado e Beto Sem Braço converteram em legítima poesia uma onomatopeia de árida dicção, além de idealizar um cortejo que, apesar de singelo e elaborado com menos recursos e materiais mais simples, expressasse com eloquência sua mensagem (como fizeram Lícia Lacerda e Rosa Magalhães com o tema que Fernando Pamplona sugeriu à escola da Serrinha).

E foi assim que o desfile de 1988 reeditou, com total beleza e vigor, o sábio preceito enunciado pelo poeta russo Vladimir Maiakovski no limiar do séc. XX, em meio ao turbulento processo de lutas civis desatado pela Revolução Soviética de 1917: "***Não existe conteúdo revolucionário sem forma revolucionária***". Transposta para a antropofagia do carnaval brasileiro, a frase do jovem artista futurista (que não apenas escrevia versos, mas também criava desenhos e legendas para os cartazes de propaganda do novo regime) assumiria uma dimensão *sui generis*. A ***forma***, aqui, abrangia não só a **plástica**, o **canto**, a **dança** e a **poesia**, mas incluía ainda **sabores**, **odores** e **energias** de uma gente admirável que se dividira entre dois continentes. Assim, ela ia muito além de uma *narrativa* visual, coreográfica e musical, criando um insólito espetáculo *litúrgico* e *dramático* jamais visto na Sapucaí. Em suma, a ***Kizomba*** representava literalmente uma ***festa da raça***, encenada como um ritual e uma verdadeira catarse no terreiro de asfalto da Sapucaí, conforme confessou o próprio Martinho da Vila em um documentário de 2010:

> *Essa vitória da Vila Isabel em 1988 ficou marcada como o grande momento da história do carnaval do Rio de Janeiro. [...] Aquilo era o centenário da abolição da escravatura, mas no duro eu queria fazer uma grande festa. Eu pensei: vou fazer isso na avenida! [...] Mas para fazer aquele desfile, eu congreguei gente de tudo quanto é canto. [...] Veio gente da Bahia, veio gente de Angola, veio gente de Pernambuco, de tudo quanto é canto*[39]

39 "Kizomba festa da raça". Depoimento de Martinho da Vila. DVD *Mart'nália em África*. Rio: Biscoito Fino, 2010.

Martinho da Vila, na década de 1970
Foto: Arquivo Nacional / Correio da Manhã

Sem dúvida, uma legião de entidades negras veio a se incorporar à Vila Isabel para participar do antológico cortejo. Visto que várias alas de "brancos" do asfalto não quiseram desfilar, *Ruça* e Martinho convidaram para a festa vários grupos ativos da **negritude** (como o tradicional afoxé "Filhos de Gandhi" e o "Ilê-alyê" da Bahia), que mudaram a data de seu desfile nas cidades de origem e acorreram ao chamado do casal, saindo na Sapucaí com as fantasias originais preparadas para a folia de 1988. A presença desse enorme contingente contribuiu não só para o brilho do desfile, mas ajudou também a engrossar o número de componentes da agremiação, que, se porventura não contasse com a divisão "importada", talvez nem alcançasse o agrupamento mínimo exigido pelo regulamento da Liga.

Legião "estrangeira" e também carioca, vale ressaltar. No depoimento prestado à cineasta Nathalia Sarro, o Zé Ferreira frisou que quase todos os militantes do movimento negro que pertenciam às demais agremiações do Rio de Janeiro desfilaram na branca &azul. Ele também convidou os artistas afro-brasileiros de grande destaque, entre eles a atriz Zezé Motta, os atores Antonio Pitanga e Antônio Pompêo, o griô Nei Lopes e os compositores das coirmãs: — *Até Neguinho da Beija-Flor desfilou na Vila Isabel!*[40]. Afora isso, Martinho também gosta de salientar que, se alguém olhasse os carros da escola, só veria negros, a começar pelo abre-alas, com o *soba*[41] Paulo Brazão, baluarte mor da agremiação, sentado em um trono à frente do cortejo.

Forjava-se assim, literalmente, a histórica *Kizomba* da Vila Isabel, uma festa magna da negritude e do samba. Originária do *kimbundo*, um dos idiomas nativos de Angola (onde o português se impôs como herança

---

40 Martinho da Vila, entrevista citada. Rio de Janeiro, GRES Unidos de Vila Isabel, 06/04/2018.

41 Conforme o próprio Martinho explica na supramencionada entrevista, o ***soba*** é "*o homem mais velho, o mais respeitado, o que possui mais conhecimento nas comunidades africanas*". O conceito voltará a ser abordado no **Capítulo 9 – Velha-Guarda & Baianas.**

A mesa farta da "*Kizomba*": uma alegoria viva da festa da Vila na avenida

Foto: Ricardo Leoni / O Globo (17/02/1988)

colonial), a palavra escolhida por Martinho se referia à reunião de homens e mulheres em uma **festa de confraternização da raça negra** embalada pelos ritmos musicais nativos, cuja energia pulsava nos corpos e na alma da multidão que ali se reunia, disposta em duas colunas: uma em fluxo sagrado na pista; outra em transe absoluto nas arquibancadas.

Sim, tudo era beleza, epifania e espanto aos olhos e sentidos aguçados de quem estava na avenida naquela noite chuvosa de fevereiro, quando, sob a guarda dos orixás, as nuvens arrefeceram seu ímpeto para abrir passagem à Vila Isabel afro-brasileira. Além dos elementos visuais que surtiram um impressionante efeito estético na passarela, onde o sisal, a palha e outras fibras revestiram com insólito brilho as alegorias e fantasias da escola, a narrativa do enredo e do samba ecoou como um cântico visceral na pista, entoado a plenos pulmões pelos integrantes da agremiação e por todo o público presente na Sapucaí. Isso para não falar no profundo espírito de **congraçamento** das diversas alas reunidas na efusiva procissão, simbolizado, entre outros elementos singulares, pela altivez das mulheres *mamuílas* de Angola, pela euforia dos segmentos negros vindos de toda parte do Brasil e da África, e pela galhardia dos *bambas* da arte popular que acorreram felizes ao chamado de Martinho, *Ruça* e Noel.

Uma festa, enfim, que poderia muito bem ser simbolizada pelo derradeiro elemento alegórico a entrar em cena, a grande mesa da ceia que todos compartilharam ao final do desfile, celebrando com seus orixás no terreiro do samba um banquete popular, preparado por D. Filomena no Morro dos Macacos, com direito a frango assado, quitutes africanos, doces da culinária brasileira e muito mais... Afinal, como tão bem enunciou a guerreira *Ruça* quando a equipe do nosso documentário lhe perguntou, no desfecho do belo depoimento prestado no lendário bar *Petisco da Vila*, como ela definiria, com uma só palavra, aquele desfile: a ***Kizomba*** foi, é e sempre será uma **revolução**...

03

COMISSÃO DE FRENTE
ABRAM ALAS, QUE A *KIZOMBA* VAI PASSAR

Comissão de frente do GRES Unidos de Vila Isabel no desfile de 1988.

Foto: Delfim Vieira / O Globo (17/02/1988)

Décio Bastos e os componentes da Comissão de Frente da Vila na concentração da Vila Isabel.

Foto: acervo pessoal de Décio Bastos

Bailarinos clássicos. Homens e mulheres esguios realizam piruetas e meneios com as mãos esticadas e as pernas em linha. Tripés – que não possuem três rodas – formam cenas onipotentes que encantam a plateia e os jurados. Coreógrafos, que ganham na casa dos três dígitos, dominam a cena, formados no Theatro Municipal ou em outras conceituadas escolas de Ballet Clássico. O atual panorama das comissões de frente do carnaval carioca reflete um largo processo histórico que começa ao final da década de 1950, quando membros da antiga Escola Nacional de Belas Artes (atualmente a Escola de Belas Artes da UFRJ, situada na ilha do Fundão) aprofundam seu contato com as escolas de samba. Se as artes eruditas eram cada vez mais valorizadas, o ápice desse processo talvez tenha sido a entrada dos coreógrafos das comissões de frente formados à moda europeia. Saem de cenas capas e cartolas da velha-guarda, entram na avenida os rodopios e desenhos coreográficos.

Sofrendo forte influência dos antigos cortejos carnavalescos da cidade do Rio de Janeiro, um possível surgimento das comissões de frente – ou "o primeiro contingente do cortejo a pé" no carnaval carioca – ocorreu ainda no século XIX, com as cavalarias das grandes sociedades ou mesmo grupos à frente de blocos e ranchos. Com o desenvolvimento das escolas de samba na primeira metade do século XX, seus sentidos e maneiras de apresentação foram se modificando: desfilar à frente da escola, local de prestígio e importância, era destinado às pessoas antigas da agremiação, todas com alto grau de respeitabilidade.

Se, hoje, as comissões de frente são revestidas com ares de espetacularização, tornando-se um dos instantes mais aguardados de um desfile – por muitos, até o principal momento! –, nem sempre foi assim. A Comissão de Frente do GRES Unidos de Vila Isabel, no ano de 1988, nos comprova que havia outros modelos que prezavam pelo espírito comunitário e de conexão visceral com a escola – e este, talvez, tenha sido o principal componente para o sucesso do quesito no ano de 1988. Com a ajuda de Décio da Silva Bastos Junior e de Edeejo Eware, revisitaremos essa história.

Nascido em 09 de abril de 1961, cinco dias após o aniversário de sua escola de coração (a própria Vila Isabel), Décio foi daqueles meninos que corriam na rua, andavam de bicicleta e, para desgosto de seu pai, não era tão fã de futebol. Sua família sempre foi festeira: os finais de semana eram regados a muito samba e cantorias, coisas que só quem é sambista suburbano sabe o que significam na formação de nossa identidade. Sua mãe, fã incondicional de Martinho da Vila, tinha o hábito de, no fim do ano, próximo ao Natal, reformar a casa – e tudo isso era feito ao som do mestre que, sempre com um novo LP recém-lançado, embalava os trabalhos familiares. Foi ali, naquele caldeirão "sambístico", que Décio cresceu e foi se formando na escola do samba que era aquilo mesmo: família, compartilhamento, risada. Casa de Bamba.

Quando mais jovem e a fim de "conhecer o mundo", passou a integrar o grupo de Afoxé "Filhos de Dan", que ensaiava no Maracanã, na sede do bloco "Cara de Boi", próximo à UERJ. Naquele encontro, havia pessoas de diversas localidades, mas, em sua grande maioria, elas eram moradoras do bairro de Vila Isabel, do Morro dos Macacos e do Morro do Pau da Bandeira – e, muitos, mas muitos torcedores "da Vila".

Como do Maracanã para Vila Isabel era bem perto, Décio chega à escola já com alguns conhecidos e uma curiosidade tamanha de adentrar nesse universo. No final de 1985, no esquenta do carnaval de 1986, entrou, se encontrou e nunca mais saiu, vivenciando bares, esquinas e cervejas pelas ruas. A primeira escola

Décio Bastos desfilando pelo Afoxé "Filhos de Dan".
Foto: acervo pessoal de Décio Bastos.

em que desfilou como componente de Comissão de Frente, coreografado por Jurandir de Paula, em 1985, foi a União da Ilha do Governador, cujo enredo era dedicado a João Cândido e à Revolta da Chibata. Com uma estrutura muito precária, era preciso contar com a autogestão do grupo para assegurar a logística de ensaios. Por ser um dos mais velhos, Décio levava água de sua própria casa e dava carona, quando os encontros terminavam bem tarde, para quem ficava sem transporte, assumindo aos poucos um papel de chefia do grupo.

Ele conta que vivenciou um período de transição nas comissões de frente: saíam de cena os baluartes, com seus fraques e cartolas, saudando o público, para a entrada de componentes ligados à comunidade. Não havia remuneração, a não ser o famoso "tapinha nas costas", mas, muito além disso, havia o amor pelo trabalho executado e pelo grupo, assim como o sentimento de comunhão e irmandade ao representar um quesito em uma escola de samba.

A partir de 1987, conhecendo mais e mais vila-isabelenses, passa a integrar o corpo de componentes da agremiação. E nesse mesmo ano ele foi convocado, junto com alguns amigos do "Filhos de Dan", a integrar o grupo da Comissão de Frente da Unidos de Vila Isabel. Não desfilou como figura principal nesse carnaval, cujo enredo era "Raízes" (que narrava a criação das estações do ano, segundo a mitologia Kaapor), mas foi convidado para o ano seguinte, por Martinho da Vila, para ser um dos principais componentes da comissão da "*Kizomba*". E é aí que sua história se cruza com Edeejo Eware, coreógrafo da comissão daquele ano e personagem chave para que o quesito pudesse ser bem-sucedido.

Nascido em Salvador, "Jô" – como muitos amigos o chamam – veio para o Rio de Janeiro aos cinco anos de idade. Sua família, em busca de novos ares, embarcou no velho "Ita" (nome pelo qual eram conhecidos os navios a vapor brasileiros, que faziam o transporte de famílias que deixavam a terra natal para tentar a vida em outros territórios) e desembarcou no Rio de Janeiro, mais especificamente na Praça Mauá. Foram morar na Ladeira do Barroso e, ali, acompanharam o carnaval da região central e toda a movimentação de sambistas que iriam desfilar nas suas agremiações. Impressionou-o o visual das fantasias, o samba no pé dos passistas, os frevos e todo um complexo de saberes que bailavam aos seus olhos. E, assim, se encantou, definitivamente, pelo carnaval e pelas escolas de samba.

Jô sabia, desde muito cedo, do seu compromisso com sua ancestralidade. Sua tia Maria Nila era mãe de santo na Bahia e, de alguma forma, entendia que os laços familiares o colocariam no caminho do axé. A mãe, Dona Arlinda, sempre lhe ensinou a importância de conhecer sua própria história, pois, de geração em geração, era possível ter o entendimento do outro e de sua missão no Ayê. Pequenos caminhos, pedaços de fé.

Se interessou, cada vez mais, pelas manifestações de cultura negra e, aos 12 anos, desfilou pelo Império Serrano – escondido, pois era quase impossível que uma criança passasse pela Passarela do Samba. Embrenhando-se no mundo da dança, foi aluno de Mercedes Baptista e se formou na cadeira de dança afro. E, com toda essa bagagem, não era de se espantar que começassem os convites para coreografar e participar mais ativamente do mundo da dança nas escolas de samba. Foi coreógrafo da Comissão de Frente do GRES Lins Imperial entre 1984 e 1987, colaborando para o acesso da agremiação à Marquês de Sapucaí. Foi então nesse contexto que o chamaram para coreografar a Comissão de Frente de Vila Isabel para o ano de 1988.

A preparação do carnaval já corria solta e Jô – que, além de dançarino, é costureiro e artista plástico – trabalhava em um ateliê de costura que estava confeccionando a fantasia de Carlinhos Brilhante e Mariazinha, primeiro casal de mestre-sala e porta-bandeira da Vila Isabel. Jô, debruçado sobre a roupa em fase final de acabamento, sentiu a presença de *Ruça* e Martinho da Vila se aproximando dele:

> *– A gente precisa falar com você. Queremos que você seja o coreógrafo da Vila Isabel para esse ano.*

Ainda em estado de choque pelo convite feito, começaram a conversar. Martinho e *Ruça* explicaram que a escola não tinha dinheiro e, "pelo adiantado do carnaval" – já eram meados de novembro –, deveriam correr com todo o processo. Quem havia indicado seu nome fora Carlinhos, ferreiro e aderecista da escola, e era imprescindível que aceitasse, pois a Vila precisava de pessoas que tivessem uma consciência racial aguçada para implementar o projeto. Jô era essa pessoa. Com larga experiência no afoxé Filhos de Dan, uma dissidência do afoxé Filhos de Gandhi, confeccionou o estandarte do grupo e lá, também, atuou como porta-estandarte e figurinista. Aceitou o desafio de coreografar a Comissão de Frente da branco e azul, mas sabia que não seria nada fácil.

A primeira dificuldade foi montar o grupo. Afinal, após a saída de Max Lopes, que havia sido o carnavalesco de 1987 (ano do enredo "*Raízes*"), toda a equipe anterior havia sido convidada a desfilar na Imperatriz Leopoldinense. A Vila Isabel, então, ficara sem comissão e era preciso recompor o coletivo. Chamando seus antigos componentes da Lins Imperial, somou com companheiros do Estácio, Lapa, Morro dos Macacos e afoxés, lugares do movimento negro do Rio de Janeiro. Todos deveriam ser negros retintos, a fim de que a Kizomba fosse bem representada. Assim foi feito.

Em uma primeira reunião, com o grupo já montado, Martinho explicou a todos sobre o que seria o enredo e disse:

> *– Se vai dar certo, eu não sei. Se vamos ganhar, eu não sei. Mas vai ser um grande barato.*

De fato, foi um *barato*, mas não foi nada fácil. Além dos ensaios exaustivos, realizados no clube Maxwell, e a pouca estrutura que a escola possuía para dar suporte à equipe, Jô ainda contava com a desconfiança da própria escola, principalmente por parte de alguns membros da Velha-Guarda. Não podemos esquecer que o final da década de 1980 representou uma mudança radical no formato da comissão de frente, que, na época, substituiu a Velha-Guarda na abertura do desfile por grupos que encenavam coreografias e passos de dança, o que dividia opiniões dentro da comunidade carnavalesca. Feita a preparação, chegamos ao desfile.

A ida à Sapucaí ocorreu em meio ao caos. Não havia transporte para levar o grupo, que estava concentrado próximo à avenida, mas não o suficiente para ir a pé. Foi então que embarcaram em um carro tipo *pick-up*, propriedade das então destaques de alegoria da escola, as irmãs Leverson. Foram ao desfile de forma improvisada. Foram com fantasia e tudo. Lá na concentração, chegaram às pressas – já com a primeira sirene ecoando – e mais problemas começaram a pipocar, como as lanças da Comissão de Frente, representando guerreiros africanos de etnia Bantu, que estavam maiores que o previsto. Corre dali, corre daqui, levaram os adereços para o ateliê, para que fossem serradas ao meio e se fizesse uma altura proporcional à cena.

Na linha de desfile, com o esquenta já ocorrendo, outro impasse: os componentes estavam sem os sapatos! A Comissão de Frente estava decidida a não entrar, quando, de repente, a presidente *Ruça* chegou, esbravejando:

> – *Vão entrar sim! Você já viu guerreiro africano, em tribo, usar sapato? Vai entrar e acabou!*

Assustados, os integrantes da comissão acataram a voz de comando da presidente e, automaticamente, pensaram em uma solução: o corpo de jurados, de longe, não perceberia se amarrassem tiras de ráfia da fantasia para que simulasse uma sandália, e assim o fizeram. Começaram a se ajudar; amarra dali, amarra daqui, e as sandálias ilusórias surgiram, fazendo com que a comissão fizesse seu desfile. Nos primeiros giros, a cabeça, que não estava adaptada a cada componente, caía. Jô ajustava como podia e as amarrava no meio da avenida, fazendo com que todos continuassem – e não era assim a resistência negra brasileira? Os punhos e perneiras também se desfaziam, mas era necessário prosseguir.

Ao entrarem no setor e executarem o primeiro giro, a emoção tomou conta do grupo e da plateia. Sentiram que havia algo de diferente e que, pela precariedade dos materiais, era “tudo ou nada”: ou a escola iria arrebentar e conquistar a todos, ou seria candidata ao segundo grupo. Como muitos outros relatos, havia o sentimento de que “estavam incorporados” e flutuavam na avenida.

E, de fato, o desfile havia sido arrebatador. A expectativa era grande para a apuração das notas. A comissão se reuniu para assistir à abertura dos envelopes, apreensiva. A disputa estava acirrada com a Mangueira e, ponto a ponto, brigavam pela liderança. Na ocasião do quesito Comissão de Frente, a jurada Fernanda Moro deu uma nota 9 para a Vila Isabel. Já os jurados Ana Maria Nascimento e Silva e Raphael David deram duas notas 9 para a Mangueira, fazendo com que a Vila Isabel assumisse, definitivamente, a liderança na briga pelo caneco. O campeonato veio, mas não passaria inocente por conta de uma grande polêmica que ganhou as páginas dos jornais nos dias seguintes.

A história foi a seguinte. O enredo da Estação Primeira de Mangueira foi "100 anos de liberdade: Realidade ou ilusão?", desenvolvido pelo carnavalesco Júlio Mattos. Ele questionava se, de fato, a Lei Áurea, assinada em 1888, teria sido um instrumento efetivo de libertação dos negros escravizados, nas mais distintas esferas sociais. A Comissão de Frente proposta trazia nomes de artistas negros brasileiros, como Leci Brandão, Grande Otelo, Glória Maria, dentre outros, demonstrando que o espaço do negro deveria ser o de protagonista de sua própria história. Um dos principais nomes convidados era o de Martinho da Vila.

Acontece que a Vila desfilou duas escolas antes da Mangueira, impossibilitando um melhor arranjo para a participação de Martinho no evento. Ficara acordado que, ao chegar à dispersão, diretores da Mangueira o estariam esperando para levá-lo ao desfile da verde e rosa. E é aí que começa a desavença, pois o cantor não participou do cortejo, desfalcando a Comissão de Frente da velha Manga. Martinho alegou que, ao chegar à dispersão, não havia ninguém. Devido à confusão da dispersão, nem mesmo conseguiu chegar ao portão, desistindo de desfilar na coirmã. Vale lembrar que o poeta havia sofrido um acidente de carro dias antes do desfile – tanto que desfilou com o braço engessado – e não estava em perfeito estado de saúde.

Por outro lado, uma grande matéria foi publicada no jornal *O Dia* no dia seguinte à vitória da Vila Isabel. Nessa reportagem, Dona Zica e Dona Neuma, lideranças femininas do Morro da Mangueira e da escola de samba, externaram sua revolta com as duas juradas que deram nota 9 para a Comissão de Frente da Mangueira e com Martinho da Vila, que não compareceu ao desfile. Segundo a matéria, enquanto Dona Zica reclamava que os jurados deram 10 para os "negros de Angola, mas que estavam vestidos com roupas pobres", Dona Neuma acusava os jurados de racismo, pois, em um enredo que se questionava a Lei Áurea, não se poderia tirar ponto de uma comissão formada por negros.

Além disso, Dona Neuma havia revelado um pedaço importante dessa história: Martinho havia combinado com o ator Milton Gonçalves e a cantora Alcione de que eles o levariam ao camarim para se trocar. Martinho pediu que, em troca de sua presença no desfile da Mangueira, eles teriam que desfilar na Vila Isabel também. Mesmo com a promessa cumprida, Martinho não havia feito o seu combinado, o que havia deixado os mangueirenses bastante irritados.

Cada lado com uma versão, a vitória havia consolidado não só o triunfo da escola, mas deixava expostas as desavenças internas do mundo social das escolas de samba ao grande público. Tudo se acalmou, os ânimos baixaram e as coisas foram voltando ao seu lugar. Menos uma rivalidade sadia entre Mangueira e Vila Isabel, que, de certa forma, perdura até hoje entre alguns componentes mais antigos. A verdade dos fatos nunca saberemos, mas a beleza da história ficou para a posteridade.

No ano seguinte, com o enredo "*Direito é Direito*", do carnavalesco Ilvamar Magalhães, os componentes da Comissão de Frente não poderiam desfilar na frente da escola, pois a proposta da comissão era que viessem mulheres grávidas representando, na concepção do enredo do ano, o primeiro direito do Ser Humano: o direito de nascer – aliás, por onde andam os filhos que desfilaram naquelas barrigas? Ilvamar não queria desfazer o grupo e, em 1989, ele fez uma "segunda comissão de frente", na qual os vitoriosos componentes do ano anterior puderam desfilar, mesmo sem contar pontos.

Décio e Jô permaneceram na Comissão de Frente da Vila Isabel até o desfile de 1993, com o enredo "*Gbalá – Viagem ao Templo da Criação*" – enredo reeditado pela escola em 2024. Entretanto, o cenário já era bem diferente. No ano seguinte, o grupo dos "negões da Vila" – como muitos torcedores da escola chamavam a comissão -- foi dissolvido e, em seu lugar, um grupo de bailarinos foi chamado para ocupar o espaço, dirigidos pelo coreógrafo Ciro Barcelos. A Vila Isabel, enfim, transformava radicalmente seu quesito. Chegou, mesmo, a ficar com o grupo em 1994, mas sentiu que seu tempo ali, na Comissão de Frente, havia passado – com a equipe chegando a ser barrada em uma escola coirmã, onde afirmaram que "não aguentariam as coisas de circo" que as novas comissões se desenhavam.

A partir daí, Décio foi trabalhar em outras escolas, ajudando coreógrafos como Renata Monnier na logística das comissões de frente. Mal ele sabia que já ensaiava seus primeiros passos como liderança de Harmonia, papel que lhe foi delegado e que cumpriu na Vila Isabel durante muitos anos com eficiência, marcando seu nome, definitivamente, nas páginas brancas e azuis da agremiação. Jô continuava a atuar no carnaval, desfilando como componente e coreógrafo em diversas escolas, além de um exímio professor das artes negras afro-brasileiras.

Durante muitos carnavais, basicamente até a década de 1980, as comissões de frente eram compostas por membros da Velha-Guarda, compositores, sambistas em geral, que possuíam uma intima conexão com a escola de samba em desfile ou o enredo proposto. Entretanto, na virada para a década de 1990, as comissões de frente ganham outros contornos. É preciso frisar que a virada dessa década desenhava o auge da *espetacularização* dos desfiles – com televisionamento, sambas de enredo em alto e bom som nas rádios brasileiras e direitos autorais voando em altas cifras, bem como a venda de ingressos para os dias de desfile. Novos rumos para o quesito. Novos rumos para o carnaval carioca. Se antes o contingente da Comissão de Frente era dedicado tão somente à apresentação da escola, agora o grupo passaria a se exibir com passos elaborados de dança, desenhos coreográficos traçados para impressionar os jurados e as arquibancadas, contando ainda com componentes dispostos à execução perfeita e sincrônica de movimentos.

Inegavelmente, um dos grandes responsáveis por essa mudança foi o coreógrafo Fábio de Mello, ex-diretor e coreógrafo do Theatro Municipal do Rio de Janeiro, o qual, a partir do início da década de 90, passou a coreografar a Comissão de Frente do GRES Imperatriz Leopoldinense. No enredo "*Não existe pecado do lado de baixo do Equador*", de autoria da carnavalesca Rosa Magalhães, o coreógrafo reuniu um grupo de homens com capa e cartola – ainda em uma indumentária vista como "tradicional", pois remetia às velhas-guardas de outrora – em linha, mas ensaiando pequenos desenhos coreográficos e teatralizações. No ano seguinte, com o enredo "*Marquês que é marquês, do saçarico é freguês*", de Viriato Ferreira e Rosa Magalhães, Fábio de Mello apresentava uma comissão de mascarados à moda europeia. Agora, a coreografia ousava um pouco mais nos desenhos coreográficos, na teatralização e nos passos de dança.

Um dos detalhes fundamentais para entender as comissões dirigidas por Mello era o caráter coletivo que adquiriam, pois, ao assumir a escola em 1991 – para o carnaval de 1992 –, tratou de arregimentar homens, da própria comunidade de Ramos e adjacências, para formar o grupo. Todos eram altos (acima de 1,85 m) e negros, em sua maioria retintos. A equipe ficou conhecida como o grupo da Comissão de Frente da Imperatriz Leopoldinense e, com o passar dos anos – e o acúmulo de notas dez e premiações –, foi adquirindo prestígio no mundo do samba.

Choque cultural? Talvez sim, mas não somente por serem corpos negros dançando passos de balé clássico; corpos estes que carregavam em seu *ori* (memória ancestral, nas palavras da historiadora Beatriz Nascimento[42]) uma outra formatação de comportamento corporal. O samba, afinal, é o dono do corpo, como nos disse Muniz Sodré. Talvez a questão seja mais profunda, pois ali estavam em jogo diferentes modelos de comissões de frente que, ao cabo, representavam mais um grande avanço do processo de *espetacularização* das escolas de samba. Cada vez mais, a noção de "espetáculo para o público" se expandia e não pertencia mais, somente, às alegorias e fantasias, passando, também, a ocupar a abertura do cortejo de cada agremiação do carnaval carioca.

42 Cf. NASCIMENTO, artigos citados (1976 e 1982).

VILA ISABEL

A VITÓRIA DA RAÇA

DEU Vila na cabeça, *Kizomba* no chope do tri da Mangueira. Uma vitória com gosto de gol de placa aos 45 minutos do segundo tempo. Um feito indiscutível, irreparável, irretorquível — diriam os narradores esportivos. A Vila Isabel venceu gloriosamente o seu primeiro campeonato entre as grandes da Sapucaí, depois de 42 anos na expectativa. Com um ponto na frente da Mangueira, a tradição do carnaval, dois na frente da Beija-Flor, o luxo do carnaval. Desta vez, deu o povo na cabeça, que consagrou a velha escola do bairro de Noel na Avenida do Samba.

Kizomba, a Festa de uma Raça não foi, afinal, nenhuma novidade — nada menos do que quatro escolas decidiram homenagear o negro no ano do Centenário da Abolição. Só que a Vila pôs negro no chão e nos carros, cantou com o coração. Um enredo que marcou uma festa de esperança na vitória, e que se transformou em realidade no empolgante desfile da segunda-feira histórica, em que pediam um apelo à paz entre as três raças. Um título que tocou fundo na alma da cidade e que fez Ruça, a presidenta da agremiação, perder a voz e misturar riso e choro quando carregada pela multidão enlouquecida com a vitória.

A Comissão de Frente foi a guardiã mor do título da Vila Isabel – "a vitória da raça"

Imagem: Revista Manchete, *18/02/1988.*

04

ALEGORIAS, FANTASIAS & ADEREÇOS
O IMPACTO VISUAL DA *KIZOMBA*

O carro alegórico dos elefantes, uma das atrações do vitorioso desfile da Vila Isabel.
Foto: Revista Manchete, *18/02/1988*

Uma das características marcantes no carnaval das escolas de samba do Rio de Janeiro é a prevalência da visualidade: espetacular, iluminada, grandiosa, ela é capaz de atrair o público pelas lentes da televisão ou de fotógrafos especializados cuja atuação consiste, especialmente, em capturar o registro dessas obras efêmeras. Construídas para serem destruídas (assim o disse Maria Augusta ao antropólogo Nilton Santos[43], em seu trabalho de campo: - *Carnaval é isso aí, a gente faz para ser destruído*), elas são, hoje, parte fundamental do desfile das agremiações carnavalescas.

Entretanto, o desfile da ***Kizomba*** nos conta uma história diferente, sob duas percepções distintas. Por um lado, a concepção visual do enredo veio a ser duramente criticada por vários sambistas que, após o cortejo, defendiam que ele havia sido muito "pobre, sem brilho" e, por isso, a escola deveria perder pontos. As mesmas críticas enunciadas por muitos sambistas e admiradores da folia foram, na verdade, os mesmos elogios tecidos por outra parcela que havia achado o desfile bastante "original, retratando uma África de verdade".

---

43 Ver, a respeito, SANTOS, Nilton. *A arte do efêmero:* Carnavalescos e Mediação Cultural no Rio de Janeiro. Rio de Janeiro: Apicuri, 2009.

O **visual** sempre foi central para a história do carnaval carioca. Desde o século XVIII, em que procissões religiosas já se utilizavam de carros alegóricos e decorações de rua como elementos figurativos em um contexto sagrado, a visualidade era um atrativo para uma sociedade em que o entretenimento se fazia pelo ambiente público das ruas e os espetáculos em espaços fechados. Pouco a pouco, o carnaval do século XIX, em suas múltiplas manifestações - grandes sociedades, decorações de rua, ranchos, bailes à fantasia - começou a valer-se do visual como uma estratégia de expressão artística, divertimento e sedução do público.

Não muito diferente disso, as escolas de samba, desde seu início na década de 1930, elaboravam seus próprios visuais como maneiras de apresentação carnavalesca. Mesmo que de forma bem diferente de como vemos o visual hoje - com alegorias e fantasias bastante elaboradas, de grandes tamanhos e volumes -, a representação do tema/enredo se fazia presente. A mudança das técnicas de confecção de fantasias e alegorias, aliada a uma mudança na percepção sobre o fazer visual - com a valorização de atores externos às agremiações -, foram essenciais para uma virada no fazer estético dos desfiles.

Se hoje há uma grande valorização do visual como parte de um espetáculo, com os carros alegóricos, as fantasias e adereços compondo um cenário de deslumbre, o início da história das escolas de samba apresentava outra percepção dessa visualidade, ligada muito mais a um cotidiano da comunidade e o "fazer junto" dos seus. A história da Unidos de Vila Isabel foi, em grande parte, marcada pela dificuldade do que chamamos "colocar o carnaval na rua" - que era, na realidade, o êxito na preparação do carnaval em ateliês, barracões e quadra e o consequente desfile nos dias de folia. A falta de dinheiro constante se tornava um impeditivo para que alegorias e fantasias mais bem elaboradas e acabadas pudessem desfilar. E isso não era uma exclusividade da Vila Isabel: é, até hoje, a tônica da maioria das escolas de samba da cidade - principalmente aquelas do grupo de acesso.

Osni Fernandes, um dos filhos de *Seu* China, fundador da Vila Isabel, comenta sobre a dificuldade de produzir os desfiles nos primeiros anos da escola. Se hoje temos, no Rio de Janeiro, um local específico para a produção de fantasias e alegorias (a Cidade do Samba, localizada na Zona Portuária, inaugurada no ano de 2005), na década de 1940, pouca ou nenhuma estrutura havia para se confeccionar o visual das agremiações. Com dinheiro curto para se produzir o carnaval, a solução era passar o "livro de ouro", espécie de "*vaquinha*" entre os comerciantes do bairro da escola, para que fosse possível confeccionar fantasias e carros. Mesmo que, por muitas vezes, alguns "espertalhões" fingissem ser integrantes da Unidos de Vila Isabel e arrecadassem o dinheiro para outros usos, essa era uma tática bem sucedida para que se juntasse dinheiro e fosse possível desfilar no carnaval.

Não há como não cometer um anacronismo, reconhecendo pistas sobre a feitura visual da ***Kizomba*** em um fio passado, vivido e tecido nas favelas e subúrbios cariocas. Ela nos remete à criação de uma visualidade negra, favelada e suburbana, que muitas vezes poderia não ter o mesmo acabamento e técnicas oriundas da Escola de Belas Artes, mas que possuía um intento de "mostrar-se à cidade" através do samba no pé e de sua exígua visualidade.

Se havia, por um lado, a predominância de uma produção visual vinculada à Escola de Belas Artes, masculina e branca, na construção da figura do "carnavalesco" a partir da década de 1960, a proposta da ***Kizomba*** seria outra: mostrar uma África visceral, sem brilho e luxo. Uma África a qual Martinho e *Ruça* conheciam muito bem a partir de suas viagens à Angola.

Se, no século XIX e início do XX, os artistas e cenógrafos da cidade, formados na Escola Nacional de Belas Artes ou no Liceu de Artes e Ofícios, ganhavam destaque nas principais páginas dos jornais cariocas, havia uma série de artistas pertencentes às próprias comunidades das escolas de samba que organizavam os fazeres visuais de forma coletiva. É importante marcar que, nos primeiros anos das agremiações, mais especificamente entre as décadas de 30 e 60, a figura do carnavalesco, a quem hoje consideramos como o responsável pela elaboração artística e visual do desfile, não existia com tal grau de centralidade. Até então, embora já delineados, esses eram papéis divididos entre os membros da comunidade que pertenciam à agremiação.

Na Portela, por exemplo, Antônio Caetano, um dos fundadores da escola, já dava expediente no barracão, sendo reconhecido como um dos principais

G.R.E.S. - UNIDOS DE VILA ISABEL

Fundada em 4 de Abril de 1946

SÉDE: ESTADO DA GUANABARA

NOME Antônio F. da Silveira.

MATRÍCULA 0001 - Fundador.

DATA DE ADMISSÃO 04 04 946

CATEGORIA Contribuinte.

ALA V. Pres. D. Patrimonio

RIO DE JANEIRO 02 06 72

Acima, a carteira nº 1 do Sr. Antônio Silveira, o *Seu* China, assinada pela presidente Pildes Pereira.

Logo abaixo, seu filho Djalma Sapo, ladeado pelos compositores Arroz (à esq.) e Jonas.

Fotos: acervo pessoal da família Fernandes

articuladores para a construção de alegorias e fantasias. É nesse sentido que vale ressaltar que os primeiros carnavais da Unidos de Vila Isabel foram feitos pelo artista Miguel Moura.

Moura foi um pintor carioca e morador do bairro do Lins de Vasconcelos. Assíduo frequentador das rodas de samba e capoeira da Festa da Penha, ele veio a se tornar um dos fundadores da "Depois eu Digo", agremiação que, junto com outras escolas do Morro do Salgueiro, daria origem ao Grêmio Recreativo Escola de Samba Acadêmicos do Salgueiro. Mesmo que a nomenclatura "carnavalesco" ainda não fosse utilizada com o sentido de classificar o responsável pelo visual, havia uma preocupação, por parte de sujeitos que pertenciam às escolas de samba, em bem apresentar suas agremiações nos desfiles carnavalescos. Moura era um desses personagens.

Um dos dados mais importantes de sua biografia era a agitada atuação como pintor de quadros e sua circulação pelo movimento negro das décadas de 40 e 50. Participou de diversos concursos dos salões de arte, incluindo um denominado "Cristo Negro". Promovido por Guerreiro Ramos e Abdias Nascimento, o objetivo do certame era retratar o rosto de Jesus Cristo entendendo-o como negro. A obra de Miguel Moura chegou a ser desclassificada por conta da acusação de "blasfêmia", pois apresentara o quadro "Cristo exorcista"[44].

Em sua atuação nas escolas de samba, ele foi um dos primeiros artistas a elaborar os carnavais da Unidos de Vila Isabel, enfocando diversas vezes a temática negra. Assim, Miguel antecipava, ao seu modo, os debates sobre negritude, que ganhariam projeção à luz de memorialistas e jornalistas como uma "Revolução Salgueirense" pouco tempo depois.

Um dado importante é que, já nessa época, Miguel Moura recebia pelo seu trabalho como artista responsável pela elaboração visual do desfile. Não por acaso, segundo as memórias de Osni, sua saída se deu por conta de falta de pagamento. Depois que ele deixou a Vila, Djalma Sapo, que desde criança

---

44 O quadro foi comprado, posteriormente, pela atriz Léa Garcia e ganhou o novo nome de "Cristo na Macumba".

começou a frequentar o barracão e se interessar pelo fazer visual carnavalesco, assumiu a função. Djalma Fernandes da Silveira fez o carnaval "*Obras da Natureza*", inclusive o samba de enredo.-

Mesmo que boa parte da bibliografia carnavalesca afirme que Fernando Pamplona foi o responsável por uma "revolução salgueirense" no modelo estético de se fazer escolas de samba, é preciso entender que, mesmo antes da chegada do cenógrafo às agremiações, já havia um modelo próprio de construção visual que não passava, necessariamente, pela Escola de Belas Artes ou por um ensino acadêmico de artes.

A própria existência desses artistas citados acima nos dá a ideia de que havia uma preocupação em organizar uma produção visual orgânica das escolas: mutirões eram realizados, croquis esboçados pelos próprios componentes da escola e uma produção descentralizada davam conta da organização desses desfiles.

1. A construção visual da *Kizomba*

Se, durante o pré-carnaval de 1988, o desfile da ***Kizomba*** era visto com desconfiança por sambistas e jornalistas, por conta de um visual "empobrecido", não sendo capaz de fazer frente a outras escolas de samba do Grupo Especial, nos anos anteriores a Vila apresentou desfiles bastante satisfatórios visualmente, chegando mesmo a ser vista como uma das favoritas ao título. No carnaval de 1987, por exemplo, com o enredo "*Raízes*", do carnavalesco Max Lopes, a escola exibiu um visual robusto e impactante. Tida como uma das favoritas ao título, ela ficou em 5º lugar, empatando com o GRES Acadêmicos do Salgueiro. Via-se, nitidamente, que o então presidente, Ailton Guimarães Jorge, o Capitão Guimarães, investira pesado na construção visual daquele carnaval com fantasias bem elaboradas, assim como alegorias volumosas e ricas.

Para os mais antigos, não era nenhuma novidade o rol das dificuldades enfrentadas pela Unidos de Vila Isabel para construir o carnaval da ***Kizomba***. Com a saída de Max Lopes – mesmo com rumores de alguns jornais de que seria ele o responsável por desenvolver o enredo "*Kizomba*" –, era necessário contratar outro carnavalesco para que encabeçasse o projeto. A escola passava por grandes problemas financeiros após a saída de Capitão Guimarães, em 1987. Não só a perda da quadra impactou negativamente a preparação do carnaval seguinte da Vila, mas também uma desagregação natural que pode causar a troca de comando em uma agremiação.

> *– A Vila vem pobrinha! Era o que dizia grande parte dos componentes, desacreditada do futuro da escola.*

Diante de um péssimo cenário, a escola precisaria buscar um carnavalesco que desse conta de uma plástica que atendesse às condições financeiras da Vila. O profissional responsável pelo desfile e por seu planejamento era Milton Siqueira, o *Miltinho*, como carinhosamente era chamado. Após conversas com Martinho da Vila, chegou-se à conclusão de que ele seria o mais adequado para desenvolver o enredo que se havia pensado. Afinal, conforme nos conta Martinho, apesar de muitos carnavalescos se candidatarem ao cargo, o Ferreira viu um "brilho no olhar" diferente no artista. Mesmo que Milton não possuísse o mesmo prestígio de seus concorrentes, fora ele o nome escolhido e isso não era um acaso: Martinho, como autor do enredo, necessitava ter um carnavalesco que dialogasse fortemente com suas ideias. A troca entre a composição narrativa e a construção estética seria fundamental para o campeonato e ambos sabiam dessa responsabilidade.

Pouco ainda se conhece sobre a história de Miltinho como carnavalesco das escolas de samba do Rio de Janeiro. Sabemos, no entanto, que o artista era oriundo da cidade de Bragança (SP) e obtivera reconhecimento no meio carnavalesco com grande atuação em desfiles de fora da cidade, como, por exemplo, em Teresópolis, assinando carnavais na década de 1980. Antes disso, havia sido o carnavalesco da Unidos da Ponte, em 1986, desenvolvendo um enredo criado por Orlando Pereira sobre o cantor Herivelto Martins. O tema "*Está na Hora do Samba que Fala mais Alto, que Fala Primeiro*" abordava a juventude do cantor, seu amor à Mangueira, terminando com uma crítica aos instrumentos elétricos da música moderna

O carnavalesco Milton Siqueira e sua obra.
Imagem: reprodução de *O Globo*, 06/02/1988.

e, principalmente, à sua influência nos diferentes tipos de samba. Sua contratação se deu em meio a uma crise da agremiação, com a Vila Isabel sem poder aquisitivo, esgarçada e sob grande desconfiança de sua comunidade em relação aos rumos da escola. Para Martinho e *Ruça*, encontrar um artista que desse conta do planejado e, mais ainda, que pudesse manter um diálogo aberto e franco com os dois, era fundamental.

Martinho nos conta que sua apresentação à escola coincidiu com o dia em que o artista recebeu o resultado de seu exame. É importante salientar que, na época, o vírus HIV era desconhecido e causava a morte em alguns poucos meses ou anos, realidade bem diferente de hoje, em que os portadores do vírus tocam a vida normalmente com uma doença crônica. Miltinho conversou com Martinho e *Ruça* e achou melhor "abrir o jogo" com a diretoria. O momento era de grande tensão, pois temiam que a parte da diretoria da escola não aceitasse a condição do carnavalesco. No início da reunião, Miltinho informou sobre a doença. Um silêncio se instaurou no ar e logo um membro da diretoria exclamou:

- *Ninguém quer saber de AIDS. A gente quer saber do carnaval!*

Miltinho, que esperava sofrer duras represálias do Conselho Deliberativo da escola, de certa forma, sentiu-se acolhido. No mesmo ano, o carnavalesco atuava fortemente na cena artística carioca, pois, em janeiro de 1987, havia sido o curador de uma exposição da FUNARTE – Fundação Nacional de Artes, em que carnavalescos como Joãozinho Trinta, Viriato Ferreira, Maria Augusta e Alexandre Louzada expuseram trabalhos associados à arte da folia. Foi nesse contexto que também assinou os cenários do espetáculo "*Quero Kelly*", que contava no elenco com Emilinha Borda e Roberto Kelly. Sua ampla atuação nos sugere a dimensão de que sua circulação se dava de maneira considerável no circuito carnavalesco e na cena do *show business* carioca (*Jornal do Brasil*, 21/01/1987, p. 3).

Durante a preparação do desfile, já bastante debilitado, Miltinho chegou mesmo a morar na casa de *Ruça* e Martinho. A presidente à época conta que chegara a cuidar de sua saúde e, ao mesmo tempo, debater algumas coisas de carnaval durante sua convalescência, em sua residência no Grajaú. Relata o preconceito que sofreu, por parte de alguns amigos, ao acolher Miltinho, pois a AIDS sofria de diversos estigmas como "câncer dos *gays*" e acreditava-se ser contagiosa pelo toque e convivência social, mesmo que relatos científicos já dessem conta de que isso era uma inverdade. *Ruça* dizia não ligar para os comentários. Afinal, havia um amigo para cuidar, um carnaval para "botar na rua" e alguns preconceitos a combater.

Após o desfile da *Kizomba*, para o carnaval de 1989, Miltinho optou por assinar o desfile do Arranco do Engenho de Dentro, com o enredo "*Quem vai Querer?*", dividindo a função com Sérgio Faria. Com um tema cuja narrativa propunha que houvesse uma inversão na estrutura social, por meio da qual "(...) índios, bebês, presos, loucos e prostitutas (os oprimidos) foram à forra e passaram a ser os opressores" (*Tribuna da Imprensa*, 08/02/1989, p.10). De certa forma, havia ali um espírito semelhante ao da *Kizomba*, ou pedagogia descolonial antecipada em tom de folia. Entretanto, no dia 09 de outubro de 1988, Miltinho faleceu, aos 34 anos, em decorrência de problemas de saúde agravados pelo quadro de AIDS, não chegando a ver a escola na avenida.

Na Vila Isabel, a dura realidade da doença à época se impôs de maneira a dificultar seu trabalho, como os expedientes longos e árduos no barracão, bem como a correria em torno do processo do fazer visual carnavalesco. Com isso, a direção da escola optou por contratar mais dois profissionais: Ilvamar Magalhães e Paulo Cesar Cardoso, para que tocassem o barracão e ateliê de acordo com o projeto elaborado.

Ilvamar Antônio Tostes Magalhães, carioca, nascido em 20 de outubro de 1945, desde pequeno já se interessava pelo mundo das artes, bem como boa parte de sua família. Autodidata, conforme ele mesmo se proclama, relata que aprendeu música e artes visuais por conta própria, chegando mesmo a tocar nas noites do Rio de Janeiro e São Paulo. Seu primeiro carnaval assinando como carnavalesco foi no GRES Unidos do Cabuçu, em 1986, com o enredo "*Deu a louca na História! E agora Stanislaw, como é que fica?*", participando de um concurso de enredos promovidos pela agremiação. Venceu. Já no ano seguinte, continuou como carnavalesco na escola, trazendo o enredo "*Roberto Carlos na Cidade da Fantasia*". A Cabuçu foi a sétima colocada no primeiro grupo.

O artista chegou à Vila Isabel a convite de *Ruça*, presidente da escola na ocasião, e de Paulo Cesar Cardoso, que também era o diretor de carnaval da agremiação em 1988, em dupla função. Com o avanço da doença, Miltinho ficou impossibilitado de comandar o barracão diariamente. Logo, Ilvamar teria a missão de seguir o trabalho, que já possuía muitas das suas coisas idealizadas, porém pouco executadas.

Ilvamar nos conta que muitas das criações se deram no dia a dia dos barracões e ateliês, pois a ausência de protótipos, por conta das precárias condições financeiras da escola, se fazia um impeditivo para um planejamento visual de maior duração: era preciso meter a mão na massa e colocar o carnaval na rua! A experimentação de novos materiais era uma das mais potentes saídas para que se conseguisse finalizar o carnaval da Vila. A plástica da escola, então, foi a prática do possível, mediante a qual a condição precária ocasionou uma explosão criativa de formas, cores e materiais que desembocaram na avenida.

Nas reuniões de criação, *Ruça* fazia questão de salientar que não se poderia ter um brilho excessivo, pois era uma busca por uma "África Visceral". Na década de 1980, a solução mais fácil, certamente, era o caminho do acabamento com galões luxuosos e pedrarias. pois a primazia do visual (Cavalcanti, 1994) era um imperativo na disputa pelo título. Entretanto, o que a Vila Isabel queria era construir uma visualidade em torno de uma herança africana ressignificada no Brasil, e essas imagens não passavam pelo luxo, o exagero, o brilho excessivo, e sim pelo acabamento simples, baixos volumes e estamparia.

2. O barracão do Pavilhão de São Cristóvão e a estrutura barracão

Entretanto, fazer um carnaval, nessa época, não era fácil. Para o ano de 1988, o barracão da escola se localizava no Campo de São Cristóvão, atual Feira de Tradições Nordestinas, no bairro de São Cristóvão. A maioria das escolas que não possuíam barracões próprios faziam seus preparativos no local, em uma espécie de galpão improvisado. Havia grandes dificuldades estruturais, como o teto muito baixo, falta de banheiros adequados e o pequeno espaço para distribuição das alegorias, o que inviabilizava a montagem completa.

Além da divisória entre os barracões com finas chapas de madeira compensada serem um grande problema para o segredo que era guardado entre as agremiações concorrentes, as condições insalubres de trabalho e o calor insuportável faziam com que o carnaval ali confeccionado por muitas mãos se erguesse diante de um grande esforço. A ideia de uma construção coletiva se fazia cada vez mais presente, pois, ao mesmo tempo em que havia um grupo central composto pelos carnavalescos dirigindo a empreitada, seriam muitas as mãos necessárias para que a *Kizomba* – grito por afirmação social de milhões de escravizados negros – ressoasse na Avenida Marquês de Sapucaí. O jornal *O Dia* trazia uma reportagem em que ficava evidente o espírito de coletividade alçado pela escola:

> *O clima do barracão, em São Cristóvão, não é diferente. No trabalho, predominantemente artesanal, se vê toda a equipe detalhando minuciosamente cada peça (...) Para Ruça, presidente da agremiação, o desfile vai ser um belo espetáculo porque todos da comunidade, moradores do Morro do Pau da Bandeira, Macacos, Terreirinho e dos arredores de Vila Isabel, estão presentes na escola, fazendo de tudo para que o objetivo fosse alcançado.*[45]

Um barracão de escola de samba é composto por diferentes fazeres e um carnaval, para ser construído, possui um ciclo muito próprio de produção. O trabalho se inicia com o desmonte do desfile anterior, quando algumas escolas aproveitam parte do material recolhido para as escolas mirins, as escolas de grupos de acesso, ou mesmo para a própria agremiação, ficando disponíveis ao carnavalesco para que se realize o rearranjo dos materiais. Logo em seguida, inicia-se o trabalho de ferragens, madeira, junto à confecção de protótipos de fantasias e adereços para o carnaval vindouro. O ritmo é sempre intenso. O barracão, com a aproximação do carnaval, se transforma em um centro aglutinador artístico e

---

45 Cf. *O Dia*, 26/01/1988, p. 10.

administrativo onde questões burocráticas são resolvidas junto à elaboração de croquis e fantasias. Próximo à data do desfile, uma escola de samba emprega, aproximadamente, 600 pessoas direta e indiretamente no fazer carnavalesco.

Em 1988, as condições financeiras da Vila não eram as melhores. A saída mais viável era contar com a ajuda de apaixonados e amigos da agremiação, condicionando o fazer visual "por amor à escola". Dessa forma, os funcionários não deixavam de receber, mas acabavam cobrando valores abaixo do mercado ou, quando muito, trabalhavam pela garra e vontade de verem sua escola desfilando na avenida. Foi o caso de Wilson Caetano, compositor e, durante muitos anos, marceneiro da Vila[46].

De origem mineira (seu pai era oriundo de Miraí, e sua mãe de Cataguases), Caetano já nasceu em terras cariocas. Sua família viera para o Rio de Janeiro no início do século XX, assim como diversas outras que buscavam melhores condições de vida e trabalho na então capital da República. Aliás, durante muito tempo se teve a ideia de que o samba carioca devia sua formação, exclusivamente, à migração de baianos para o Rio de Janeiro. Entretanto, é fundamental ressaltar a importância de mineiros e moradores do Vale do Paraíba que, ainda no final do século XIX e início do século XX, migraram rumo ao Rio de Janeiro e constituíram importantes núcleos culturais nas favelas e subúrbios cariocas. Foram esses centros importantes bases para a formação de diversas associações negras na cidade, incluindo as escolas de samba, nas décadas de 1920 e 1930[47].

---

46 A fragilidade das relações de trabalho nas agremiações é um ponto chave para a compreensão das relações sociais dentro de um barracão de escola de samba. O dilema entre o "fazer por amor" e o ser profissional ainda é, hoje, um grande mistério que abarrota todos os galpões de escolas de samba da cidade.

47 Para saber mais, ver o texto "Robert Slenes entre o passado e o presente: esperanças e recordações sobre diáspora africana e cultura negra no Rio de Janeiro", de Martha Abreu, Hebe Mattos e Camilla Agostini, em *Escravidão e cultura afro-brasileira: temas e problemas em torno da obra de Robert Slenes* (Chalhoub, Sidney, Gladys Ribeiro, Jonis Freire e Martha Abreu). Campinas, Ed. Unicamp, 2015.

Sua mãe, Maria Joana da Silva, contou a Caetano que fora criada em colégio interno e, depois, foi trabalhar como empregada doméstica em "casa de família". Lá, conseguiu ter acesso ao estudo e à musicalidade, chegando a estudar piano. Caetano nasce em 07 de agosto de 1945, no bairro do Engenho Novo, próximo de Vila Isabel, em meio a uma cidade em profunda transformação cultural com a ascensão vertiginosa das escolas de samba na cena carioca.

Com a separação de seus pais (Caetano não diz o nome do pai e relata pouco contato com o mesmo), ele foi enviado a um colégio interno, onde deveria aprender uma profissão, destino de muitos garotos das classes menos favorecidas da época. Em uma espécie de instituto profissional agrícola, aprendeu a ser marceneiro e teve noções de canto, uma de suas principais paixões. Wilson Caetano sempre teve aptidão para as artes, tanto que foi designado para a banda de música. Não quis, inicialmente, mas a música tomou-o pelos braços, a arte da madeira o envolveu e seu destino era traçado à régua, samba e cantoria.

Já na adolescência, Caetano, que a essa altura morava no Morro dos Macacos, entrou em contato com o samba por meio de Miro Silva, compositor que o convidou para cantar sambas de sua autoria no Salgueiro, uma vez que Miro era compositor daquela escola. Alguns amigos compositores da Vila Isabel – Irani Olhos Verdes, Tião Graúna, Rodolfo – começaram a reclamar de sua atitude:

> *- Ué, se você mora aqui no Morro dos Macacos, porque você não canta aqui na Vila Isabel?*[48]

Foi assim que Wilson Caetano começou a cantar no GRES Unidos de Vila Isabel, inicialmente "uns cinco ou seis sambas", no esquenta da bateria, e, depois, se enturmando e assumindo outras funções dentro da agremiação. Após adquirir sua carteira de compositor, em 1972 – se hoje esse é um processo relativamente fácil, ingressar em uma ala de compositores àquela época

48 Relato feito por Wilson Caetano ao Departamento Cultural do GRES Unidos de Vila Isabel em 26/10/2017.

assumia um sentido absolutamente especial –, Wilson se integrou à ala, chegando mesmo a assumir a presidência durante alguns anos, ao mesmo tempo em que era *crooner*[49] do grupo. Nesse meio tempo, vez ou outra, ajudava no barracão. Afinal, a escola passava por muitas dificuldades quando o calo apertava – e a saída estava dentro do corpo da casa.

Entretanto, em 1988, mais do que nunca a escola precisaria de ajuda para "botar seu carnaval na rua". Caetano, amigo de *Ruça* e Martinho, decide chefiar o trabalho de marcenaria naquele ano. Seria algo trabalhoso, quase nada satisfatório financeiramente, mas que lhe daria felicidade e renderia memórias indescritíveis em sua trajetória na escola.

Em uma das reuniões para preparação do carnaval na casa de *Ruça* e Martinho – situada na Rua Araxá, no bairro do Grajaú –, Martinho falou para Caetano:

– Esse ano é dos crioulos. Você tem que vir no carro de som.[50]

Muito surpreso, Wilson Caetano relutava em aceitar, pois, afinal, não se sentia preparado para assumir uma função tão importante na escola. Entretanto, o destino estava escrito e, inevitavelmente, sua entrada no principal time de cantores da escola ocorreu. Compartilhando uma rotina intensa de preparação para os desfiles com ensaios de canto na quadra e *shows* privados junto com Gera, cantor principal da Vila, Caetano trabalhava em um ritmo frenético de segunda a sexta no barracão da escola.

Mesmo com uma rotina apertada e pouco dinheiro no bolso, os funcionários do barracão daquele ano estavam imbuídos em apresentar um carnaval que, mesmo que não fosse tão luxuoso, seria o carnaval do possível

---

49 Oriundo do jargão musical em voga nas orquestras e conjuntos musicais que atuavam em boates e casas noturnas no século passado, *crooner* é o nome com que muitos cantores eram chamados à época.

50 Relato de Wilson Caetano em entrevista concedida ao Departamento Cultural da Vila Isabel em 26/10/2017

– pelo menos era a visão que muitos tinham antes de ele "ir para a avenida". Wilson Caetano nos conta que chegou mesmo a dormir no barracão nos dias próximos ao desfile, pois o trabalho não poderia parar e o tempo virava um inimigo. Já na semana da festa, dormir no barracão se tornava algo frequente, tanto que sua família já sabia: se não voltou pra casa, estava no barracão da Vila, descansando sob o piso de algum carro alegórico:

> *"(...) depois de martelar até tarde, era o martelo caindo para um lado e eu para o outro. Dormia em cima do piso do carro".*[51]

Tal conexão e mergulho no fazer das alegorias gerava um forte sentimento de conexão dos artistas do barracão com suas obras: afinal, faziam o carnaval quase que "por amor" – pouco dinheiro –, criando uma relação de intimidade com as peças alegóricas. Tudo era feito baseado no compromisso de terminar algo que enxergavam como se fosse estritamente seu. Eram donos de suas artes e, com objetivo de terminar esses carnavais, assumiam para si tal missão. Se pensavam a sua própria produção como parte de si, o esforço para colocar na avenida era imenso, pois terminar uma alegoria era carnavalizar parte deles mesmos.

Um dos dias mais tensos era o momento das retiradas das alegorias do barracão. Quem se envolve afetivamente com os carros alegóricos fica bastante apreensivo e se compromete diretamente com o processo, que pode ser decisivo no sucesso do desfile: afinal, se uma alegoria se desfizesse no percurso até a avenida, não haveria tempo hábil para que se refizessem os desajustes. Ora chefiando uma equipe de funcionários no barracão, ora cantando no carro de som, Wilson Caetano chegou ao dia do desfile já à beira da exaustão, mas não menos animado.

Caetano recorda que, como ele colocava as madeiras em todos os carros, ele precisava acompanhar todo o cortejo para que nada se danificasse, pois

---

51 Depoimento prestado por Wilson Caetano ao Departamento Cultural da Vila Isabel em 26/10/2017.

"conhecia os pontos cegos do carro". O trajeto das alegorias de desfile até a pista na Avenida Presidente Vargas é intenso. Se, nos dias de hoje, a Cidade do Samba concentra e organiza toda a saída do barracão das escolas, com uma ordem específica de chegada e saída das alegorias (há toda uma ação coordenada executada pela LIESA, RIOTUR e agremiações), naquela época o comboio era feito de forma mais amadora e "emocionante", pois os barracões se espalhavam por mais lugares ao redor da cidade.

Quando os carros alegóricos foram à rua, Caetano conta que não conseguiu voltar em casa para se arrumar para o desfile. Acompanhando o cortejo das alegorias desde o barracão até a Sapucaí e terminando, ali mesmo na concentração, alguns reparos e trabalhos a serem feitos, o artista pediu para que sua esposa levasse sua roupa de desfile direto para a avenida e tomou banho no local, em uma bica do Canal do Mangue – construção do início do século XX que corta a Avenida Presidente Vargas e ladeia a parte dos Correios (isto é, a pista que passa pelo prédio da ECT) da concentração das escolas de samba.

O estado de cansaço de Wilson Caetano era tão alto, que ele contou que teve uma crise epilética antes de entrar na avenida. Ao vestir a roupa que desfilaria em poucos instantes, na Marquês de Sapucaí, e ao sentar e, finalmente, se alimentar, entrou em crise. Aos poucos, sua mulher e algumas amigas acalmaram a situação e o artista conseguiu se preparar para cantar minutos depois.

Foi o seu primeiro ano como cantor do carro de som da escola. Caetano mal conseguia conversar antes de a sirene tocar, só estava concentrado e certo de que daria o seu melhor para conquistar o campeonato. Havia algo de diferente no ar e ele sabia disso. Conversou com seus parceiros de carro de som. Comentou com alguns que a sensação era que seu corpo estava sendo levado, de forma leve, a cantar. Outros já descreviam a sensação como uma espécie de flutuação: não sentiam os próprios pés e pareciam levitar na Marquês de Sapucaí. Cantou. Cantaram. Wilson Caetano via todo o visual que construíra passar na sua frente. Sua missão estava cumprida. A sensação forte era a de que ninguém iria superar o desfile.

Contudo, mesmo depois de tanta emoção, o trabalho não acabaria ali, pois toda escola tem a esperança de voltar no desfile das campeãs, que se realiza no sábado imediato àquele do carnaval. Caetano conta que deixava uma roupa de trabalho embaixo de alguma alegoria e, após o desfile, tirava seu traje "de gala" e vestia a roupa "de barracão". Ele acompanhava o lento cortejo de retorno das alegorias – que pode durar até quase 24 horas depois da realização do desfile, pois há um grande fluxo de carros alegóricos regressando para os seus barracões, ao mesmo tempo em que outros rumam em direção à Marquês de Sapucaí. Esse fluxo de veículos costura a cidade de arte visual carnavalesca e faz parte do cotidiano da urbe durante os quatro dias de folia – ele tomava conta dos carros alegóricos e diminuía os riscos de algum dano que pudesse ocorrer no trajeto de retorno.

A realidade do trabalho em barracões de escolas de samba escancara as fragilidades das relações de trabalho que envolvem essa atividade. Wilson Caetano ficou como carpinteiro chefe da Unidos de Vila Isabel até o início dos anos 2000, quando, segundo ele nos relatou, devido a atrasos de pagamentos de sua equipe, deixou a função na casa. Não possuía nenhum tipo de documentação oficial para demonstrar o quanto a escola lhe devia, mas, a duras penas, conseguiu parte do pagamento em gestões posteriores[52].

Wilson Caetano nos deixou no ano de 2020, realizando um de seus maiores sonhos: ter uma música gravada por Martinho da Vila, em 2018, no álbum *Alô Vila Isabeeel!!!*.

---

52 Sempre há muitos sambistas que amam suas agremiações, em uma conexão familiar, visceral e de pertencimento, e que, às vésperas do carnaval, por exemplo, se dedicam quase que inteiramente a terminar a construção visual de suas escolas. Mutirões são realizados, convocações são feitas nas suas comunidades para que se terminem os detalhes cruciais de um projeto de carros alegóricos e fantasias. Por outro lado, essa "massa" que trabalha na construção das escolas convive com os profissionais contratados que, durante o ano, trabalham em ateliês de fantasia e elaboração dos carros alegóricos. O binômio amor x dinheiro parece não estar resolvido e, talvez, não vá se resolver dentro dos barracões das escolas de samba. Fato é que, com o pouco poder aquisitivo da escola, muitos componentes trabalharam no barracão "por amor", ou seja, com pouca ou nenhuma remuneração.

Wilson Caetano (ao centro), em apresentação com os pares da Vila Isabel.
Foto: acervo pessoal de Theresinha de Jesus Cardoso

Foi num quatro de abril
Três dias depois da mentira
Que o poeta descobriu
Seu amor e sua lira
Com alguém se reuniu
Com ação de quem conspira
Mas fundou com devoção
A escola de samba da Vila
E as estrelas que dormiam lá no céu
Despertaram com a grandeza
E com a beleza de Vila Isabel
Quando então todo o universo
Cintilando em alto astral
Anunciava pro mundo
Que a Vila estaria em todo Carnaval

Essa é a história
Do samba nascido da paz e do amor
Conta, conta, contador
Conta, conta, contador
Conta, conta, contador
Conta, conta, contador
Desfilou pelos escravos
Que a princesa libertou
Conta, conta, contador
Conta, conta, contador
Conta, conta, contador
Conta, conta, contador
Se vestiu de azul e branco
E o samba renovou

Canta, canta, cantador
Canta, canta, cantador

Fotos de Fernando Maia

O carro no barracão da Vila Isabel evita o excesso de materiais vistosos e busca sua beleza na simplicidade

Originalidade é o forte no carnaval da Vila

Pouco brilho, alguma cor e muita criatividade irão marcar o carnaval deste ano da Vila Isabel. Através do enredo "Kizomba, a festa da raça", a escola espera fazer na Marquês de Sapucaí uma grande festa e um encontro alegre entre todas as raças, onde o branco, o negro e o índio estarão juntos e unidos, fazendo um verdadeiro carnaval. O carnavalesco da Vila, Milton Siqueira, está empolgado com o desenvolvimento do enredo, que foi escolhido por Martinho da Vila. Tão empolgado que já sonha com duas coisas: ver a escola ser aplaudida na avenida e ganhar o seu primeiro Estandarte de Ouro, prêmio conferido pelo GLOBO, com o apoio da Cervejaria Kaiser Rio S.A., aos melhores do desfile das escolas de samba.

— Esta é a primeira vez que estou à frente de uma grande escola. Vim da Unidos da Ponte, onde passei por boas experiências, apesar das dificuldades de uma escola de menor porte. Espero levar a Vila Isabel a fazer um lindo desfile, e, para isto, tenho a preocupação inicial de valorizar os nossos artistas, que têm toda liberdade para produzir os carros alegóricos.

Quem espera ver uma Vila Isabel cheia de brilho poderá se decepcionar. Os 21 carros alegóricos que estão em fase de acabamento dão bem uma idéia da simplicidade com que a escola entrará na avenida. Mas isto não quer dizer que a beleza não estará presente à Marquês de Sapucaí, como conta o carnavalesco:

— Optamos por fazer carros de pouco brilho, mas isto nada tem a ver com pobreza. Quis, desta forma, valorizar o artesanato brasileiro, que é riquíssimo, e, mais do que isto, diferenciar a Vila Isabel das outras escolas, que, na minha opinião, vêm se repetindo ano a ano, sempre com muitas cores e brilho. Sei que corro um risco por esta minha opção, mas acredito muito no que estamos fazendo — diz Milton Siqueira.

Caberá ao público e aos jurados julgar o carnaval da Vila, mas aqueles que visitam o barracão da escola percebem que o cuidado com a beleza, com um bom resultado final, está presente em cada detalhe. A escola sairá com 3,2 mil componentes e os tradicionais destaques, entre eles, Marta Rocha, Toni Tornado, Zezé Motta e Antônio Pompeu, além de Watussi, a Rainha da Bateria. As fantasias, ao contrário dos carros alegóricos, virão com todo brilho a que têm direito, exatamente para contrastar com a simplicidade das alegorias. A Vila Isabel, presidida por Lícia Maria Caniné, a "**Ruça**" — mulher de Martinho da Vila — depende exclusivamente da verba repassada pela Liga das Escolas de Samba. Mas isto não preocupa o carnavalesco, que acredita que a escola poderá quebrar o "encanto" da falta de títulos.

— Estamos com um ótimo samba-enredo e temos tudo para fazer um excelente desfile. No ano passado, a escola recebeu muitos elogios e poderia, sem dúvida, ter sido declarada a vencedora. Estamos confiantes este ano e, se tudo der certo, vamos chegar ao título desta vez.

Comemorar, se possível, duas vezes: uma pela vitória do Grupo I e a outra pelo prêmio do Estandarte de Ouro:

— Ganhar o Estandarte de Ouro é o sonho de todo carnavalesco, de todos aqueles que amam o carnaval — diz Milton Siqueira.

— É um prêmio que tem um valor maior a cada ano e que ninguém pode menosprezar. Se a Vila ganhar um Estandarte, será motivo de muita alegria para mim.

Mesmo antes do desfile, a imprensa já reconhecia a originalidade do visual da Vila Isabel.

Imagem: *O Globo*, 06/02/1988

Canta, canta, cantador
Canta, canta, cantador[53]

3. O visual, os materiais utilizados, técnicas e práticas do barracão

Chegara o dia da entrega das fantasias e a tensão era geral. Muitas pessoas haviam deixado de desfilar, pois, ao verem as fantasias confeccionadas, acharam todas elas "muito pobrinhas, sem brilho" – como confessou uma componente da escola. Na época, a passista conta que ficou decepcionada quando viu sua roupa: afinal, enquanto as outras escolas tinham luxo e brilho na roupa, as fantasias da Vila Isabel eram bem mais simples que as coirmãs.

De fato, tratava-se de uma proposta estética diferente das que vigoravam na época. Aliás, poderíamos chamar de "contraproposta" estética, pois, ao provocar e trazer uma ideia de África sem brilho, com materiais considerados "simples e rústicos" – conforme muitos classificam ráfias, palhas, etc. –, causou estranhamento, mesmo entre os componentes da escola e artistas de outras agremiações. Entretanto, tudo faria sentido quando visto no conjunto, no coletivo – o que, não por um acaso, é um dos principais atributos das culturas africanas: o todo.

E foi nessa lógica que, por exemplo, se confeccionou boa parte das fantasias: o fazer coletivo. *Ruça* nos revela que a ala das Mumuílas, por exemplo, estava no desfile porque ela e Martinho as conheceram durante uma visita a Angola. Dessa forma, deliberaram que as Mumuílas seriam representadas por mulheres negras do Morro dos Macacos, uma das bases comunitárias de Vila Isabel. Bateram de porta em porta chamando mulheres da comunidade, convencendo-as a sair na ala. Muitas negaram – talvez por vergonha ou mesmo por conta do racismo estrutural que nos assola até hoje. Porém muitas aceitaram. Era preciso agir,

---

53 "Quatro de abril", samba de Wilson Caetano incluído no CD *Alô Vila Isabeeeel!!!*, Sony Music, 2018.

As Mumuílas da Vila: uma África visceral personificada nas mulheres do Morro dos Macacos.
Foto: U. Dettmar / *O Globo* (17/02/1988)

Para isso, *Ruça* montou oficinas em sua casa, na Rua Araxá, onde as próprias mulheres faziam suas fantasias. Enquanto exercitavam sua criatividade, conversavam sobre a vida, sobre a escola de samba, sobre família, sobre os problemas sociais... Elas teciam redes de solidariedade e compreensão femininas, bem como as etnias africanas. Explicava-se que a nudez das Mumuílas possuía outro sentido que não o ocidental: ficar com os seios à mostra era uma característica daquela sociedade e, na avenida, a Vila Isabel faria questão de mostrar, de forma, respeitosa, essa ideia. A imagem da ala das Mumuílas foi, de fato, uma das mais impressionantes daquele carnaval. Não por representarem mulheres nuas, não por isso, mas sim por apresentar uma ideia de África visceral e uma nudez não-sexual.

Outro ponto marcante do desfile foi a alegoria "Quilombo dos Palmares", trazendo as figuras de Zumbi e Dandara representados, respectivamente, pelos atores Antônio Pitanga e Zezé Motta. Como recurso visual para a construção do carro, utilizou-se palha de coqueiros secos do Aterro do Flamengo: cada um da escola que passasse por ali e tivesse condição deveria apanhá-la e levá-la ao barracão para que fosse ornamentada e trabalhada. Para os efeitos desejados, faziam-se cercas de folhagens e, logo após, o pintor de arte vinha dando cor e, de repente, emergia a figura do Quilombo. A resistência se fazia de novo, no nó em pingo de água, na força e na raça.

É interessante pensar como a ideia de *quilombo* ganhou força nas décadas de 70 e 80, por parte do movimento negro e seus intelectuais. Pensadores como Beatriz Nascimento e Abdias do Nascimento entendiam o quilombo não só como um refúgio de escravizados, mas, também, como uma categoria de pensamento fundamental para se pensar a resistência negra a partir da reunião, do "aquilombamento", do "estar junto com os seus".

As alegorias e fantasias, que poderiam não ser tão ricas em visuais, eram ricas em forma e discurso. Como Ilvamar disse, "eram ricas no que elas queriam dizer". Em um tempo que não havia internet para a consulta de referências, os carnavalescos iam a bibliotecas públicas para fazer pesquisas em livros antigos a fim de buscar soluções estéticas para suas criações.

Outra característica que o carnavalesco ressalta é a unidade estética do desfile. Mesmo não estando tão luxuosas quanto outras escolas com maior poder aquisitivo, do início ao fim do cortejo havia um conceito visual trabalhado que se pautava na repetição de materiais, unidade estética e mesmo no pouco volume das fantasias e carros alegóricos, evidenciando, cada vez mais, os corpos dos sambistas em êxtase. A ideia de visualidade era transmitida não somente a partir de um visual carnavalesco "cru", mas também a partir das danças, do canto e da animação. Tudo isso se convertia em uma visualidade narrativa que se desdobrava em euforia e música.

Com tudo isso, o planejamento de Miltinho – que chegou a fazer maquete de todos os carros e cuidar pessoalmente da estamparia da escola – deu certo no plano visual das fantasias: a escola tirou nota 10 dos 4 jurados do quesito[54]. Já no quesito alegorias e adereços, a escola não foi tão bem: tirou uma nota 9 do jurado Maurício Salgueiro, uma nota 8 do jurado Flavio Marinho Rego e duas notas 10 dos jurados Sandra Burstin e José Roberto Penteado. A vitória da Unidos de Vila Isabel causou um grande incômodo em parte dos dirigentes de outras agremiações. Como poderia uma escola vista como pobre ganhar o carnaval daquela maneira?

Rubem Confete nos relata que, logo após a apuração, o então presidente do GRES Mocidade Independente de Padre Miguel, Olímpio Corrêa, ligou para ele indignado, demonstrando grande insatisfação com o resultado do desfile. Confete, por sua vez, contra-argumentava, explicando que o que havia passado na Marquês de Sapucaí era uma outra ideia de África: uma visualidade que mostrava outra via visual distinta daquela proposta por Fernando Pamplona e pelos membros da Escola de Belas Artes.

Uma África muito particular chamada *Kizomba*.

---

54 Os jurados eram Marcelo Silva, Osmar Pereira, Dulce Tupy e Luiz Mendonça.

05

SAMBA DE ENREDO

O GRITO FORTE DO MORRO E DO ASFALTO

O compositor Jonas, em entrevista dada a Nathalia Sarro
na quadra da Vila Isabel, em 23/01/2017.
Foto: documentário **Kizomba:** 30 anos de um grito negro
na Sapucaí, *dirigido por Nathalia Sarro*

Quando a bateria parou de tocar, baixou os instrumentos, e o samba de enredo, automaticamente, cessou, havia uma certeza coletiva de que a história havia sido escrita com *H* maiúsculo. O sucesso do desfile e os elogios incessantes feitos ao samba eram unânimes, inclusive pelo júri da Rede Globo, formado por notáveis como Leci Brandão, Lena Frias e Jorge Aragão. O cantor foi o responsável por dar nota ao samba: ele alegou que a música ultrapassava a barreira de samba de enredo, tornando-se um resgate à identidade negra brasileira. Não deu nota 10, mas sim nota 11.

Assim, a composição de Luiz Carlos da Vila, Jonas e Rodolpho de Souza se transformava em um marco para o gênero e acabava de entrar, de fato, para o seleto grupo dos melhores sambas do carnaval carioca. Presença obrigatória em todos os ensaios (não há um evento ou apresentação em que o samba não seja executado, escolhido por ter marcado um momento importante da história da escola), a obra acabou por se tornar o símbolo de um modelo de desfile de escola de samba que valoriza a negritude, o samba no pé e o ritmo como premissas básicas de uma escola de samba.

Não é importante, entretanto, valorizar somente o samba de enredo enquanto gênero musical e poético. Mais importante ainda é olharmos para os produtores. Quem compõe letra e melodia? Logicamente, se falamos de samba de enredo, nos cabe um breve entendimento do que a categoria dos compositores representa, até hoje, nas agremiações cariocas.

O início da história das escolas de samba da cidade do Rio de Janeiro, sobretudo entre as décadas de 1920 e 1960, tem diversos compositores em seus momentos de fundação. Se formos pegar o caso do GRES Unidos de Vila Isabel, Paulo Brazão, Zé Leite e muitos outros faziam seus rabiscos e, ao mesmo tempo, organizavam o cotidiano da escola: ensaios, burocracias e relações com o público externo à agremiação. Essas e mais demandas contavam com grande apoio comunitário – afinal, escola de samba sempre foi ente coletivo.

Nada é por acaso – e nos cabe lembrar que o primeiro concurso entre escolas de samba foi realizado por José Espinguela, sambista e pai de santo que promoveu um certame entre "embaixadas do samba" no bairro do Engenho de Dentro[55], cidade do Rio de Janeiro. O primeiro concurso foi vencido pela embaixada de Oswaldo Cruz, que tinha como componentes, entre outros, Heitor dos Prazeres e Paulo da Portela. Os concursos, diferente do que ocorre hoje, eram entre os sambas propriamente ditos, valorizando a canção e o ritmo. Não havia, no momento inicial, a exacerbada preocupação com a visualidade de alegorias e adereços – nessa época, mais valorizados pelas grandes sociedades carnavalescas e que, pouco a pouco, começaram a ocupar paulatina importância para o escopo das escolas de samba.

Em diversas agremiações, a figura do compositor, em seus primeiros anos, acabou sendo o eixo central de sua organização associativa: Paulo da Portela no GRES Portela, Silas de Oliveira no GRES Império Serrano, Djalma Sabiá no GRES Salgueiro, Cartola no GRES Estação Primeira de Mangueira, dentre outras. Entender isso é valorizar o samba – e, afinal, majoritariamente, os sambistas negros do pós-abolição do Rio de Janeiro – enquanto núcleo organizativo das escolas de samba, considerando a musicalidade afro-atlântica como uma forma de entender e apreender o mundo. Pois o samba é, afinal,

---

55 Há uma imprecisão histórica em relação ao local de realização do primeiro certame. Enquanto alguns defendem que foi realizado na Rua Adolfo Bergamini, próximo à quadra da escola de samba Arranco do Engenho de Dentro, outros alegam que o concurso fora realizado no local da própria quadra. Fato é que devemos perceber a importância da localidade para a história social do samba carioca.

afro-atlântico. O compositor é, também, representante dessa musicalidade e expressa, em versos e rimas, seus anseios sociais ancestrais.

Nesse contexto, era muito comum a organização dos compositores no formato de "ala", célula coletiva que congregava os poetas da escola, voltada para a criação de sambas de enredo e de terreiro para o canto da agremiação. Em seu entorno, reuniam-se familiares, amigos, os "mais chegados", aqueles que queriam se chegar. Mas "a ala" não representava só isso, sendo também responsável por boa parte da sociabilidade de uma escola de samba e pelo caráter formativo musical do sambista, junto da bateria. Afinal, ali estavam os músicos que animavam os eventos promovidos pela entidade, poetas que mostravam suas letras e melodias na esperança de gravar com um artista famoso e, assim, receber uma boa quantia de direitos autorais que mudaria suas vidas, além de realizarem seus sonhos de ser intérprete ou compositor campeão de samba de enredo na sua escola de coração. As alas de compositores eram organizações com estatutos próprios, calendário festivo e regras bem definidas de convivência, organização, direitos e deveres. E é importante entender que falar desse modelo de ala que não mais vigora nas escolas de samba é fundamental para entender o que representou o samba de enredo composto por Luiz Carlos da Vila, Jonas e Rodolfo –ele era a representação do próprio espírito de coletividade de uma escola de samba.

Quando dizemos que as alas "eram" e não mais "são", estamos tratando de uma mudança significativa no formato das alas de compositores. Se, antes, elas tinham seus componentes fixos, realizando testes para a admissão um novo membro e possuindo regras mais rígidas, hoje os compositores podem fazer sambas para mais de uma escola do mesmo grupo – fato antes não permitido oficialmente – e cada parceria procura ter seu próprio patrocinador para bancar os gastos de uma disputa de samba. Tais dados acabaram gerando uma mudança significativa no formato do que representa, hoje, uma ala de compositores – reflexões bem profundas que não caberão, definitivamente, no espaço deste livro.

Entretanto, cabe-nos dizer que uma das principais problemáticas do desenrolar histórico das alas dos compositores das escolas de samba é sua dissolução enquanto grupo com regras rígidas de comportamento social e artístico para uma dispersão do compositor no meio social do samba como um todo. Ou seja, se outrora um compositor pertencia somente a uma agremiação e fazia samba exclusivamente para ela, agora ele pode transitar, livremente, entre diversas escolas, não havendo julgamento moral - pelo menos não tão forte quanto anos anteriores - de sua circulação e projeção na cena do samba de enredo como um artista individual.

Daremos um exemplo da própria Unidos de Vila Isabel. Nos arquivos pessoais da compositora Dona Ivanísia, foi possível encontrar uma espécie de estatuto/regulamento interno da ala dos compositores do ano de 1992. O presidente da ala era Irani Olhos Verdes, a vice-presidente era a própria Ivanísia e o primeiro secretário era Sidney Sã, ambos compositores. O documento nos revela que a ala foi criada pouco tempo depois da fundação da escola de samba - enquanto esta nascera em 4 de abril de 1946, aquela fora fundada em 6 de setembro de 1946. Não só o fato de existir um documento que regulamentasse regras para os poetas da escola nos soa dissonante hoje, mas os próprios termos do artigo denotam uma sociabilidade entre os compositores cada vez menos sentida no cotidiano das agremiações. Por exemplo, a própria estrutura da ala contava com membros beneméritos (que eram isentos do pagamento de mensalidades e deveriam ser indicados pelo próprio presidente do segmento, passando pela aprovação posterior do corpo de beneméritos da ala) e regras rígidas para os poetas: era terminantemente proibido fazer samba para outra escola que não fosse a Vila Isabel. Caso isso ocorresse, o compositor ficaria afastado por cinco anos e voltaria somente se houvesse vaga e se o conjunto da ala aprovasse[56].

---

56 Essa situação é bem diferente da que encontramos, hoje, nas alas de compositores das escolas de samba do Rio de Janeiro. Durante a década de 90 – e mesmo antes dela –, devido às rígidas regras das alas de compositores, era comum que os compositores escrevessem sambas, mas não assinassem, abrindo mão, em boa parte, da ideia de autoria. Hoje o cenário já é bem diverso. Todas as alas são "abertas", isto é, não existe mais nenhum tipo de concurso ou estágio probatório para o autor ingressar. Além disso, é bastante comum que um compositor escreva sambas para duas ou mais escolas.

Isso nos revela uma estrutura de funcionamento da ala dos compositores que, nas décadas de 1980 e 90, era bastante diferente da que observamos atualmente. Para entender um pouco de que maneira se constituía a ideia de "ala" e, logo após, mergulhar no samba de enredo do desfile de 1988, cabe voltar um pouco no tempo e observar como se deu a própria construção histórica do coletivo de compositores e poetas do GRES Unidos de Vila Isabel.

Osni Fernandes relata que, até a década de 60, Paulo Brazão era quem tinha a função de fazer o samba de enredo. Mesmo que outros compositores quisessem fazer – e até mesmo poderiam –, o samba era sempre composto, quase que em absoluto consenso, pelo fundador da escola. Não havia briga, pois o espaço do compositor era um lugar de prestígio dentro da escola e, como tal, reservado a Brazão. Osni ressalta que, à época, o samba de enredo era apenas um samba dentre tantos outros que se compunham no cotidiano da escola. A diferença, porém, é que o mesmo seria entoado durante o desfile da Vila no carnaval e possuía a função de contar uma história. Os outros poetas seriam os responsáveis pela composição de sambas de terreiro, que marcavam a vida diária na agremiação.

Outro compositor que sempre participou do processo de criação musical da escola foi Jarbas. A neta de *Seu* China, "*Bolinha*" (apelido de Luzimar Fernandes, que faz parte do Departamento de Harmonia da escola até hoje), conta que Jarbas fazia muitos sambas e não assinava, pois, à época, a ideia de autoria ganhava outra conotação. Na medida em que o samba se tratava de uma ideia de canto coletivo, Osni relata que, por muitas vezes, Jarbas não assinava os sambas, pois o bem maior era ter uma obra musical à altura para que a escola desfilasse bem. O samba de terreiro, enquanto produto musical, não gerava dinheiro e ainda não havia emplacado no mercado fonográfico. Logo, a não autoria revela, muito mais que abrir mão de assinar um samba, um sentimento de coletividade bem mais amplo partindo da obra musical cantada e composta.

Esse cenário de coletividade musical encontrado nos primeiros anos da escola foi se modificando consideravelmente. Mesmo que os sambistas sempre tenham tido um íntimo contato com a indústria fonográfica – muitos gravavam, desde a década de 1920, com cantores famosos do *show business* –, a partir da década de 1960 essa relação começa a ganhar outra forma. A própria criação da Velha-Guarda da Portela, por Paulinho da Viola, em 1970, com enfoque para o mercado musical, ocorre junto com a chegada de Martinho da Vila à escola, em 1965 – um nome que já era conhecido nas rodas de samba como uma grande realidade da nova geração do samba brasileiro. Não foi à toa que "da Vila", ao cantar "Casa de Bamba" no IV Festival de Música da Record, no mesmo ano, marcou a histórias dos festivais da canção do período. Não levou o prêmio principal, mas ganhou o público, abrindo portas para assinar um contrato com a gravadora RCA e lançar seu segundo disco no ano seguinte. A música era o carro chefe e a primeira faixa, explodindo nas paradas de sucesso. A partir daí, começou a fazer diversos *shows* com o nome da faixa como título. Nascia, assim, o embrião do "Casa de Bamba", que animava às sextas-feiras a quadra da Vila Isabel, localizada no antigo campo do América F. C.

"Casa de Bamba", Martinho da Vila (1969)

Na minha casa
Todo mundo é bamba
Todo mundo bebe
Todo mundo samba...

Na minha casa
Não tem bola pra vizinha
Não se fala do alheio
Nem se liga pra Candinha...

Na minha casa
Todo mundo é bamba
Todo mundo bebe
Todo mundo samba...

Na minha casa
Ninguém liga pra intriga
Todo mundo xinga
Todo mundo briga...
Macumba lá na minha casa
Tem galinha preta
Azeite de dendê
Mas ladainha lá na minha casa
Tem reza bonitinha
E canjiquinha pra comer

Se tem alguém aflito
Todo mundo chora
Todo mundo sofre
Mas logo se reza
Pra São Benedito
Pra Nossa Senhora
E pra Santo Onofre...

Mas se tem alguém cantando
Todo mundo canta
Todo mundo dança
Todo mundo samba
E ninguém se cansa
Pois minha casa
É casa de bamba
Pois minha casa
É casa de bamba...

Macumba lá na minha casa
Tem galinha preta
Azeite de dendê
Mas ladainha lá na minha casa

Tem reza bonitinha
E canjiquinha pra comer

Se tem alguém aflito
Todo mundo chora
Todo mundo sofre
Mas logo se reza
Pra São Benedito
Pra Nossa Senhora
E pra Santo Onofre...

Mas se tem alguém cantando
Todo mundo canta
Todo mundo dança
Todo mundo samba
E ninguém se cansa
Pois minha casa
É casa de bamba...

O que a música nos demonstra é não só um sucesso chave para a consolidação de Martinho da Vila na cena musical do samba, mas também o fortalecimento da ala dos compositores da Unidos de Vila Isabel como um dos principais grupos musicais da cidade do Rio de Janeiro. Ali circularam nomes como Aluísio Machado, Beto Sem Braço, Dunga e David Corrêa, sem contar os poetas "fabricados" dentro dos terreiros de Brazão e China.

A própria letra do samba evoca o imaginário de uma "casa de bamba" e tudo o que nela ocorreria: macumba, comida, confusão, alegria, reconciliação, emoção, bebida, tudo em um mesmo ambiente, uma espécie de confusão generalizada, mas que, aos olhos de quem participa dos festejos, possui uma lógica bem própria. O compositor Wilson Caetano nos contou que, durante a "Casa de Bamba", era muito comum que se cantassem os "sambas de meio de ano", conforme algumas pessoas costumam chamar os sambas de terreiro, aqueles produzidos com o objetivo de contar o cotidiano da agremiação. E não só isso.

A roda de samba acabava funcionando como uma espécie de 'teste" para os compositores, sendo a primeira vez de muitos em um palco com público assistindo. Mesmo que existisse um grupo "fechado" - segundo definiu o compositor –, havia uma vontade do restante dos compositores em cantar no palco e sob os holofotes do evento, fato que Caetano brigara para acontecer. Conseguiu e, vez ou outra, os compositores da casa "davam uma canja" - expressão que, no mundo do samba, costuma ser atribuída aos convidados que cantam apenas algumas músicas –, tratando de parar logo quando ficavam cientes do insucesso.

Afinal, a ala dos compositores acabava atuando como um núcleo de sociabilidade com regras bem estabelecidas, realizando, inclusive, concursos e testes até que os sambistas conseguissem o *status* de compositores "oficiais da casa". As seleções eram de diversas formas: às vezes se criava uma comissão para definir um enredo específico a fim de que os compositores fizessem um samba de ingresso na ala; outras vezes, era proposto um tema para que cada candidato o desenvolvesse da forma que achasse melhor; ou, ainda, da maneira mais comum, estipulava-se um tema e cada compositor deveria compor na hora, na frente dos mais antigos, o samba solicitado. Cantavam. Se a obra fosse aprovada, o autor estava, oficialmente, dentro da ala dos compositores, passando, muitas vezes, por um período probatório. É Caetano, também, quem nos canta o samba que fez para entrar na ala:

Eu cheguei agora
Só vou embora quando a madrugada chegar

E não me interessa que a chuva caia
O samba não vai parar

Cheguei no samba vou sambar com a loirinha
Tirar partido junto com a minha pretinha
Ver a morena num requebrado legal
Pode chover, chuva nenhuma me faz mal

E mesmo que a ala dos compositores fosse um ambiente de congraçamento e união – afinal, a ideia de ser uma "ala" nos remete à formação de um grupo de interesse –, a disputa de samba acaba sendo um dos períodos mais tensos de uma agremiação. Evocando essas memórias, todo compositor tem um episódio específico de um samba concorrente que queria ter ganhado, tornando-se uma espécie de ferida não cicatrizada. Quantos sambas já perderam e se perderam no vão da oficialidade? Quantas *Kizombas* poderiam ser feitas ao sabor de distintas obras musicais? Fluxo do esquecimento e da efemeridade.

Diferente de hoje, em que a maior parte das torcidas do samba são "contratadas" em diferentes arranjos – ganham, em troca de levantar bandeiras e cantar o samba, cerveja, dinheiro e/ou o ingresso para curtir a noite de samba das eliminatórias. Caetano conta que as torcidas eram feitas pelas famílias: Rodolfo, Tião Graúna e Irani Olhos Verdes, por exemplo, eram os compositores que mais traziam público para as escolas, havendo certa rivalidade entre eles. Sempre existia uma briga entre as famílias que, ao final das disputas, porém, não se estendia. Afinal, era necessário preparar e ensaiar para o carnaval seguinte e qualquer rusga mal resolvida poderia atrapalhar os planos de "colocar o carnaval na rua".

Nesse ambiente, também era doloroso para o compositor perder um samba. Afinal, como se diz no cotidiano das escolas, "só se ganha um". O samba de Wilson Caetano que mais o marcou – e não ganhou – foi o do ano de 1979, com um enredo em homenagem a Carlos Machado. A escola foi campeã e ascendeu ao primeiro grupo, mas essa é uma memória acionada por um tempo em que o compositor era ativo e tinha maior circulação na escola – por isso, acreditava que merecesse ter o seu samba escolhido:

Ao recordar o passado
A Vila vem exaltar
As sublimes intenções
Do talentoso criador do Bela Época
Que nas noites cariocas
Causava sensação

Com mulatas em destaque
Música, nobreza e arte, empolgava multidões

Glória ao genial Carlos Machado
Que emoldurou toda uma época
Nos cassinos consagrados
Foi glorificado
No conceito mundial
Feitiço da vila, obra prima divinal
Nos áureos tempos desse gênio criador
De norte a sul mil belezas criou
Originalizou os carnavais
Unindo-se as figuras principais
Mascarados e palhaços
Pierrôs e colombinas
Veio do além-fronteiras
Um gesto deslumbrante
Agraciou a mulher brasileira

Olha a saia, baiana, nesse ritmo brejeiro
Malandros e orixás, yaôs e pregoeiros

1. O samba da *Kizomba*

Em 1987, a Vila Isabel havia apresentado, para o enredo "Raízes", um samba de autoria de Martinho da Vila, Ovídio e Azo. Até então, não havia tido nenhuma obra musical que desfilasse na Marquês de Sapucaí no formato adotado pelo compositor: com versos brancos, ou seja, sem rimas, o samba de enredo contava uma história baseada em um livro de Darcy Ribeiro, o romance *Maíra*, que retrata uma tribo fictícia inspirada em vários grupos indígenas brasileiros. Conquistando nota 10 dos quatro jurados, a responsabilidade em manter o alto nível de um samba feito pela ala dos compositores da Vila Isabel era grande.

Martinho, em muitas de suas idas a Angola, observara uma festa em que se comia, bebia, dançava, uma espécie de grande confraternização. Era a *Kizomba*. Entretanto, queria que fosse feito, no Brasil, um enredo que homenageasse os heróis negros não só de outros países, mas principalmente os brasileiros e os líderes do movimento negro. Na ocasião da homenagem aos cem anos da abolição, a ideia era trazer o histórico de luta pela liberdade negra e contextualizar com o presente. Foi assim que Jonas relatou o enredo "***Kizomba***, *a festa da Raça*", proposto por Martinho, na preparação para o carnaval de 1988, afirmando que a ideia sugerida pelo autor do enredo foi abraçada, de pronto, por toda a escola.

Ao ser entregue a sinopse, Jonas logo tratou de formar uma parceria capaz de ser competitiva. Afinal, os "cobras criadas" – compositores mais antigos e experientes quando o assunto era criação – eram muitos: Irani Olhos Verdes, Ovídio Bessa, Azo, Paulo Brazão, Jarbas, Wilson Caetano e tantos outros. Um pouco antes de Martinho entregar a sinopse aos compositores, o criador do enredo se reuniu com alguns deles em um bar próximo à quadra e falou que iriam fazer música sobre os negros, sobre uma outra história da abolição no Brasil. O enredo defenderia que quem acabou com a escravidão foi o próprio negro – e que falar de Clementina de Jesus e outros ícones seria fundamental para mudar essa percepção na sociedade.

Ao receber a sinopse, Jonas se deu conta de que, realmente, a Vila Isabel era uma escola "muito negra". Se o território em que hoje está a quadra era habitado por escravizados e seus descendentes, nada mais justo do que fazer um samba que honrasse esses ancestrais – os nossos ancestros. Jonas dizia "*Eu nasci do lado de lá do morro de São Paulo* (...) *ali era tudo morro e era tudo habitado por escravos. Era tipo um quilombo* ..."[57]. Logo, a despeito de uma história oficial que teimava em cantar Vila Isabel somente como um bairro que flertava com um estilo europeu e herdeiro de um intento

57 Depoimento prestado por Jonas ao Departamento Cultural do GRES Unidos de Vila Isabel em 23/01/2018.

civilizacional francês, a história da escravidão negra estava ali. A ancestralidade costurava as ruas e vielas. O Morro dos Macacos e suas divisões já haviam sido, também, Quilombo, e isso precisava ser valorizado[58].

Ainda, no samba, ele deixou evidente que não era intenção da parceria exaltar a Princesa Isabel e colocá-la no papel de heroína da abolição, mas sim enaltecer Zumbi, a luta negra e seus personagens como protagonistas. Afinal, "*foi a luta de Zumbi que influenciou a abolição. A princesa Isabel deu - a liberdade - porque foi isso, ela gostava de Vila Isabel, libertou os escravos dela...*", nos confessou Jonas. O primado da liberdade era, de fato, negro!

Jonas e Rodolpho de Souza trabalhavam juntos. A intenção era chamar Luiz Carlos da Vila para a parceria – sob incentivo, também, de Martinho, que gostaria que o sambista voltasse a compor para a escola de coração. Contudo, com uma carreira musical já consolidada, era difícil para Luiz Carlos conciliar a sua agenda com a dos parceiros, de sorte que frequentemente ele faltava aos encontros. Foram inúmeras as vezes em que os dois ficavam esperando Luiz Carlos aparecer e ele não vinha. Enquanto isso, as ideias eram postas no papel; Rodolpho dedilhava seu violão e o samba ia tomando forma. Era a *Kizomba* que ia nascendo...

Quase metade da obra já havia sido composta e Luiz Carlos da Vila ainda não havia aparecido para participar do processo de criação do samba. Na reunião anterior, Rodolpho (o "mais velho" do trio, na época) ligara para Luiz Carlos – naquele tempo, só havia telefone fixo. Este lhe disse que estava indo para São Paulo fazer um *show*, mas que no próximo domingo estaria presente para terminar o samba. Rodolpho, então, deu-lhe um ultimato: —*Se não vier na próxima reunião, está fora da parceria!* Além disso, também não colocariam

---

58 O compositor Helinho relata que era muito comum descerem da Rua Torres Homem grupos de Folia de Reis e que os mesmos eram compostos por moradores antigos da região. Ora, estamos falando de uma reelaboração da memória afro-brasileira na cidade e a presença dessa manifestação de cultura popular negra nos incita a entender o bairro de Vila Isabel como um quilombo urbano onde as memórias negras da escravidão são constantemente reelaboradas.

mais samba. Como prometido, na derradeira reunião, Luiz Carlos compareceu. Chegou em um táxi e pediu para o motorista esperar:

– *Vou ali fazer um samba com uns parceiros, já volto...*

E foi com essa tranquilidade – digna de Luiz Carlos da Vila – que terminaram o samba: com metade da obra já escrita – faltando alguns ajustes –, fizeram a outra parte e finalizaram. Dizem que a reunião para a composição não durou nem uma hora, devido à fluidez da parceria. Afinal, também não haveria mais tempo suficiente para muito, pois era necessária uma gravação oficial e, na semana seguinte, estava marcada a entrega do samba à escola. E foram os últimos a fazê-lo, na ordem de inscrição. A composição, nos confessou Jonas, não fora um processo relativamente "tranquilo". A maneira pela qual a tão famosa inspiração chega aos compositores é variada. Entretanto, em grande parte dos casos, ela se dá através do cotidiano, mesmo na composição de um samba de enredo em que, *a priori*, há uma sinopse para que os poetas possam se basear e seguir uma diretriz.

Ao falar da escravizada Anastácia, por exemplo, não sabiam bem como abordar essa figura mítica da cultura negra brasileira. Ao olhar a figura de Anastácia em um jornal, Jonas entoou, em um lampejo: "*Anastácia não se deixou escravizar!*"

A inspiração lhe sobreveio a partir da ideia de uma figura que fazia menção à luta pela liberdade para a mulher que não se deixou ser escravizada, resistindo. Nesse sentido, Jonas nos relata que, para falar da África, na verdade, a parceria buscou falar do próprio Brasil. Ao pensarem nas danças africanas, pensavam nas danças do próprio país. Traçavam conexões que poderiam nem conhecer de forma exata, como nos livros, mas sentiam que faziam parte de um mesmo campo cultural, pois havia um fio invisível que os unia. Ancestralidade, Atlântico, encruzilhadas, legado... E esta acabou sendo uma tática adotada para a incorporação de diversas referências no samba. Por exemplo, no trecho "*Sacerdote ergue a taça / Convocando toda a massa*", a parceria faz menção a "Desmond Tutu", arcebispo da igreja anglicana que ganhou o Prêmio Nobel da Paz em 1984 por sua atuação contra o *apartheid*, na África do Sul.

Corroborando essa ideia do processo criativo, Ronaldo de Souza conta que o samba foi feito em sua casa e era em alguns momentos de descuido que a inspiração falava mais forte. Por exemplo, no trecho "*Vem menininha pra dançar o Caxambu*", o filho de Rodolpho nos relata que o mesmo foi composto não só em homenagem à Mãe Menininha do Gantois, mas também a Luana, neta de Peri – marcante diretor de Harmonia da escola – e afilhada de Rodolpho. Enquanto a menina corria pela casa, o sambista compôs o verso, chamando a menina para brincar com ele. A sala de Rodolpho e Cirene era não só uma espécie de local de reunião para os componentes da escola e sua parceria de samba, mas também um núcleo de convivência da comunidade da Vila.

Samba inscrito, vamos à disputa, que corria acirrada, havendo muitas parcerias dispostas a ganhar. Entretanto, o samba de Luiz Carlos da Vila, Jonas e Rodolpho foi ganhando espaço e, aos poucos, conquistando a preferência do público. Wilson Caetano e seus parceiros também estavam cotados para vencer a árdua peleja. Caetano nos relembrou uma parte do samba[59]:

Kizomba
A porta aberta da história
De uma luta, um sonho, uma vitória
Vem de Angola
Pra Vila retratar
Os seus costumes em cultura popular
Numa mistura de raça em rituais
Enriquecendo o folclore nacional.

Ao que consta, a parceria de Wilson Caetano chegou à final, mas não ganhou a preferência do público. Outra parceria que disputou a escolha foi a de Jorge Tropical, mas, segundo ele mesmo relatou, o samba foi eliminado logo cedo. Tropical afirmou que o enredo proposto teve um significado muito especial para os compositores daquela disputa, pois o carnaval

---

59 Parceria de Wilson Caetano, Sidney, Miro Jr., Claudinho e Arthur.

sempre traria um pouco do que é ser negro e a história da escravidão. Mesmo que não dito diretamente, o sofrimento dos antepassados era latente. No entanto, a *Kizomba* mostraria um desfile com simplicidade, elegância e cultura, retratando não só a dor, mas também a alegria, os rituais festivos e a luta por igualdade a partir do sorriso:

Kizomba, Festa da Raça
Que se faça presente o amor
Que não esteja ausente a dor
Porque o negro não esquecerá jamais
A chibata do capataz
Hoje em Palmares a festança é real
Zumbi subirá no pódio da libertação
E no seu canto de paz
Evocará toda negra razão.

A disputa ocorreria no Clube Renascença[60] e, mais próximo à etapa final, no Clube Maxwell. Algumas parcerias da ala de compositores da escola concorreram – disse Jonas que eram "os mais chegados, os da casa mesmo" e não veio muito gente de fora. O compositor Helio Gomes Pinto, o *Helinho*, aliás, nos contou que a disputa não tinha sido muito amena, principalmente nas primeiras eliminatórias. Lembro que havia um samba que ia ser eliminado no primeiro corte, mas parte da diretoria não queria cortá-lo. Nem *Ruça* sabia que o samba seria eliminado, então a comissão julgadora passou a contar com alguns jornalistas para que diminuísse o mal-estar no corte dos sambas.

---

60 É importante atentar para o fato de que, ao longo da história da Unidos de Vila Isabel, muitas vezes em sua história, ela recorreu ao Renascença Clube para a realização de ensaios no local. O Renascença foi fundado em 17/02/1951 por um grupo de moradores e empresários negros do Méier que, proibidos de frequentar outros clubes dançantes brancos, criaram suas próprias redes de sociabilidade e entretenimento. Ao final da década, transferiu-se para a Rua Barão de São Francisco, no bairro do Andaraí, onde está localizado até hoje. O clube foi um dos embriões do movimento *soul music*, abrigando debates em torno dos movimentos negros da época e rodas de samba.

GREMIO RECREATIVO
ESCOLA DE SAMBA UNIDOS DE VILA ISABEL
Fundado em 4 de Abril de 1946 Considerado de Utilidade Pública pelo Dec. Lei n.º 1343 de 27-6-67
Sede Provisória Administrativa
Rua Visconde de Santa Isabel, 34 Sala 402 - Tel. 268-7052 - Rio - RJ

RIO DE JANEIRO, 19 DE SETEMBRO DE 1987.

ELIMINATÓRIA DE SAMBAS ENREDO - 1988

SAMBAS

01 - WILSON CAETANO - SIDNEY - MIRO JR. - CLAUDINHO - ARTHUR	X
02 - SÉRGIO TONELADA E JOSÉ ANTONIO	X
03 - RODOLPHO DE SOUZA - LUIZ CARLOS DA VILA - JONAS	
04 - OVÍDIO - AZO	X
05 - NILO CÉSAR	X
06 - JORGE SECRETÁRIO - GERALDO BRANDÃO	X

JUIZ

PRESIDENTE DA MESA

OBS.: MARQUE COM UM X OS SAMBAS ELIMINADOS.

Ficha de registro dos sambas concorrentes em 19/09/1987.
Imagem: Departamento Cultural da Unidos de Vila Isabel

Jonas relata que o samba não era o preferido da então presidente da escola, Licia Maria Maciel Caniné, a *Ruça*, mas contava com a total simpatia de Martinho da Vila – que, quando viajava para fazer *shows* durante as eliminatórias, deixava seu voto com a diretoria para garantir que a música não fosse eliminada. Não teve jeito. O samba foi aclamado e foi escolhido o hino da agremiação. Agora era ensaiar o canto e a harmonia rumo ao desfile do carnaval. O trabalho seria árduo, mas recompensador. Cinco anos após o campeonato, Jonas compôs o seguinte samba em homenagem ao inédito título da agremiação:

Quando Zumbi deu seu grito de guerra
Nosso redentor
Era a Vila enfeitiçando a passarela
Todo mundo kizombou
Dos sonhos do seu poeta maior
A criatividade nasceu
Valeu, Zumbi
Zumbi, valeu

Mergulhei num mar de fantasias
Me embriaguei de encanto e magia
Para levar meu samba bem alto
Além das estrelas, rumo ao infinito
Riscando de poesia o asfalto
Minha Vila Isabel, você fez um mito

Além de Jonas, foram campeões Luiz Carlos da Vila e Rodolpho – e cabe, a nós, agora, apresentar os personagens aos leitores e leitoras. A primeira coisa a se pontuar sobre Luiz Carlos da Vila é desfazer o mal-entendido sobre o nome do cantor e compositor. Muitos acreditam que o sobrenome "da Vila", em seu nome artístico, tem relação com a Vila Isabel – o que não deixa de ter um sentido, pois o músico ficou conhecido, intimamente, por sua relação com o bairro e a escola. Entretanto, seu apelido veio da sua vivência pelas bandas da Leopoldina, mais especificamente partindo de suas andanças pelos bairros de Ramos e Vila da Penha. Luiz Carlos da Vila da Penha. Luiz Carlos da Vila Isabel. Luiz Carlos das Vilas, como gostava de chamá-lo o mestre Nei Lopes.

Durante a infância, o compositor chegou a ter contato com o mundo musical, pois, afinal, o samba já corria em suas veias. Ensaiou tocar alguns instrumentos, afiar algumas letras e dedilhar uns acordes, mas foi no Cacique de Ramos que plantou o seu "Doce Refúgio". O bloco foi criado na primeira metade da década de 60 e, entre partidas de futebol, muita comida e batuque, foi um dos principais embriões do movimento do pagode. Ali, se encontravam sambistas, faziam-se parcerias e gestava-se uma nova forma rítmica que ficaria popular em todo o Brasil. E foi debaixo da tamarineira, entre as batucadas do repique de mão de Ubirany e do banjo de Arlindo Cruz, que ele começou a conhecer e a se projetar na cena do samba como o grande cantor e compositor que era. Leitor aficcionado de Carlos Drummond de Andrade, Luiz Carlos da Vila se fez poeta por inteiro, levando a batucada dos tantãs para um público ávido por seu samba.

E foi seguindo essa trilha do samba que Luiz Carlos chegou à Vila Isabel, no ano de 1977. A ala dos compositores, ambiente musical de partilha, mas também de rivalidade. O segmento, dentro de uma escola de samba, é o local em que compositores duelam pelo privilégio de terem o seu samba de enredo escolhido para defender o carnaval de sua agremiação – e foi nesse espaço que Luiz se aninhou, bebericando e fazendo samba. O artista logo se ambientou e, lá, fez muitas amizades nas rodas de partido-alto. Ali, foi campeão pela primeira vez com um samba de enredo para a Vila Isabel no ano de 1979. Com o enredo "*Os Dourados Anos de Carlos Machado*", em parceria com Rodolpho de Souza, Tião Grande e Jonas Rodrigues (ou seja, uma espécie de ensaio para a parceria feita para o *Kizomba*), o samba, que homenageava a figura do diretor de teatro Carlos Machado, embalou a vitória da Unidos de Vila Isabel no Grupo 1B, da antiga Associação das Escolas de Samba do Rio de Janeiro (AESCRJ). A Vila, portanto, estava de volta ao primeiro grupo, pronta para armar, anos depois, sua *Kizomba*.

Um dos fundadores do grupo *Suburbanistas*, Luiz Carlos da Vila faleceu em 2008, após concorrer com seu último samba de enredo na ala dos compositores, ao lado de Dona Ivanísia, Acyr Marques e Alessandro Silva. Não dizia para ninguém que lutava contra um câncer. Preferia dizer que tratava de uma hérnia de disco. Talvez quisesse que sua imagem fosse eternizada como o poeta altivo que sempre foi. Conseguiu – e hoje habita o mais alto panteão dos mestres do samba brasileiro.

Já a história de Rodolpho de Souza quem nos contou foi Tia Cirene, liderança feminina importante da escola e do bairro e esposa do compositor. O Departamento Cultural da Vila Isabel – na época com a presença ativa de dois dos três coautores do livro – coletou o depoimento da matriarca junto de seu filho, Ronaldo de Souza. Os dois faleceram pouco depois da entrevista.

Cirene Pereira da Silva [61], mais conhecida em Vila Isabel como "Tia Cirene", nascida em 23 de maio de 1940, veio de Minas Gerais para o Rio de Janeiro ainda criança, indo morar no morro do Andaraí, Zona Norte do Rio de Janeiro. Frequentando o morro do Salgueiro, conheceu as escolas de samba verde e branco, azul e branco e azul e rosa – agremiações locais predecessoras do atual GRES Acadêmicos do Salgueiro. Não frequentava muito, pois era nova, mas crescera naquele ambiente que a formou como mulher e liderança do samba. Conta que houve uma chuva avassaladora no Salgueiro, na década de 1940, em que morreu muita gente. A enchente passou por trás de sua casa, derrubando diversas moradias do local. Ainda pequena, teve que sair e partir rumo ao Morro dos Macacos – mesmo trajeto que *Seu* China fez, pelo mesmo motivo.

Cresceu, ali, naquele ambiente de formação de uma escola, da sociabilidade negra, das macumbas que havia no morro, sobre cuja memória cultural

---

61 Ekedji no Candomblé – puxava ativamente a fila das mulheres e das baianas durante os ensaios –, atuou como diretora do Departamento Feminino e, entre diversas funções exercidas, sempre teve sua autoridade reconhecida na escola como mantenedora dos laços de sociabilidade da agremiação.

negra, infelizmente, poucos registros se encontram. Uma das lembranças mais vivas que nos relatou é sobre a festa de Santo Antônio, realizada na igreja de mesmo nome, em Vila Isabel. No dia do festejo, ela se arrumou e foi ao encontro do Santo. Era um sábado de sol. Rodolpho, então garoto, cruzou o olhar com Cirene, mas a mesma diz não ter dado atenção. Afinal, não conhecia o homem.

De lá, foi ao baile do Gafieira Elite e dançou como se não houvesse amanhã. Conta que, ao vir embora, quando chegou à Central do Brasil, pegou um bonde para Vila Isabel novamente e, no caminho de volta para casa, um rapaz começou a mexer com ela. Para sua surpresa, o mesmo rapaz com quem flertara na Igreja de Santo Antônio, Rodolpho, estava no veículo, na parte de trás. Cirene chamou-o para sentar próximo a ela e foram conversando até a Praça Sete, de onde ele a levou até a porta de casa. Combinaram de se encontrar na semana seguinte, mas ele não compareceu ao encontro. Passou-se um ano.

Novamente, no dia de Santo Antônio e, mais uma vez, indo após os festejos da igreja à Elite, Cirene encontrou-o. Mas, dessa vez, Rodolpho estava acompanhado com outra mulher e, após se divertir bastante, Cirene foi embora. Rodolpho veio atrás dela. Vieram embora juntos e, segundo ela, nunca mais se largaram. Um casamento abençoado por Santo Antônio – popularmente conhecido como "o santo casamenteiro" – uniu duas vidas que seriam fundamentais para a Vila Isabel.

A partir da união, Tia Cirene conta que, cada vez mais, os dois se enturmavam com a galera da escola de samba. Afinal, todos moravam juntos e haviam participado das primeiros momentos e desfiles da Vila Isabel. Fizeram de tudo: Rodolpho foi presidente, tesoureiro e até mesmo bailarino, ensaiando seus passos dentro da escola – faceta pouco conhecida do compositor, até hoje.

Sobre seu processo de composição, havia uma rotina conhecida: Rodolpho chegava do trabalho, sentava na praça e o garçom, já seu amigo, guardava o papel em que vinham os maços de cigarro para que pudesse escrever suas letras. A inspiração, no entanto, surgia de sobressalto. Cirene nos contou que, determinado dia, ao chegarem à quadra de ensaios, que estava cheia de turistas e visitantes para conhecer a escola, a porta-bandeira ainda não havia chegado. Coube a Cirene dançar como porta-estandarte para apresentar o pavilhão aos visitantes. Rodolpho, encantado com a atuação da esposa, resolveu fazer um samba para homenageá-la:

Essa nega é
Patrimônio da agremiação
Ela canta samba
Ela puxa ala
Ela faz evolução
Ela diz no pé e tira o partido-alto
Quando chega o carnaval é o destaque no asfalto

As memórias de Ronaldo[62] completam as da mãe, dizendo que se lembra do pai desde quando ele era presidente da escola[63], em sua infância. Ali, as funções de tesoureiro, compositor e chefe de família se misturavam. Ele também recorda que, muitas vezes, seu pai chegava em casa com grandes montantes de dinheiro referente aos ensaios realizados pela Vila. Mesmo que, no domingo pela manhã, toda sua família se reunisse e contasse o dinheiro em volta da mesa, para ajudar Rodolpho, este sempre foi muito cauteloso e honesto em não misturar o dinheiro da Vila Isabel com o da família – afinal, "a honestidade estava acima de tudo", dizia. Rodolpho trabalhava

62 Ronaldo de Souza, filho de Cirene e Rodolpho, também é um importante nome a ser lembrado na história da agremiação. Foi passista, chefe de ateliê, além de ter integrado, na década de 70, como percussionista, o grupo "Samba *Show* Mirim" que, segundo ele, foi o primeiro grupo de pagode mirim em escolas de samba, chegando a participar da novela *Espigão* Foi, também, pai de santo e, por vezes, envolvia-se nos trabalhos espirituais da escola de samba.

63 Rodolpho de Souza foi presidente da escola entre os anos de 1959 e 1961, sendo o presidente responsável por dar o primeiro campeonato à agremiação em 1960, com o enredo "*Poeta dos Escravos*", em homenagem ao poeta Castro Alves.

para Miro Garcia – era um dos gerentes do *jogo do bicho* – e até sua casa, nos contou Ronaldo, foi financiada pelo patrono. E, para quem sabe das leis do jogo, a palavra e a honestidade são as coisas mais valiosas.

Houve um episódio curioso na trajetória de Rodolpho como poeta da ala dos compositores da Unidos de Vila Isabel que vale a pena mencionar. Para o carnaval de 1986 (ou 1985, os depoentes não recordam a data exata), houve a final de samba no campo do América, antiga quadra de ensaios da escola e atual *Shopping Boulevard.* Corria a notícia, "à boca pequena", que o samba campeão seria o de David Corrêa, compositor da Portela que, convidado pela direção da escola, foi o responsável pelo samba de enredo durante os dois anos. Rodolpho, após apresentar seu samba na final de escolha do samba, subiu no palco, agradeceu ao público e falou:

– *Estou retirando meu samba.*

Capitão Guimarães, então presidente da escola, furioso, respondeu imediatamente:

– *Você não pode fazer isso!*

Rodolpho, ganhador de onze sambas na agremiação, afirmou que poderia fazê-lo, pois, afinal, ele era o autor e ele era quem decidia se o samba concorreria ou não:

– *Se eu não tirar, o senhor vai tirar, então tiro eu!*

A quadra ficou agitada, os comentários ganharam força e um quiproquó se armou. Não importa qual tenha sido o ano, não deu outra. As suspeitas de Rodolfo estavam certas e Davi Corrêa foi o campeão. Mágoas que ficaram e, aparentemente, foram sanadas pela lua de Luanda que iluminou Vila Isabel.

Cirene conta, também, que, mesmo sendo um dos compositores do samba campeão, Rodolfo não desfilou em 1988, pois não teve dinheiro para fazer a fantasia. Ficou ali pela concentração, admirando os carros e ajudando na armação da escola. Quando a Vila entrou, foi para o lado de fora da concentração, em uma barraquinha, e viu a escola passar. Ali, teve certeza de que a escola ganharia e, de certa forma, sentiu-se realizado, mesmo do lado de fora da pista. Após o episódio, compôs o seguinte samba:

Esse ano não deu pra sair
Mas eu fui na avenida
E vi minha escola pela multidão sendo aplaudida
Vendo o povo passando, o samba-enredo cantando
Naquela hora eu estava feliz chorando
Enquanto a multidão aplaudia
Forte emoção no meu peito sentia
Bem que eu queria, mas não consegui
De mandar fazer a fantasia
Não teve jeito, infelizmente não deu
Mas chorei de alegria
O samba-enredo era meu

A Vila foi campeã. Rodolpho, um pouco depois, infartou e não resistiu. Segundo Ronaldo, o poeta faleceu pela felicidade de a Vila Isabel ter vencido um campeonato com um samba seu. Logo após, a presidente *Ruça* sugeriu que o nome da rua em que morava virasse a Rua Rodolpho de Souza, localizada ao pé do Morro dos Macacos. É a "Rua Compositor Rodolpho de Souza", eternizando seu legado na comunidade.

O que deve ficar marcado é que o samba da Unidos de Vila Isabel de 1988, muito além de ter sido escolhido em uma disputa (que é acirrada por natureza, pois o campeonato das escolas de samba é, sim, um ritual competitivo em suas mais diversas instâncias), eternizou-se como um hino representativo da luta negra no Brasil. De fato, o samba de enredo foi bem-sucedido, levando a nota 10 dos jurados Ronaldo Monteiro de Barros, Eduardo Athayde, Ivan Cavalcanti Proença e João Máximo. Não só isso: o samba foi o vencedor do prêmio *Estandarte de Ouro*, promovido pelo jornal *O Globo*, e o troféu se encontra, até hoje, em posse da família de Rodolpho de Souza.

O samba, em desfile, representou não só um momento de poesia sublime para o carnaval carioca, mas um próprio congraçamento entre os sambistas da escola, incluindo os próprios compositores – afinal, a disputa de samba já havia passado e era importante comemorar o sucesso coletivo. Alguns relatos dão conta de que, no carro do banquete, com uma farta mesa de alimentos e bebidas da cultura afro-brasileira, os compositores vieram bebendo e comendo durante todo o cortejo. Era o espírito coletivo de ala, de união compartilhamento em desfile. Tião Graúna, compositor, chegou a pegar um alguidar de barro com um porco assado e levar para casa, no intuito de compartilhar com os seus.

Se entendemos a musicalidade negra como uma arma política, e o samba como uma forma de expressão de um "Atlântico Negro" musical, é necessário marcar que o sucesso do desfile – e sua eternidade na história das temáticas negras no carnaval carioca – muito se deu em função da atuação dos compositores em entender o tema e traduzir, de forma musical e poética, o enredo. É a partir dessa compreensão que começamos a observar a força, a pulsão e a agência desses compositores em torno de um projeto de escola de samba que valorize a comunidade, o congraçamento e a defesa dos valores que interessam à própria comunidade.

Versos e rimas que fazem sentido se olhados para dentro.

O compositor Jonas, único remanescente do trio campeão de 1988,
ladeado por Denis Moraes (esq.) e Thales Nunes, no ensaio do carnaval de 2023.
Foto: Diego Mendes / @gres_vilaisabel

06

BATERIA

TAMBORES QUE NÃO SE CALAM: O BATUQUE DA UNIDOS DE VILA ISABEL

No alto, carteira do ritmista Nelson da Motta, integrante da bateria em 1988, assinada pela diretoria da agremiação; logo abaixo, sua fantasia na Kizomba.

Foto: acervo pessoal do componente

O batuque. Linguagem, expressão artística, diversão, culto, conexão. Uma das heranças mais significativas para o povo brasileiro e seu vigoroso traço africano. Uma das marcas da Unidos de Vila Isabel é a sua comunidade do batuque, sua bateria, que, no tempo da fundação da escola, era conhecida como *Tabajara* e hoje é denominada *Swingueira de Noel*. Historicamente respeitada, admirada e valorizada pelos sambistas de todas as agremiações.

Uma primeira questão a ser trabalhada neste capítulo é a definição das características da bateria da Unidos de Vila Isabel, sua identidade. Começamos por revelar a forma de iniciar seu ritmo, modo bem particular e delicioso. Um ritmista do tarol, o mais antigo no grupo e/ou mais tarimbado, inicia sozinho o movimento. Ele executa a levada tradicional do instrumento durante três, quatro compassos. Em seguida, outros taróis a ele se juntam, chegam as caixas, repiques, cuícas e os centradores (surdos de terceira, como são chamados nas outras escolas). Forma-se, pouco a pouco, uma massa sonora contagiante, produto do entrelaçamento dos ritmistas e seus instrumentos encarnados, um abraço de trezentas pessoas.

Os ritmistas permanecem nesse envolvimento durante algum tempo, coisa de três, quatro minutos, enlaçados com o que de melhor caracteriza essa comunidade do batuque, a "cozinha" ou "miolo", ou seja, a relação rítmica desenvolvida por taróis, caixas, repiques e centradores. Até que em determinado momento, ordenados pelo Mestre da Bateria, içam velas com a virada, quando chegam à cena surdos de primeira e segunda, tamborins, chocalhos e demais instrumentos. A bateria ganha volume, prepara a partida, a terra treme e aqueles indivíduos nutrem-se por suas raízes, fincam seus pés no presente e vislumbram a permanência de sua tradição no futuro.

O relato acima descreve o que ocorreu, muito provavelmente, no início do desfile de 1988. Pode ter sido Rodolpho de Souza Júnior, o Godô, filho do compositor Rodolpho de Souza, o escolhido para iniciar o movimento com seu tarol naquela madrugada da segunda-feira de carnaval, rumo ao primeiro título da Unidos de Vila Isabel no Grupo Especial, com direito ao prêmio de melhor bateria no *Estandarte de Ouro*.

O tarol é um instrumento característico da Unidos de Vila Isabel. Somente a Vila e os Acadêmicos do Salgueiro possuem naipe de taróis nos dias de hoje em suas baterias, sendo que a forma de execução da bateria da escola branca e azul é particular. Assemelha-se ao toque do pandeiro no estilo de samba partido-alto. Esse toque dos taróis faz um casamento rítmico perfeito com a levada reta das caixas da Vila[64].

TAROL DA VILA ISABEL

A levada de tarol da Unidos de Vila Isabel

Notação: João Cordeiro[65]

---

64 Sobre o toque de caixas da Vila Isabel. ritmistas e diretores da década de 1980, como Trambique, Mug e *Mangueirinha*, relatam que havia um rufo junto à levada reta. O rufo é um som cadenciado e trêmulo produzido pelo tanger alternativo e rápido de duas baquetas sobre a pele da caixa.

65 Transcrito por João Cordeiro a partir de vídeo com diretores da bateria da Unidos de Vila Isabel executando o toque do tarol. Disponível em https://www.youtube.com/watch?v=d0i2LO9ccTU – Acesso em 12/05/2023.

Perguntamos a historiadores do carnaval, músicos do samba, mestres de bateria, ritmistas antigos da Vila Isabel e não obtivemos respostas sobre a origem dessa levada de tarol da escola. A única explicação sobre a questão nos foi dada por Amadeu Amaral, o Mestre Mug, figura de primeira grandeza da bateria da agremiação. Mug atribui a Martinho da Vila a figura rítmica implementada no tarol:

> *Foi o Martinho. Ele quem fez primeiro esse toque de partido-alto do pandeiro no tarol da Vila Isabel. Quando comecei na escola, tocava tarol, gostava de um tarolzinho no ombro. E nessa época só tinha craque: Bebeto, Guaracy, Rondão, Mauro do Terreirinho.*[66]

Outro instrumento que caracteriza a bateria da Vila é o centrador, denominado surdo de terceira nas outras escolas de samba. Como definiu Mestre Mug, o centrador é o meio-campo da bateria da Vila Isabel[67]. Ele faz a marcação, sem viradas excessivas, entre as batidas dos surdos de primeira e segunda, que na *Swingueira de Noel* são afinados mais graves do que a maioria das outras escolas.

Mestre Mug e Mestre Ernesto são considerados os principais responsáveis pelo desenvolvimento da bateria da Unidos de Vila Isabel, por sua consolidação em termos de definição dos seus naipes de instrumentos e características rítmicas[68]. Mug foi o principal condutor desse processo.

---

66 Entrevista prestada por Mestre Mug a Carlos Fernando Cunha, coautor desta obra, em novembro de 2016.

67 Um significativo contingente de negros e negras vindos de Minas Gerais passou a habitar o complexo do Morro dos Macacos, caso de Mestre Trambique. E temos relatos da presença de Folia de Reis e do Congado na localidade. Deixamos uma hipótese a ser investigada em futuras pesquisas: a influência dessas práticas e seus ritmos na levada dos surdos centradores da Unidos de Vila Isabel.

68 Nosso primeiro mestre de bateria foi Osmar Mariano, o que relatamos anteriormente no livro.

Ele dirigiu a bateria durante décadas e foi campeão com a Vila Isabel nos anos de 1979 (Grupo B), 1988, 2004 (Grupo de Acesso), 2006 e 2013.

Nascido em 1950, carioca de Bonsucesso, criado no bairro de Pilares, Mug começou a se interessar pelo samba a partir do Bloco Copa do Mundo, que desfilava na localidade. Quando sua mãe faleceu, em 1961, mudou-se para Vila Isabel com a idade de 11 anos. Seu envolvimento com o candomblé foi decisivo para sua adesão aos instrumentos percussivos. Começou a frequentar a Unidos de Vila Isabel em 1969, atraído pelo samba de Martinho da Vila, "Iaiá do Cais Dourado":

> *Eu primeiro fui morar na Rua Petrocochino, número 63. Depois me mudei pra Conselheiro Correia, a famosa Rua Nova, embaixo do Terreirinho. Ali sempre foi o coração do batuque da Vila Isabel. Sempre falaram isso daquele lugar, da Rua Nova. Eu me juntei com uma rapaziada da bateria da Vila Isabel, o Bibico, maior surdo de marcação de primeira da escola, com o Vrande, que foi meu mestre na bateria da Vila. Tinha muita fera ali. Tinha um cara que se chamava Adauto. Saía todo ano na Vila vestido de mulher. Eu batia na curimba dele, no Terreirinho. E comecei a desfilar na bateria em 1969 por causa do samba do Martinho, "Yayá do Cais Dourado". Botei o pé na quadra em 1969, já direto na bateria.*[69]

Mestre Ernesto comandava a bateria da Vila Isabel, desde pelo menos o início da década de 1970, vindo da Escola de Samba Acadêmicos do Salgueiro, o que Mug ratifica:

> *O Ernesto chegou na Vila perto de 1970. Em 1972, substituí ele pela primeira vez, acho que até 1974. Ele voltou e fiquei auxiliando*

---

69 Entrevista concedida por Mestre Mug a Carlos Fernando Cunha, coautor desta obra, em novembro de 2016.

novamente. Ele ficava indo e voltando. Mas eu já tinha influência na bateria. Ele vinha só no Carnaval e puxava.[70]

Ernesto foi um grande diretor de bateria da Vila Isabel. Trabalhei com ele até 1987, ele como primeiro, eu como segundo. A escola desceu em 1978 e ele saiu. A Vila ficou num sufoco. Chamaram o Murilão, da Boca do Mato, parceiro do Martinho, chamaram o Bigode, da Portela. O Ernesto voltou depois em 1981, trazido pelo Seu Miro, que mandava na escola. Mas fomos nós que subimos a Vila em 1979.[71]

O ano de 1988 marcou a ascensão de Mug ao cargo de Mestre de Bateria da Unidos de Vila Isabel, o que perdurou por décadas, até 2009, quando foi destituído do cargo:

Eu era filho da casa [...]. O Ernesto saiu porque a escola caiu. Aí subimos com ela em 1979 e, em 1980, voltamos pro grupo A. Em 1981, Seu Miro voltou com o Ernesto [...]. Aconteceram alguns problemas na bateria, uns achavam que eu tinha condição de ser mestre, que não precisava de ninguém de fora. A Vila Isabel não precisa de ninguém de fora porque a gente tem craque aqui dentro.[72]

Mug assumiu a condição de Mestre de Bateria, em 1988, a partir de uma conversa entre ele, *Ruça*, Martinho da Vila e o personagem Maíco. É interessante detalhar como isso ocorreu, episódio revelador das relações de poder próprias de escolas de samba na conexão com suas comunidades.

---

70 Entrevista prestada por Mestre Mug a Carlos Fernando Cunha em novembro de 2016.

71 Entrevista concedida por Mestre Mug ao Departamento Cultural da Vila Isabel em dezembro de 2017.

72 Entrevista prestada por Mestre Mug ao Departamento Cultural da Vila Isabel em dezembro de 2017.

Teve uma reunião no morro, na comunidade. Quem tomava conta do morro era o falecido Maíco, que era também batedor da escola, gostava de tocar. Ele chamou o Martinho e a Ruça, no Terreirinho:
- Martinho, de hoje em diante a gente não quer mais o Ernesto na bateria, a gente quer o Mug na escola.
E a Ruça falou:
- Quem é Mug? Ninguém conhece o Mug.
Aí o Martinho falou:
- Ele pode passar a ser conhecido, mas quem é o Mug?
Aí o Maíco me apresentou. Eu não queria muito aquela responsabilidade, novinho, 23 anos. O Maíco era bandido, era dono do morro, eu não era. Eu era muito visado porque só andava com ele, só queria andar comigo. Eu tinha que fazer alguma coisa pra sair de perto dele. Aí eu disse:
- O seu revólver está aqui. Eu vou ficar na escola que é o que eu sei fazer.[73]

Falecido em 18 de junho de 2021, Mestre Mug, além de toda sua história na bateria da Vila Isabel, da sua contribuição na formação das características rítmicas do grupo, deixou suas raízes incorporadas em vários de seus familiares, filhos e sobrinhos, que continuaram a tradição da família Amaral na *Swingueira de Noel*, casos de Cassiano, Wallan e Luiz Paulo.

Mug formou e conduziu gerações de ritmistas, incluindo Anderson Andrade, o Macaco Branco, que desde 2019 assumiu o cargo de Mestre da Bateria da Vila Isabel. Anderson tem sido elogiado pela crítica especializada em carnaval e é muito bem considerado pela comunidade da escola por realizar um trabalho com objetivo central de recuperar as tradições e características rítmicas da bateria do tempo de Mestre Mug:

---

73 Entrevista concedida por Mestre Mug ao Departamento Cultural da Vila Isabel em dezembro de 2017.

Mestre Mug é meu mentor. Quando entrei na Vila Isabel, na bateria, foi ele que me deu a oportunidade, ainda em criança. Depois me deu oportunidade de virar o responsável pela ala de tamborins e em seguida diretor de bateria. Aprendi muito com ele e até os últimos dias da vida dele. Então, pra mim, é o meu mentor, o mestre dos mestres. Vai fazer muita falta para a Vila Isabel e para nossa Swingueira. Era nosso grande presidente de honra da bateria.[74]

Mug sempre declarou que seu grande momento na escola, seu desfile preferido foi o de 1988, o que lhe proporcionou mais emoção e reconhecimento:

Assumi em 1988, desacreditado, ninguém me conhecia. Quando cheguei na avenida, foi a maior satisfação, o maior desfile, a melhor coisa que aconteceu na minha vida. Quando entrei na avenida, tinha o carro dos orixás. Arrepiou meu corpo todo e eu falei que a gente ganharia o carnaval. Conseguimos, levantamos o título, consegui levantar o Estandarte de Ouro. Fiquei mais acreditado na escola. Só depois que eu morrer é que eles vão tirar o nome do Mestre Mug daqui. Enquanto isso o Pelé sou eu.[75]

Em 1988, a bateria da Vila Isabel desfilou com cerca de 300 ritmistas. A linda fantasia representava sacerdotes africanos, elaborada com um tecido nas cores azul e verde, em diferentes tonalidades. Houve certa resistência em usá-la, pois tratava-se de um "vestido", conforme disseram alguns ritmistas. Mas se convenceram e admitiram as vestes do personagem. Na cabeça, os batuqueiros carregavam um chapéu com plumas, ornado com conchas brancas. A ala chamou a atenção pela estética visual, mas principalmente pela qualidade sonora que emitia.

---

74 Cf. https://extra.globo.com/noticias/rio/morre-mestre-mug-que-comandou-bateria-da-vila-isabel-por-30-anos-25066960.html (acesso em 05/05/2023).

75 Entrevista prestada por Mestre Mug ao Departamento Cultural da Vila Isabel em dezembro de 2017.

Adilson Soares, ritmista da Vila Isabel, na concentração do desfile de 1988.
Foto: acervo pessoal do componente

Cuícas, chocalhos, tamborins, caixas, repiques, surdos de primeira e segunda, centradores. Uma exibição perfeita, entrosada, suingada, cadenciada na média dos 135 BPM (Batimentos por Minuto).[76]

A perfeição da bateria da Vila Isabel foi alvo do comentário de Márcio Antonucci, responsável pelas análises das baterias na transmissão televisiva da Rede Globo:

> *Está tudo aqui, gente. Está passando agora aqui na nossa frente: cuícas, ganzás, os surdos, as caixas altas, as caixas médias, surdos de contratempo. Tudo posicionado. Tamborim. Está maravilhosa. Está emocionante a bateria da nossa querida Vila Isabel.*

Ao final do desfile da Vila Isabel, quando os comentaristas da Rede Globo emitiam parecer e notas para os quesitos, Antonucci foi enfático:

> *A bateria da Unidos Vila Isabel desequilibrou. A avenida ficou torta. Todos nós levamos um direto na emoção. Eu quero agradecer a Mestre Mug e a Corelho. Obrigado, bateria da Vila. Vocês nos bem ensinaram o samba. Eu não tenho adjetivos, só tenho lágrimas. Minha nota é dez.*

Mug atribui a qualidade da bateria na época de 1988 ao material humano que ele possuía. Era um grupo basicamente formado pela comunidade do Morro dos Macacos e adjacências, ritmistas que vinham da bateria mirim da escola, que haviam sido formados por ele, por Trambique[77] e

---

76 Chegamos a este número pela medição dos BPM em vídeos do desfile da Unidos de Vila Isabel de 1988 disponíveis na Rede Mundial de Computadores. Selecionamos três vídeos de fontes distintas e medimos os BPM em três momentos distintos dos desfiles (início, meio e fim), obtendo a média de 135 BPM.

77 Outro capítulo deste livro aborda a Herdeiros da Vila, a importância de Mestre Trambique na criação da bateria mirim e como formador/educador de ritmistas para a escola adulta.

pelo Mestre Ernesto. Um desses ritmistas é o citado *Corelho* (por alguns, denominado como *Corelha*), em verdade, Marco Aurélio, um símbolo daquela geração, lembrado por todos como um fenômeno no repique, citado na ficha técnica da Rede Globo do desfile de 1988 como diretor de bateria, junto com Mug.

Carlos Henrique da Silva Vicente, o *Mangueirinha*, cria da Herdeiros da Vila, Mestre da Bateria Mirim durante quinze anos, atual Diretor de Repique da bateria principal da Vila Isabel, reforça a importância de Trambique e fala sobre a presença maciça de ritmistas oriundos da comunidade do Morro dos Macacos:

> *Na época de 1988 tinha pouquíssima gente do asfalto na bateria da Vila Isabel. Tinha um pouco de ritmistas de outras escolas que eram convidados. Nos anos 1990, começou a abrir as portas porque o povo do asfalto tinha muita vontade de tocar e também porque teve muita gente da antiga da bateria parando.*[78]

A bateria da Vila Isabel funcionava como um quilombo, um grupo formado por laços comunitários, de sangue e de afeto branco e azul. Uma comunidade fechada que resistia a ataques externos de todas as ordens. E é interessante perceber como, em 1988, esse grupo começa a permitir determinadas concessões, a se abrir para outros tipos de personagens, *gente de todas as raças numa mesma emoção*, como diz o samba-enredo daquele ano.

Nesse aspecto, uma primeira questão importante diz respeito às mulheres e aos estereótipos, preconceitos e discriminações sofridas por elas no mundo das escolas de samba e nas baterias. A presença feminina era algo raro no passado nesse segmento e trazemos depoimentos neste texto que demonstram o processo de luta e enfrentamento de duas mulheres em busca de seus lugares na bateria da Unidos de Vila Isabel.

---

78 Entrevista concedida por Carlos Henrique da Silva Vicente, o *Mangueirinha*, a Carlos Fernando Cunha em abril de 2023.

Além de Cláudia Nel, atual compositora da escola e que, na época, foi uma das mulheres pioneiras na ala de tamborins, Leila Bennini e Cristina Deane são duas mulheres que, em 1988, desfilaram como ritmistas da ala de cuícas na bateria da Vila Isabel. Vale a pena evocar a história dessas duas pioneiras.

Leila é francesa da cidade de Marselha. Filha de pai árabe, muçulmano. Amava a percussão desde criança, mas, por ser mulher, era proibida de tocar. Após a morte do pai, libertou-se. Começou a fazer aulas de djembê com negros africanos e conheceu o samba por meio de músicos brasileiros que se apresentavam em sua cidade. Interessada em se aprofundar no ritmo brasileiro, comprou vários LPs de Martinho da Vila. Foi para Paris ter aulas de percussão, apaixonada especialmente pela cuíca.

Bennini integrou a escola de samba Unidos da Tia Nícia, fundada em 1985 por Nícia Ribas D'Ávila, pesquisadora e musicista brasileira que desenvolveu um método de ensino dos instrumentos percussivos das baterias de escola de samba para europeus. O sonho de Leila era vir ao Brasil e ela o realizou depois de trabalhar um verão inteiro para custear a viagem. Chegou em dezembro de 1987 e, num *show* de Martinho da Vila, conheceu a bateria da Vila Isabel, que encerrava o espetáculo do artista na casa de espetáculos Asa Branca, na Lapa. Na semana seguinte, começou a frequentar o ensaio da escola, com o objetivo de tocar cuíca na bateria, quando conheceu Cristina Deane.

A carioca e tijucana Maria Cristina Grego Deane vem de família carnavalesca:

> *A minha infância sempre foi muito ligada ao carnaval, pois minha família bordava fantasias para escolas e blocos. Minha mãe, minhas tias bordavam fantasias de destaques de escola de samba, estandartes. Minha prima foi carnavalesca da Império da Tijuca, inclusive. Na Tijuca desfilavam muitos blocos e sempre assistíamos, além de também frequentarmos o carnaval do centro da cidade.*[79]

---

79 Entrevista prestada por Maria Cristina Grego Deane a Carlos Fernando Cunha em abril de 2023.

Quando adulta, Cristina tornou-se bailarina. E começou a desfilar na escola de samba fundada por Candeia, a Quilombo, onde também aprendeu a tocar cuíca. E aproximou-se da Vila Isabel, por ser fã dos sambas de Martinho da Vila:

> *Minha família sempre foi muito simpática com a Vila Isabel. Eu sempre gostei por conta dos sambas do Martinho, sou fã dele desde pequena. Quando aprendi a tocar cuíca, fiquei viciada em tocar. E passei a frequentar os ensaios de várias escolas. Eu saía numa ala que chamavam de Samba Show, em que o pessoal saía sambando e tocando alguns instrumentos, perto da bateria. Fui pra Vila também. A bateria da Vila era uma delícia, conhecida como locomotiva por causa da sua cadência, do seu miolo. Isso era no tempo em que a Vila ensaiava no América, antes da Kizomba.*[80]

Cristina ensaiou durante alguns anos na Vila Isabel até conseguir realizar seu primeiro desfile, em 1988, como integrante da bateria da escola. Um tempo em que vivenciou preconceitos e restrições pelo fato de ser mulher:

> *Quando fui pra Vila Isabel, ensaiar na bateria, os cuiqueiros me rejeitavam totalmente por ser mulher. Eram muito grosseiros. Tinha um grupo de cuiqueiros que eram policiais, saíam em várias escolas, uma panelinha, chegaram a me intimidar várias vezes, empurrando a cuíca no meu rosto. Quando eles estavam lá, eu não podia subir no palanque da bateria e ensaiar com o grupo. Eu ficava tocando lá no chão com o Levi, cuiqueiro que organizava a ala Samba Show. Ia muito na Vila, ensaiava, ensaiava e nunca desfilava porque os cuiqueiros não aceitavam*

---

80 Entrevista concedida por Maria Cristina Grego Deane a Carlos Fernando Cunha em abril de 2023.

mulher. Naquela época era muito raro ver mulheres nas baterias. Na Mangueira me olhavam de cara feia e na Portela era expressamente proibido.[81]

Durante os ensaios para o desfile de 1988, Cristina conheceu Leila Bennini, recém-chegada da França com o sonho de tocar cuíca na bateria da Vila Isabel:

Nessa época a Vila Isabel ficou sem quadra e ensaiava na rua. Depois encontrou um clube na Rua Maxwell pra ensaiar de vez em quando. Num desses ensaios no clube, encontrei uma amiga com um grupo de franceses. Tinha um cara, ele era francês e guia turístico, que já desfilava na ala da Tia Cirene. Ele levou um grupo de franceses e ali conheci a Leila que fazia parte de uma escola de samba francesa. Fui apresentada a ela e subimos pro palanque da bateria pra tocar. Nós viramos amigas, irmãs, parceiras de instrumento.[82]

Cristina e Leila ensaiaram juntas na bateria da Vila Isabel a partir de janeiro de 1988, mas diante dos preconceitos e intimidações por serem mulheres, tinham dúvidas se efetivamente conseguiriam integrar o grupo na avenida. E foi Martinho da Vila quem intercedeu em favor das duas:

Uma vez o Martinho estava lá em cima com a bateria e perguntou o nosso nome. Ele chamou um menino da bateria e pediu pra anotar o nosso nome. Ele pediu pro rapaz avisar ao Maíco, que na época cuidava da lista das fantasias da bateria e era do tráfico, que a gente tinha que desfilar. Os cuiqueiros tiveram

---

81 Entrevista prestada por Maria Cristina Grego Deane a Carlos Fernando Cunha em abril de 2023.

82 Entrevista concedida por Maria Cristina Grego Deane a Carlos Fernando Cunha em abril de 2023.

Cristina e Leila, mulheres cuiqueiras no desfile da Unidos de Vila Isabel de 1989.

Foto: acervo particular Leila Bennini

que nos engolir. Então foi graças ao Martinho que desfilei pela primeira vez na bateria, junto com a Leila, que tinha chegado da França e participou daquele desfile inesquecível.[83]

Outro segmento social que passou a integrar a bateria da Unidos de Vila Isabel com mais frequência, especialmente a partir do final da década de 1980, é a chamada classe média, nas palavras de Mestre Mug, os *playboys* ou o pessoal do asfalto, como ele dizia. A bateria da Vila Isabel era formada majoritariamente por moradores das comunidades do Morro dos Macacos e seu entorno. Como notamos em depoimento de *Mangueirinha*, citado anteriormente neste texto, a explicação está na "aposentadoria" de ritmistas mais antigos da bateria, bem como no aumento da presença do "pessoal do asfalto" aos ensaios. O título de 1988 trouxe maior visibilidade para a Unidos de Vila Isabel, o que atraiu para a escola a atenção e a presença de pessoas oriundas de outros territórios e extratos sociais.

O caso de Cristina Deane e Leila Bennini demonstra uma das portas de acesso à bateria da Unidos de Vila Isabel, as cuícas. No entanto, mulheres e pessoas oriundas do asfalto, da classe média, tinham como principal porta de entrada os instrumentos leves, especialmente chocalhos e tamborins[84]. Isso porque os naipes de surdos, caixas, taróis e repiques são a essência da bateria da escola, reservados, portanto, a ritmistas de confiança dos diretores e mestres, gente da comunidade, como revelou Mug.

O depoimento do ritmista Ricardo Toscano é revelador sobre a questão em análise. Morador do asfalto de Vila Isabel, de família típica da classe média do bairro, Cacá, como é mais conhecido, viveu esse momento de abertura do grupo de ritmistas da bateria da escola:

---

83 Entrevista prestada por Maria Cristina Grego Deane a Carlos Fernando Cunha em abril de 2023.

84 No capítulo deste livro que trata sobre a Velha Guarda, apresentamos Ivone Soares dos Santos, ex-integrante da bateria da Vila Isabel que provavelmente foi a primeira mulher a integrar o grupo durante a década de 1960.

Eu morava no asfalto e naquela época era muito difícil fazer parte da bateria da Vila Isabel. Gostava muito de samba, de escola de samba, da Vila. Acompanhava os desfiles dos blocos na 28 de Setembro todos os anos. Eu queria ser da bateria da Vila, a minha escola de coração. Pegava aquelas caixinhas de Catupiry e ficava treinando tamborim em casa. Até que em 1987 fui ao jornal O Globo, na cerimônia de entrega do Estandarte de Ouro. A bateria da Vila não ganhou o prêmio, mas se apresentou. Eu levei um tamborim escondido na mochila e fiquei tocando, acompanhando os caras do lado de fora. Conversei com dois senhores do grupo e perguntei como podia fazer parte. Então eles me disseram pra ir aos ensaios da escola quando começassem. Por volta de agosto de 1987, comecei a ir aos ensaios no América. Por vezes tinha, por vezes não, por causa da chuva. Mas quando tinha ensaio, estava sempre lá. Meu padrinho foi o Seu Carlinhos. Falei com ele no primeiro dia e ele me pediu pra acompanhar um samba que estava tocando na caixa de som. Acho que ele viu que tinha jeito pro negócio. Me disse pra que, quando começasse o ensaio, eu ficasse do lado dele. Começou o ensaio e fui lá tocar. Nos tamborins tinha Paulo Graxa, Português. Ali comecei a aprender o que era a Vila Isabel. A bateria subia na batida do tarol, tamborins no telecoteco, caixas, repiques, centradores, surdos de primeira e segunda somente de leve, sem pancada. Que ritmo era aquele![85]

O fato de ensaiar periodicamente na bateria da Vila Isabel não significava que o ritmista estaria garantido no desfile oficial. Há diversos fatores que poderiam atravessar este samba, como notamos no caso das mulheres. Mestre Mug tinha uma estratégia comum nesses casos, que era deixar a pessoa ensaiar repetidamente, testar sua técnica, sua resistência, sua força de vontade,

---

85 Entrevista prestada por Ricardo Toscano a Carlos Fernando Cunha em abril de 2023.

sua perseverança, sem prometer, de fato, a carteira de vinculação à bateria e, mais à frente, a entrega da fantasia. Ele dizia:

> *Eu tinha batedor de surdos, da cozinha, ninguém de fora, tudo do Morro dos Macacos. Os de fora tinham que ralar muito. E tinha que ser craque. Tinha que saber tocar muito bem uma peça.*[86]

Ricardo Toscano foi um desses de fora e passou por essa experiência até conseguir sua filiação definitiva à bateria:

> *Comecei a tocar nos ensaios, cantavam os sambas antigos, samba de esquenta, o samba de 1987, Raízes. E todo sábado que tinha ensaio, estava lá firme e forte, feliz da vida. Num determinado dia falei com o querido Amadeu Amaral, querido Mestre Mug. Perguntei se podia entrar pra bateria e ele me disse pra ensaiar mais um pouco, ainda não estava na hora. Passou um bom tempo, vieram as eliminatórias dos sambas para o carnaval de 1988. Aí ele me chamou e liberou pra fazer a carteirinha. Eu insisti muito ali porque gostava, porque a Vila é a minha escola. Consegui a carteirinha da bateria da Vila Isabel. Aquilo pra mim era como um diploma. Eu olhava pra ela, ficava numa alegria tremenda, orgulhoso, mostrava pra todo mundo, eu com quinze anos.*[87]

De fato, a bateria da Vila Isabel pode ser reconhecida como um local de resistência, como território que tentou se blindar contra a apropriação cultural de *outsiders*. Isso ajuda a compreender as atitudes de Mug, que

---

86 Entrevista concedida por Mestre Mug a Carlos Fernando Cunha em novembro de 2016.

87 Entrevista prestada por Ricardo Toscano a Carlos Fernando Cunha em abril de 2023.

retardava ao máximo a autorização para que os *playboys*, os do "asfalto", desfilassem em sua bateria. Participar dos ensaios era fácil, até porque Mug precisava de um bom número de ritmistas na quadra. Mas receber a carteirinha da bateria e desfilar? O caminho era longo até o Mestre condecorar um *playboy* com o título de seu *soldado*.

Um dos autores deste livro, Carlos Fernando Cunha, também passou por esse processo até integrar a bateria da Vila Isabel. Ele relata que Ricardo Toscano foi um dos primeiros "de fora" a conquistar a confiança de Mestre Mug. Segundo Carlos, Toscano foi uma espécie de padrinho para muitos que ingressaram na bateria a partir do início da década de 90[88].

Toscano fala sobre sua ansiedade nas semanas que antecederam o desfile de 1988, trecho interessante para percebermos a atmosfera da escola e da bateria naquele ano:

> *No último ensaio, avisaram que a entrega da fantasia seria em uma semana, no outro domingo. Eu estava muito preocupado porque tinha muita história de gente que ensaiava na bateria e não conseguia a roupa. Porque os caras da comunidade seguravam, desviavam, principalmente para quem era de fora. Fui lá na comunidade e consegui pegar a fantasia, sem nenhum problema. Fiquei a semana toda sonhando com o desfile, uma ansiedade tremenda, nem dormia direito. Porque também falavam que a escola iria cair, que estava sem dinheiro, que viria muito pobre. Mas eu tinha certeza que a bateria viria muito bem, como era nos ensaios.*[89]

---

88 Destacamos alguns nomes que foram apadrinhados por Toscano, aprovados por Mug e desenvolveram longa trajetória como ritmistas da *Swingueira de Noel*: Eduardo Thiago, Claúdio Francioni, André Silva, Erick Cardoso, Bruno Mauro, e Carlos Fernando Cunha, João Paulo Alves, Guilherme Salgueiro, entre outros.

89 Entrevista concedida por Ricardo Toscano a Carlos Fernando Cunha em abril de 2023.

Os depoimentos dos ritmistas da bateria da Unidos de Vila Isabel sobre o desfile de 1988 soam em uníssono. Todos reverenciam aquele evento carnavalesco como o principal de suas vidas, como o melhor desempenho da bateria na história da escola, como um acontecimento mágico, algo que nunca mais acontecerá, segundo eles. Do ponto de vista musical, o desfile da *Kizomba* cristalizou a tradição rítmica da bateria da Vila Isabel, que, como vimos, vinha em construção desde os anos de 1970, mas, em 1988, alcançou seu ápice, uma referência desde então.

As cuiqueiras Cristina Deane e Leila Bennini relembram o desfile de 1988:

> *Sobre o desfile, ninguém imaginava que a Vila poderia ser campeã. Mas havia um clima de euforia nos ensaios, especialmente por causa do samba e da bateria. A gente tocava com muita garra. Estava muito feliz porque finalmente tinha conseguido uma vaga pra desfilar na bateria. No dia do desfile, na concentração, quando vi aquele Quilombo gigante, porque eu desfilava na Escola de Samba Quilombo, fiquei extasiada. Até hoje tenho memórias muito vivas daquele dia. A bateria era maravilhosa, perfeita, gostosa de tocar. A Bateria da Vila Isabel tinha uma cadência. Centradores e cuícas. Quando dava a segunda do samba, você escutava as cuícas. Você sentia a diferença, sentia as peças, escutava, os taróis, centradores. Escutava tudo casadinho, bonitinho. Isso era a cadência. Nossa fantasia era linda. Como desfilava na cuíca, ficava ali na frente da bateria, então eu via a escola toda passando. Lembro da Zezé Motta desfilando no carro, o Pompeu, a ala das mulheres com os seios de fora. Era uma força impressionante. A força da negritude. A sensação era de que as pessoas, que a escola toda estava flutuando. Foi algo incrível. Depois eu vi pela televisão, a gravação, mas não tem comparação. Só quem estava lá experimentou tudo aquilo.*[90]

---

90 Entrevista concedida por Maria Cristina Grego Deane a Carlos Fernando Cunha em abril de 2023.

Quando cheguei ao Brasil, frequentei várias escolas de samba e vi muitas baterias, mas o grupo da Vila Isabel era diferente. Era uma bateria gostosa de tocar por causa da sua cadência. O desfile foi mágico para todos que estavam lá. Quando começamos a tocar, tinha uma magia, uma garra, uma força da comunidade. Todos pareciam estar incorporados. Foi o melhor dia da minha vida. Nós éramos rainhas e reis africanos. Acredito que os orixás escolheram comemorar o Centenário da Abolição com a Vila Isabel e desfilaram com a gente.[91]

Ricardo Toscano, emocionado, rememora a noite de 15 de fevereiro de 1988:

Fui pro desfile todo orgulhoso com aquela farda, como chamava o Mug. Perto do sambódromo, o pessoal perguntava de que bateria era aquela fantasia. Eu falava que era da Vila e todo mundo elogiava. Aquilo enchia o coração da gente de emoção. Chegamos na concentração, nos Correios, aquela ansiedade. E não podíamos tocar por ali. A bateria só podia tocar depois do Setor 1, somente no box, quando fosse autorizada. Diferente do que é hoje. A escola poderia perder pontos por atrapalhar a outra escola que estava desfilando. E começou. Sobe o tarol. Veio o samba de esquenta. Uma potência a bateria. Um toque de caixa e tarol, algo assim, maravilhoso. Tenho essa memória do som até hoje. Aqueles centradores, repiques, cuícas. Eu desfilei na última fila do tamborim, colado na cozinha. De vez em quando olhava pra trás e via todo mundo sorrindo. Fomos do início ao fim naquela concepção sonora perfeita, sem qualquer deslize, naquela pulsação. A gente passava pelas frisas, as pessoas pulavam por causa do ritmo que a gente produzia.

---

91 Entrevista concedida por Leila Bennini a Carlos Fernando Cunha em junho de 2023.

Excepcional. Caía na segunda do samba, a gente parava o tamborim e sobressaía aquele som da cozinha. Estávamos envolvidos numa situação que não tem definição, um estado de espírito que não tem palavra pra definir. Só vivendo aquilo pra sentir o que foi. Entramos no segundo box, saímos e acabamos o desfile amanhecendo o dia. Foi histórico. Um dos momentos mais marcantes da minha vida. Guardei aquela fantasia durante muitos anos, até ela se desfazer. Agradeço ao astral por ter vivenciado aquilo. Foi mágico, antológico, espetacular. Desfilei 25 anos com a bateria da Vila Isabel e aquilo foi único.[92]

Os tamborins foram mais um destaque da Vila Isabel no desfile de 1988. Como a bateria da escola tem como sua essência a levada dos instrumentos da cozinha, do miolo (surdos, caixas, repiques e taróis), os tamborins sempre atuaram como instrumentos acessórios na *Swingueira de Noel*. Os tamborins, nas diferentes baterias das escolas de samba, executam o que chamamos de desenho, uma pauta pré-definida em função da estrutura rítmica e melódica do samba-enredo. Os desenhos dos tamborins na Vila Isabel sempre foram elaborados com simplicidade, com subidas retas na primeira parte do samba, o silêncio na segunda parte – para ressaltar a levada da cozinha da bateria – e o toque do afoxé no refrão final. Assim foi feito em 1988. No entanto, uma passagem do desenho dos tamborins daquele ano chamou a atenção do público e dos integrantes da escola. O destaque estava no início do samba, logo após o verso "*Zumbi, valeu*". Os tamborins faziam uma resposta ao verso com três notas em sequência (PÁ-PÁ-PÁ). Após as três notas, os ritmistas levantavam o braço que segurava o tamborim com o punho cerrado. Essa junção do desenho e do gesto corporal dos ritmistas causou emoção na avenida, uma representação da luta e da força da negritude.

---

92 Entrevista concedida por Ricardo Toscano a Carlos Fernando Cunha em abril de 2023.

Analimar Ventapane, filha de Martinho da Vila, citou esse fragmento do desenho do tamborim como algo que chamou a atenção de todos na avenida em 1988 e que ficou na memória até os dias de hoje:

> *Em 1988, desfilei na ala que juntava a nossa família e os amigos. Nós viemos fantasiados de guerrilheiros, com uma roupa camuflada e arma de brinquedo na mão. Quando cheguei no final do desfile, meu dedo estava arrebentado porque a gente fazia o som do tamborim como se estivesse dando um tiro pro alto. Naquela parte do início do samba, aquele PÁ-PÁ-PÁ logo depois do "Zumbi, valeu". Ficou muito forte aquilo. Todo mundo fazia na avenida, quem estava assistindo também. Até hoje ninguém esquece esse PÁ-PÁ-PÁ. Juntando tudo que aconteceu naquela noite, apesar da gente não ter ideia do que seria de verdade, penso que não tinha como a Vila perder aquele título do carnaval de 1988. Foi tudo muito forte, muito intenso, muito mágico.*[93]

A quarta-feira, 17/2/1988, foi um dos dias mais felizes para a comunidade da Unidos de Vila Isabel. Pela manhã, a edição do jornal *O Globo* revelou o prêmio inédito de Melhor Bateria dado pelo Estandarte de Ouro ao grupo liderado por Mestre Mug. No mesmo dia, horas depois, veio a apuração das notas dos jurados e o título do carnaval daquele ano, também inédito.

> *A apuração em 87 eu sofri porque a gente pensava em ser campão e não fomos. Em 88 eu fui pro Maracanãzinho. Cada nota dez que ganhava era uma corrida que dava em volta no Maracanãzinho. Na última nota não tirou 10, mas 9.9, fomos campeões assim mesmo.*[94]

---

93 Entrevista concedida por Analimar Ventapane a Carlos Fernando Cunha em abril de 2023.

94 Entrevista concedida por Mestre Mug ao Departamento Cultural da Vila Isabel em dezembro de 2017.

Cristina Deane também esteve presente no Maracanãzinho para a apuração e revela os momentos de ansiedade com a leituras das notas e alegria do desfecho final.

> *Foi uma loucura. A gente não acreditava muito no título, mas a imprensa toda falava que a campeã deveria ser a Vila Isabel. Então fomos pra lá acompanhar de perto. Uma tensão danada com aquelas notas, até sermos os campeões. Teve tumulto. A torcida da Mangueira correu atrás da gente. Mas depois foi só festa. E que festa!*

Vila Isabel é um dos bairros mais boêmios do Rio de Janeiro. A festa, ou melhor, as festas pelo título do carnaval de 1988 duraram horas, dias em alguns casos. Com muita emoção, comida, bebida, canto, dança e batuque. No Morro dos Macacos e seu entorno, no asfalto da Avenida 28 de Setembro, o bairro de Noel Rosa festejou e continua festejando. Trata-se de uma festa permanente que atravessou o tempo e dura até os dias de hoje. ***Kizomba***, *a Festa da Raça* é um desfile que é rememorado constantemente pelo povo de Vila Isabel. É o símbolo da Unidos de Vila Isabel, uma escola que celebra sua negritude, sua ancestralidade, seus territórios, sua gente, sua batucada singular.

Grupo de ritmistas da Vila Isabel, em 1987, com Godô, Mestre Mug e Corelha em destaque.
Foto: acervo da família Braga (agradecimento especial a Luiz Cândido)

Ricardo Toscano (abaixo), Eduardo Thiago (à esq.),
Macaco Branco e Cláudio Francioni na *Swingueira* de Noel.
Foto: acervo de Carlos Fernando Cunha (2019)

Mestre Mug e Carlos Fernando Cunha, coautor desta obra, no desfile das campeãs de 2006

Foto: acervo pessoal do ritmista e escritor

07

HARMONIA & EVOLUÇÃO

"A VILA ISABEL GANHOU PORQUE BOTOU UMA ESCOLA DE SAMBA NA AVENIDA"

Jaiminho, saudoso baluarte e eterno diretor de Harmonia da Vila Isabel
Foto: Departamento Cultural do GRES Unidos de Vila Isabel

Filomena Silva, uma das personagens do cortejo que contagiou a Sapucaí em 1988.
Foto: documentário **Kizomba:** 30 anos de um grito negro na Sapucaí

O vitorioso desfile da Vila Isabel em 1988 não apenas encantou o público da Sapucaí, como também mexeu com a cabeça dos críticos e de boa parte da imprensa escrita ao final dos anos 80. Garimpando o farto material jornalístico reunido pela equipe do Departamento Cultural da agremiação, nota-se nitidamente o impacto da ***Kizomba*** no imaginário coletivo da folia, com várias matérias relevantes empenhadas em analisar o surpreendente cortejo que sacudiu a avenida naquela madrugada do dia 16 de fevereiro, já na segunda noite do certame, em que os brincantes do Morro dos Macacos e do bairro de Noel vieram a ser a antepenúltima escola a cruzar a Passarela do Samba. De fato, várias revistas e jornais, antes e depois daquela epifania em branco & azul, abriram espaço em suas páginas para tentar desvendar a seus leitores e leitoras a magia e o sucesso daquela magnética "*festa da raça*".

Em plena era da *sociedade espetacular* midiática, em que prevaleciam o gigantismo e o luxo das "*Superescolas de Samba S/A*" das "*superalegorias*" (salve Aluísio Machado e Beto Sem Braço!), até a revista *Amiga*, dedicada essencialmente às telenovelas e às intrigas das celebridades da TV e do cinema, abriu espaço para que o Mestre **Martinho da Vila**, uma semana após a vitória, explicasse como e por que a agremiação triunfara, após uma longa espera de 42 anos pelo primeiro título no Grupo Especial do carnaval carioca. E o Zé Ferreira não vacilou, sacramentando com raro tirocínio e lucidez em seu texto: "*A Vila Isabel ganhou porque botou uma escola de samba na avenida*". Embora escrito com o coração "ainda acelerado", após a explosão de alegria na apuração das notas, quando toda a comunidade da Vila se deu conta de que seu antigo sonho havia se tornado realidade, o artigo nos propicia uma reflexão muito aguda e precisa sobre o significado daquele título. Já no início do texto, Martinho foi bastante incisivo e categórico:

> *Não inventamos nada, porque a realidade não permitia muitas invenções. Apenas colocamos o nosso conhecimento em prática. Agora, depois dessa reflexão, as regras do jogo vão mudar. Escola de samba é o que o povo viu, aplaudiu e consagrou na Passarela do Samba. E quem acreditou na nossa proposta junto à comunidade - alguns se dispersaram por falta de amor ou coragem - acabou recebendo a recompensa da nossa luta. Uma escola de samba não se faz com fortunas e sim com base, a participação da comunidade supera tudo isso.*[95]

No trabalho de equipe da Vila, desde a base até o comando, tudo foi feito em ritmo de mutirão, ao melhor estilo da singularíssima escola dos discípulos e discípulas de Noel. A tática da criação foi assim descrita por Martinho: "*Com a Ruça na linha de frente, eu como artista jogando recuado, vivemos momentos maravilhosos na confecção do barracão de Vila Isabel*"[96]. Não por acaso, dez dias antes da festa, visitando o barracão da azul & branca, o jornal *O Globo* tirava o chapéu para o povo da agremiação, já antevendo o que seria o desfile na Sapucaí: "*Originalidade é o forte no carnaval da Vila*"[97].

---

95 Martinho da Vila, "A Vila Isabel ganhou porque botou uma escola de samba na Avenida". *Amiga*, 25/8/1988.

96 Martinho da Vila, artigo citado. In: revista *Amiga*, edição de 25/02/1988.

97 Matéria publicada pelo jornal *O Globo*, edição do dia 06/02/1988.

Martinho da Vila escreve, com exclusividade, sobre a vitória

CARNAVAL 88

"A Vila Isabel ganhou porque botou uma escola de samba na Avenida"

A espera foi longa (42 anos), mas valeu: com muita honra, a Vila Isabel sagrou-se campeã do carnaval carioca, no Grupo I. O tema Kizomba, festa da raça, foi realmente uma festa para o público, que vibrava com o samba-enredo da escola. Foi, porém, muito trabalho para todos os seus integrantes que, unidos, mostraram que nem só de luxo se faz um desfile de primeira (os materiais mais usados foram tecidos de algodão, nas fantasias; palha e ráfia, nas alegorias). Martinho da Vila, um dos genuínos representantes da escola, escreve sobre a vitória e a emoção que ela traz.

"NÃO sei se é verdade; ainda estou sonhando com a vitória da Vila Isabel. É um momento muito importante na minha vida, que me leva ao delírio quando recordo dos olhares apreensivos quanto ao resultado. De repente, tudo se transformou numa explosão de alegria; o meu coração ainda continua acelerado. Foram 42 anos esperando para ser campeão. E neles fluíram momentos de alegria e tristeza, mas sempre lutando por um ideal. Era um antigo sonho, acho que de todos da comunidade de Vila Isabel, que virou realidade. Tudo porque colocamos uma escola de samba na Avenida. Não inventamos nada, porque a realidade não permitia muitas invenções. Apenas colocamos o nosso conhecimento em prática. Agora, depois dessa reflexão, as regras do jogo vão mudar. Escola de samba é aquilo que o povo viu, aplaudiu e consagrou na Passarela do Samba. E quem acreditou na nossa proposta junto à comunidade — alguns se dispersaram por falta de amor ou coragem — acabou recebendo a recompensa da nossa luta. Uma escola de samba não se faz com fortunas e sim com base, a participação da comunidade supera tudo isso. Assistimos a algumas escolas de samba pagando fortunas para porta-bandeiras ou carnavalescos, o que não tem necessidade porque os dirigentes acham que nomes ganham carnaval. Não é por aí. Com a Ruça na linha de frente, eu como artista jogando recuado, vivemos momentos maravilhosos na confecção do barracão de Vila Isabel. O carnavalesco Miltinho, um desconhecido com talento; o Paulo César, um apaixonado pela arte; o Paulinho do Isopor, o Jorge Ferreiro e outros todos trabalhando com afinco, com o mesmo ideal. Mesmo porque não tinha dinheiro. A única fonte de renda que tivemos foi o dinheiro da subvenção; não tínhamos nem quadra. E tudo foi na base de todos por um e um por todos, uma luta. Aliás, a grande vantagem da Ruça, como presidente da Vila Isabel, foi deixar o pessoal trabalhar, com cada um dando um pouco de si. Porque, para administrar e governar, só existem duas maneiras: uma na base da ditadura. O ditador governa fácil, porque manda e ninguém manda nada. Todo mundo diz amém. Já administrar, num governo democrático, precisa ter liderança. O presidente tem que ser líder. E a Ruça tem a liderança da Vila Isabel toda com ela, até a malandragem. Ela transou a base numa boa. Por isso que a vitória é de todos.

Quando digo que a nossa intenção era só de mostrar uma escola de samba, o que quero dizer é que cada escola tem uma característica. O samba-enredo que serve para Vila Isabel também pode servir para outras escolas, embora para algumas já não sirva. O samba que é bom para a Ilha, eu gosto, mas na União da Ilha do Governador. Por exemplo, o samba da Mangueira tem a cara dela. As escolas de samba têm que botar a comunidade desfilando, a que não colocar não tem bandeira. E foi exatamente por isso que cada um da Vila Isabel se transformou num Zumbi. E valeu, Zumbi!"

Martinho da Vila

Artigo escrito por Martinho da Vila para a revista Amiga, edição de 25/02/1988.

Imagem: Departamento Cultural do GRES Unidos de Vila Isabel

E tudo seguiu a trilha certa porque a presidente, frisava o Ferreira, era uma grande líder, com entrada em todas as fileiras da escola, "*até a malandragem*". E arrematava: "*Ela transou a base numa boa. Por isso que a vitória é de todos*". Pois seria justamente o coletivo da escola, com sua aula de Harmonia e Evolução naquela madrugada bafejada pelos orixás, o grande diferencial do desfile que festejava, com as bênçãos da Mãe África, o tão decantado *centenário da Abolição*. Enfim, se já não bastasse a criatividade da turma do barracão e a beleza sedutora do samba de Rodolpho, Jonas e Luiz Carlos da Vila, a nação branca & azul contava ainda com bambas do naipe de ***Jaiminho***, o notável Diretor de Harmonia de 1988, e figuras *sui generis* como Filomena Silva, a popular *Filó* da ala das baianinhas. Cozinheira do banquete que encerrou o cortejo triunfal da *Kizomba*, ela resume em poucas frases o que foi o espírito dos integrantes naquele ano:

> — *A escola dá força para a gente porque nós somos da comunidade e trabalhamos o ano inteiro para ver o brilho do carnaval. É a gente que traz o samba no pé, é a gente que canta o samba na avenida, é a gente que garante a empolgação.*[98]

Filó, à sua maneira, parafraseava na entrevista o preceito que o samba de Rodolpho, Jonas e Luiz já enunciara para todos os componentes e o público do cortejo: a ***Kizomba*** era batuque, era canto e era também dança, ou melhor, *samba no pé*, como a baianinha disse com muita propriedade. E é sobre essa verdadeira aula de harmonia e evolução, evocando o saudoso baluarte ***Jaiminho*** e personagens como **Filomena Silva**, que apreciaremos estes dois quesitos vitoriosos da Vila: a **Harmonia** e a **Evolução** dessa gente que trabalha o ano inteiro em mutirão para garantir a empolgação da festa no sagrado terreirão da Sapucaí.

---

98 Cf. "Filomena Silva – Baianinha faz a festa em ala pobre da Vila". *Jornal do Brasil*, 17/02/1988.

1. "Sou da Vila, não tem jeito | Comigo eu quero respeito | Que o meu negócio é sambar"

Nos primeiros momentos de transmissão televisiva da catártica *Kizomba*, a repórter Fernanda Esteves se dirige a Jaime Machado, *Jaiminho Harmonia*, e o indaga sobre a falta da quadra: — *Qual é a diferença entre ensaiar na quadra e ensaiar na rua? Vem com a mesma garra, vem com a mesma força?* O homem que nos acompanhará ao longo deste capitulo deixa uma breve e fundamental mensagem nas suas primeiras palavras. Mensagem essa que em uma única frase resumiria o último árduo ano de preparação e ensaios, prenunciando a *Festa da Raça* que estava por vir: "*... porque o sambista já é nato, já nasceu com espírito de sambistas, então na rua deu mais garra à Vila Isabel!*"[99]

A repórter então questiona: — *Se a Vila Isabel tirar o primeiro lugar, nunca mais entra numa quadra, né?!* *Jaiminho* responde prontamente, como quem tem sangue branco e azul correndo nas veias:

> — *Ai é que a Vila vai ter a sua quadra porque a própria comunidade vai lutar por ela!*

Acontece que a *Kizomba*, o desfile que jamais seria visto novamente, foi o ápice de um ano cheio de dificuldades, desafios, escassez de recursos financeiros e, principalmente, um ano de verdadeira e intensa participação comunitária. A comunidade de Vila Isabel, o Morro dos Macacos de fato colocou aquele carnaval na rua. Com um enredo identitário, de luta, absolutamente político, o povo preto não só da Vila compreendeu o significado daquele desfile que mudaria a história do carnaval.

Martinho explica nos primeiros minutos de documentário *Kizomba - 30 Anos de um Grito Negro da Sapucaí*:

---

99 Transmissão do desfile pela Rede Globo - *YouTube*.

> ***Kizomba*** *é uma palavra da língua angolana quimbundo que quer dizer encontro de confraternização, uma festa que tem um objetivo maior, que tem um objetivo pro geral.*[100]

E foi com esse objetivo que a Unidos de Vila Isabel não só entrou na avenida, mas se construiu solidamente em cima daquele enredo.

Antes de o desfile começar, como recordou *Jaiminho Harmonia*, Martinho pegou o microfone e, com aquela voz sertaneja dele, disse: "*Hoje todos nós aqui somos um Zumbi*". Com isso, arrematou Jaime, "o astral foi lá em cima e jogou o coração da comunidade dentro da avenida"[101]. Jonas, um dos compositores do samba, também glosou o mote: "*Vamos partir pra dentro pra ganhar o carnaval*"[102]. Por sua vez, Ciro do Agogô, coordenador de passistas em 1988, declarou: "*Entrou uma energia em cada componente que fez a gente provocar aquela vitória*".[103] Ao soar da sirene, a Vila Isabel mostraria ao que viera – e naquela noite todos testemunhariam a lendária *Festa da Raça*.

2. Vila Isabel e seu cenário ideal: o bairro que já nasceu com uma avenida, o *Boulevard* 28 de Setembro!

Nem mesmo após perderem sua sede, a sede de ensaiar foi saciada. As disputas de samba aconteceram em diversos locais: no Clube Maxwell, na AAVI

---

100 Trecho do documentário ***Kizomba****: 30 anos de um grito negro na Sapucaí.*

101 Entrevista de Jaime Machado, o *Jaiminho Harmonia*, ao DC do GRES Unidos de Vila Isabel em 08/04/2018.

102 Depoimento prestado por Jonas ao Departamento Cultural da Unidos de Vila Isabel em 23/01/2018.

103 Trecho do documentário ***Kizomba****: 30 anos de um grito negro na Sapucaí*, dirigido por Nathalia Sarro.

4

GREMIO RECREATIVO
ESCOLA DE SAMBA UNIDOS DE VILA ISABEL
Fundado em 4 de Abril de 1946 Considerado de Utilidade Pública pelo Dec. Lei n.º 1343 de 27-6-67
Sede Provisória Administrativa
Rua Visconde de Santa Isabel, 34 Sala 402 - Tel. 268-7052 - Rio - RJ

Enredo: KIZOMBA FESTA DA RAÇA
Autor: MARTINHO DA VILA
Alegorias, Figurinos e Adereços: Carnavalesco MILTON SIQUEIRA
Carnavalescos assistentes: PAULO CEZAR CARDOSO e ILVAMAR MAGALHÃES

Kizomba é uma palavra do Kimbundo, uma das línguas da República Popular de Angola.

A palavra Kizomba significa encontro de pessoas que se identificam numa festa de confraternização.

Do ritual da Kizomba fazem parte inerentes o canto, a dança, a comida e a bebida, além de conversações em reuniões e palestras que objetivam a meditação sobre problemas comuns.

Sinopse do enredo, p. 4

Imagem: acervo do Departamento Cultural do GRES Unidos de Vila Isabel

Falta de uma quadra para os ensaios não tira a esperança

Desde 1985, quando realizou a primeira Kizomba no Rio, reunindo inúmeros artistas negros de todo o País na Praça da Apoteose, Martinho da Vila vinha sonhando em transformar essa festa em enredo de sua escola, a Unidos de Vila Isabel. Conseguiu este ano realizar o seu sonho e promete muito luxo e alegria para a escola, apesar dos inúmeros problemas que vem enfrentando (o principal deles, a falta de uma quadra de ensaios).

A Unidos de Vila Isabel quer fazer um grande carnaval, especialmente porque se sentiu injustiçada no ano passado, quando foi uma das favoritas do público mas não levou o campeonato. Este ano, o enredo desenvolvido por Martinho da Vila e pelo carnavalesco Milton Siqueira está dividido em quatro partes: primeiro, a vida dos negros na África, antes de serem seqüestrados pelos navios negreiros; depois, a democracia racial dos quilombos; em seguida, o folclore brasileiro e a influência negra na nossa cultura; e, por fim, a Kizomba, a grande festa de integração, certamente antepassada do carnaval.

Serão seis carros alegóricos, 17 tripés, 60 baianas, 80 crianças, 320 ritmistas na bateria e vários destaques famosos no meio do samba ou não. Gente como Diva de Jesus (que virá de Rainha Ginga), Eni Vidal (Mãe África), Zezé Motta (Dandara), Toni Tornado (Ganga Zumba), Vera Fisher (Asna de Ferro), Martha Rocha (Deusa do Misticismo) etc.

Numa providência pouco habitual nos desfiles de escolas de samba, Milton Siqueira fez todo o carnaval da Unidos de Vila Isabel em maquetes para dar a sua equipe uma idéia completa do que queria. Com tanto cuidado, não é de se estranhar o seu entusiasmo:

—Tenho certeza de que 1988 será o grande ano da Vila Isabel.

Presidente: Lícia Maria Maciel Caniné (Ruça)
Carnavalesco: Milton Siqueira
Bateria: Mug
Mestre-sala: Carlinhos
Porta-bandeira: Mariazinha
Puxador: Gera
Nº decomponentes: 3 mil/33c alas

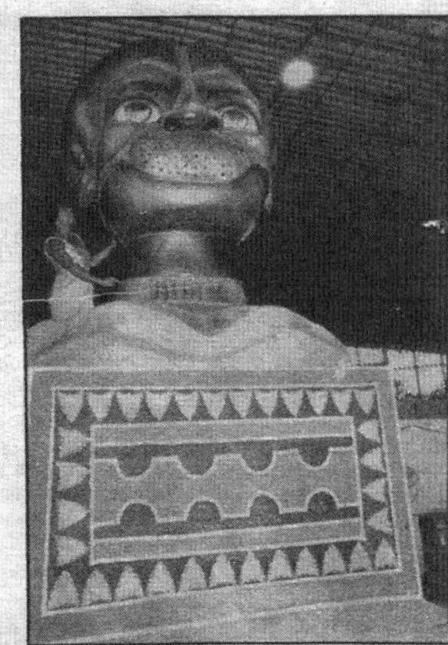

A escrava Anastácia, uma das alegorias

Recorte do jornal *O Globo*, 14/02/1988.

Imagem: Acervo Vila Cultural

(o *Vilinha*) e no Renascença Clube, onde ocorreu a final. Depois do hino escolhido, começaram então os ensaios, mas, com tanta gente, a presidente *Ruça* se viu diante de um grande desafio: onde ensaiar? Pois bem, a 28 de Setembro, principal via do bairro, se mostrou o local perfeito. Mas não foi simples, os ensaios de rua que mais tarde se tornariam marca registrada da Vila enfrentaram alguns obstáculos para que pudessem acontecer em sua plenitude.

A própria *Ruça* relatou em depoimento ao Departamento Cultural da Unidos de Vila Isabel a saga daquele ano. Ela conta que foi muito hostilizada por transeuntes, gente que passava de carro e "xingava mesmo", mas não seria esse mal-estar que se converteria em um obstáculo para escola ensaiar. Unidas e determinadas, a presidente e sua comunidade souberam lidar com a situação.

> *Eu conseguia toda a liberação pra gente fechar a 28, parte da 28, mas ninguém vinha fechar. Então só restava a mim e à comunidade a tarefa. [...] Naquele tempo, os garçons do antigo Ásia serviam um chope para Ruça, atravessavam a rua e lhe entregavam sua tulipa. Eu pegava o chope, levantava pros motoristas e dizia: Saúde! Muita abusada, eu botava o pé em cima da mesa e dizia: - Mamãe vai bem? - Como vai sua mãe? E bebia debochando dos caras [...] Até que eu consegui fazer uma faixa explicando e pedindo desculpas pelo transtorno, mas era a Unidos de Vila Isabel sem quadra precisando da rua para ensaiar.*

Com isso, a líder conseguiu cessar o clima de animosidade durante os ensaios.

Muitos fatores se alinharam e contribuíram para que aquele carnaval acontecesse da forma épica como ocorreu; os ensaios no *Boulevard* certamente foram um deles. Ali na rua, o povo reconquistava sua dignidade e, mesmo em meio às dificuldades, exercia sua arte, se irmanava e encontrava no amor pela Vila a oportunidade de mostrar à vizinhança, e a quem quisesse ver, todo seu potencial cultural.

Nós somos irmãos, nós nos sentimos parecidos e iguais; nas cidades, nas aldeias, nos povoados, não porque soframos, com a dor e os desprazeres, a lei e a polícia, mas porque nos une, nivela e agremia o amor da rua.[104]

A Escola Municipal Equador, uma das escolas da Era Vargas, fundada em 1934, que fica no *Boulevard* 28 de Setembro, nº 353, foi uma espécie de QG da Vila naquele ano. Muitos pais de alunos eram integrantes da escola de samba; e, como está localizada em ponto estratégico, a instituição de ensino público serviu a sua comunidade da forma que se espera de um espaço que é produtor e disseminador de conhecimento. A bateria guardava lá seus instrumentos, e a Filomena – *Filó* para quem é da Vila – preparava a sopa para os componentes nas instalações do colégio. Como ela mesma diz, ninguém consegue batucar com fome!

Quanto mais sabemos, conversamos e ouvimos as histórias da *Kizomba*, mais encantador o evento se torna. Fica bem evidente que a participação coletiva e comunitária constrói e proporciona coisas que o dinheiro não pode comprar. Os ensaios na rua, que a princípio eram motivo de chacota e fizeram com que *Jaiminho* ganhasse a alcunha de guarda noturno, porque ficava apitando no meio da via pública, congregaram morro e asfalto. As famosas reuniões na Rua Araxá, no Grajaú, na casa de *Ruça* e Martinho, permitiam com que conselho e diretoria se encontrassem para desenvolver o enredo e, democraticamente, tomarem as decisões necessárias. A residência, segundo a própria *Ruça*, virou um ateliê; muitas fantasias foram confeccionadas ali. E as coisas aconteciam de forma bastante particular, divertida também. Jaime nos conta:

Às vezes eu ia fazer a feira 10 horas da manhã, eles me pegavam na feira, levava pra casa deles, eu chegava no dia seguinte com a bolsa vazia. Nós nos reuníamos lá, começava a conversar e daqui a pouco "Ó tem uma panela lá no fogo, uma rabada com batata

---

104 João do Rio. *A alma encantadora das ruas*: crônicas. Rio de Janeiro, 1908.

Jaiminho Harmonia em depoimento prestado ao Departamento Cultural da Vila Isabel,
Foto: documentário **Kizomba:** 30 anos de um grito negro na Sapucaí

e coisa e tal". E quando tu ia ver, já era meia-noite, uma hora da manhã. Mas as conversas todas eram em torno do que nós íamos fazer, de que maneira nós íamos fazer.[105]

A demanda era grande, o diretor de Harmonia se deslocava pela cidade para ensaiar também com outros grupos, com o LP do samba debaixo do braço. Ele ia pessoalmente ensaiar o canto da gente até na Barra da Tijuca. Jaime foi um maestro de corpos por 30 anos, dedicou uma vida a construir o chão da Vila Isabel, chão que tornou a escola conhecida e querida por qualquer um que goste de carnaval. Naquele tempo, quando as alegorias ainda não era tão megalômanas e as fantasias permitiam uma fluidez de movimento, o diretor de Harmonia era quem dava sinal para o componente brincar, se acabar de cantar e dançar na avenida e ser visto e ovacionado por toda a arquibancada, ou seja, o povo balançava mesmo a roseira na Sapucaí.

Muitas coisas foram inéditas no carnaval de 1988. Os ensaios de rua hoje são uma potência, em plena quinta-feira[106] centenas de pessoas se reúnem para cantar, sambar, sorrir e ensaiar ao ar livre para o maior *show* da terra. É quando se encontra muita gente que, por variados motivos, não está presente na quadra, que foi conquistada a duras penas, mas está presente na rua, segue vivendo a Vila. É impossível morar ou mesmo passar por este bairro sem ser atravessado pela presença dessa escola, seja nos letreiros ou na 28 lotada de gente; de uma forma ou de outra, você tem certeza do território que está sob seus pés, o chão da poesia, o celeiro de bamba. Os ensaios de rua são o nosso termômetro para o carnaval que está por vir. Quem viveu os ensaios do carnaval de 2013, não tinha a menor dúvida de que o terceiro título no grupo especial viria aquele ano. A energia

---

105 Entrevista prestada por *Jaiminho Harmonia* ao Departamento Cultural da Vila Isabel em 08/04/2018.

106 Desde 2022, por uma decisão discutível da Prefeitura e da própria agremiação, o ensaio no *Boulevard* 28 de Setembro passou a ser realizado às quartas-feiras, que costuma ser um dia de jogo no Maracanã.

era de arrepiar, o povo entoava aquele samba como se já soubesse que naquele ano levantaríamos mais uma vez o caneco.

Festa no arraiá
É pra lá de bom
Ao som do fole, eu e você
A Vila vem plantar
Felicidade no amanhecer...

O legado da *Kizomba* segue reverberando pelas ruas do bairro, são meses de ensaios em que o povo vindo de toda parte lota o *Boulevard*. É gente preta, gente do Morro dos Macacos, gente de outros bairros, gente de outros estados e até mesmo de outros países. Trabalhadores de todos os cantos da cidade se reúnem para celebrar a vida que é tão sofrida, e em mais ou menos uma hora e meia deixam seus corpos se elevarem pelo samba, pelo suingue, pelo suor e por tudo que nos faz gente! O incêndio dessa galera sempre é iniciado pelo nosso singelo e maravilhoso samba de esquenta, o "Sou da Vila Não Tem Jeito", quando Tinga "solta o bicho" e chama a comunidade. Aí então, a 28 de Setembro ferve e, a plenos pulmões, todos entoam os versos de *Jaiminho Harmonia*, Rodolpho de Souza, Vilani Silva e Jorge Saberás.

Sou da Vila não tem jeito
Comigo eu quero respeito
Que meu negócio é sambar
Se você não acredita
Por favor não me complica
Deixa esse papo pra lá (abre os braços)

Abre os braços, amor
Olha eu aí (olha eu aí!)
Vou levantar a poeira
Balançar a roseira na Sapucaí

Vale a pena conhecer um pouco mais da história desse samba que foi forjado à moda antiga, num botequim na esquina da Praça Sete, nº 1. No carnaval de 1987, o compositor Jorge Saberás acabou não buscando com o *Jaiminho* seu sapato branco para o desfile – a indumentária do sambista é algo primordial, e os sapatos brancos imprescindíveis. Ele até estava fantasiado, mas os sapatos eram marrons; portanto, Saberás ficou se escondendo pelas barraquinhas da concentração para não ser pego. Enquanto Jaime fazia o alerta de que ele seria cortado do desfile, Jorge Saberás soltou a seguinte frase: "*Quer ser mais da Vila do que eu?! Eu sou da Vila não tem jeito!*". Um bom ouvido sabe reconhecer o que dá samba, e o diretor de Harmonia, que também era compositor, pois é o homem que jogava nas dez, viu na frase de seu parceiro a deixa para compor um samba de quadra.

Passado o desfile, os dois se sentaram no botequim, num domingo, para dar continuidade à ideia. Fizeram a primeira, mas não estavam conseguindo encaixar a segunda. Até que chega Rodolpho de Souza – o poeta havia passado por um leve aborrecimento familiar e foi acolhido da melhor forma pelos amigos: "*Não fica assim não, bota uma segunda aqui pra gente*". Na primeira tentativa, a coisa não fluiu, até que Vilani, conhecido também como Bombril, chegou e as coisas foram indo pro lugar. Rodolpho então completou: "*Abre os braços, amor | Olha eu aí | Vou levantar poeira | Balançar a roseira na Sapucaí*". O samba concorreu ao concurso do samba de quadra de 1987 e perdeu; no ano seguinte, ele seria eternizado quando pela primeira vez Gera o cantou na concentração do desfile de 1988. Desde então, são esses os versos que abrem os trabalhos da Vila por onde ela passa, e ninguém consegue ficar parado.

3. A Vila Isabel foi para a avenida para fazer a Festa da Raça

O grande dia do desfile se aproximava. A Vila Isabel ainda não sabia que entraria para a história do carnaval carioca, mas até ali muitas batalhas estavam sendo vencidas. Uma escola que, mesmo sem quadra e sem grana, conseguiu irmanar sua comunidade em prol de um enredo que falava sobre o fim do *Apartheid* na África do Sul, liberdade para Nelson Mandela e o centenário da abolição, tudo isso já era motivo para muito orgulho. Mas a verdade é que o desfile é uma competição e ninguém entra para perder. No *réveillon* de 1987 para 1988, *Ruça* e seus companheiros passaram a noite da virada na casa de Reginaldo, um dos diretores da Vila, na avenida Oscar Niemeyer. Estavam juntos com eles Mestre Geraldo e todo seu grupo. Foi então que, à meia-noite, o Mestre fez o chamado e levou *Ruça* até uma grande árvore no local:

> *O Mestre Geraldo levou as taças de vinho, a garrafa de vinho e disse: "Esse aqui primeiro você vai jogar na árvore e você vai brindar com os seus antepassados africanos! É para eles! É você que vai oferecer, porque eles vão te dar a vitória". E eu fiz! Brindei com eles com meus antepassados africanos (...) é claro que teve o divino*[107].

A presidente pediu licença aos Orixás, às entidades, aos ancestrais, em respeito aos fundamentos e a toda energia que ela movimentaria naquele desfiles:

> *Claro que para a Vila Isabel levar para a avenida aquele carro com os Orixás, todo xirê de Exu a Oxalá, eu pedi licença a todos, todos comeram. Comeram no roncó e comeram no tempo, porque eu ia levá-los pro tempo. A avenida, né... Não tem cobertura, é o tempo (...) Comeram os Exus, comeram os Eguns. Vou falar de Egum, ancestral é o quê? Tudo morto já, tudo Egum*[108].

Os relatos da presença do divino, da vibração dos orixás se repetem em muitas narrativas sobre o desfile. É o caso de Wilson Caetano, que foi intérprete, compositor e também trabalhava no barracão da Escola. Bira, o segundo mestre sala confirma; segundo eles, muitas pessoas que visitaram o local puderam sentir essa força:

---

107 Entrevista já citada de Ruça a Nathalia Sarro, prestada em 22/12/2017.

108 *Idem, ibidem.*

> *E aquele carro à noite ele fazia vibração, quem estava presente ouvia (...) A coisa dentro do barracão era muito forte mesmo, quem estava presente sabia que era. (...) Vou ser sincero, a macumba foi dentro da Marques de Sapucaí! O couro comeu mesmo, entendeu?!*[109]

Antes de se concentrar, Gera, a voz que eternizaria nosso hino, também teve sua experiência lá na rua Araxá. Ele foi preparado para encarar essa grande missão. Em depoimento com orgulho e bom humor, ele conta o principal ritual para viver o grandioso desfile:

> *Aquele dia foi um dia mágico, eu estava na casa do Martinho da Vila, concentrado na casa do Martinho. E naquela mesma noite tinha um bocado de angolano lá concentrado, pessoal do Zaire, Angola, muita gente...*[110]

Naquela noite, por volta das 18 h 30, Martinho chamou Gera, que estava dormindo. O intérprete desceu as escadas e se deparou com a seguinte cena:

> *Quando eu desço, tem uma roda de crioulos lá, maior barato, o batuque comendo. Aí eu desci meio espantado e o Martinho disse: "Tira a roupa!" Eles deram um banho lá com os matos, enrolaram aqueles matos em mim todo e mandaram eu trocar de roupa com aqueles matos em cima de mim. Dali fui pra avenida e foi aquilo que vocês viram, a escola brilhou numa noite que realmente o centenário da abolição da escravatura foi bem representado pela nossa escola.*[111]

---

109 Entrevista dado pelo mestre-sala Bira ao Departamento Cultural da Unidos de Vila Isabel, em 16/01/2018.

110 Depoimento prestado pelo cantor Gera ao Departamento Cultural da Unidos de Vila Isabel, em 06/04/2018.

111 Depoimento citado de Gera ao Departamento Cultural do GRES Unidos de Vila Isabel, em 06/04/2018.

Antes de começar o desfile de fato, a presidente fez seu último apelo. O tempo estava instável, a previsão era de chuva e então a mulher clamou, pediu que as águas não descessem do céu porque ela sabia que não resistiríamos ao castigo da chuva:

> *E começa a chover, e se caísse água acabava tudo... E aí, eu no desespero me joguei no chão, bati um adubá para Kitembo e pedi a ele: "Olha, se eu sou sua filha, tira essa chuva, deixa a minha escola passar, se concentrar, passar e depois faz o que quiser, mas nós não podemos ter chuva, nada pode atrapalhar, me ajuda". E parou a chuva na hora.*[112]

Na concentração, a festa já havia começado. Antes mesmo de a Unidos da Ponte sair da avenida, *Jaiminho* deu o sinal e Gera mandou brasa, incendiou a escola e cantou pela primeira vez o samba de esquenta "Sou da Vila Não Tem Jeito!" Martinho correu até o cantor desesperado e pediu pra segurar, ainda não era hora, mas estava difícil de segurar aquela energia toda. O diretor de Harmonia cuidou para que os componentes não passassem do ponto ali na concentração, mas seu parceiro e cunhado, o compositor Claudinho, revelou:

> *A concentração foi meio bagunçada, mas naquele ano tudo tinha que dar certo (...). Como era um ano de Kizomba mesmo, o pessoal já desceu meio bebido, uma confusão danada, mas no final foi entrando os setores no lugar e ficou tudo certinho.*[113]

Muita gente desistiu de desfilar naquele ano por conta da falta de luxo, e de brilho. A escola estava apresentando um carnaval absolutamente diferente da estética que era conhecida até então. Mas, por outro lado, o compromisso

---

112 Entrevista já citada de Lícia Caniné, a *Ruça*, concedida em 22/12/2017.

113 Entrevista prestada por *Claudinho* ao Departamento Cultural da Vila Isabel em 08/04/2018.

13

GREMIO RECREATIVO
ESCOLA DE SAMBA UNIDOS DE VILA ISABEL
Fundado em 4 de Abril de 1946 Considerado de Utilidade Pública pelo Dec. Lei n.º 1343 de 27-6-67
Sede Provisória Administrativa
Rua Visconde de Santa Isabel, 34 Sala 402 - Tel. 268-7052 - Rio - RJ

FORMAÇÃO DA UNIDOS DE VILA ISABEL

CARRO TRONO "PAULO BRAZÃO"
CARRO PEDE PASSAGEM (COROA DA VILA)
COMISSÃO DE FRENTE
ALA DAS CRIANÇAS
CARRO ABRE-ALAS (PENSADORES)
ALA NOVO RIO
ALA GATAS E GATÕES
ALA SECOS E MOLHADOS
CARRO ALEGORIA DE PALHA (ZUMBI "ÁRVORE") ENI VIDAL
ALA AGBARA DUDU
ALA DAS BAIANINHAS "MORRO"
GRUPO IMPÉRIO DO FUTURO
ALA ENERGIA DA VILA
ALA BATERIA MIRIM VILA
CARRO DOS ORIXÁS (ESCULTURAS)
ALA DAS MUMUILAS
ALA DAS BESANGANAS
PASSISTAS ISOLADOS, WANDERLEY, MERCEDES, ESMERALDA DE BARROS, MARRON, TRIO DE PANDEIROS DA ANA DE OURO
ALA DO NESTOR - (DESTAQUE, MARCOS)
ALA RESA FORTE
ALA DAS FERAS
ALA DO MÉIER
1º MESTRE-SALA/PORTA-BANDEIRA
DOIS QUADRIPÉS (BUSTOS) MÃE ÁFRICA e ANASTÁCIA
PASSISTAS OFICIAIS DA VILA
BATERIA e CARRO DE SOM

Libreto de 1988 da escola, com a formação da Unidos de Vila Isabel (p. 13).
Imagem: Departamento Cultural do GRES Unidos de Vila Isabel

14

GREMIO RECREATIVO
ESCOLA DE SAMBA UNIDOS DE VILA ISABEL
Fundado em 4 de Abril de 1946 Considerado de Utilidade Pública pelo Dec. Lei n.º 1343 de 27-6-67
Sede Provisória Administrativa
Rua Visconde de Santa Isabel, 34 Sala 402 - Tel. 268-7052 - Rio - RJ

ALA MELHOR NÃO
ALA ME ENGANA QUE EU GOSTO
CARRO DA ÁFRICA (ATABAQUES)
ALA DO SUFOCO
ALA COMIGO NINGUÉM PODE
CARRO DO QUILOMBO
ALA DOS DESQUITADOS
QUADRIPÉS DAS TRÊS RAÇAS - RUBINHO, MÁRCIA, MARCOS, CARLOS FERNANDES
ALA SOL E MAR
ALA DA GALERA
ALA AQUELE ALGO MAIS
ALA DA IMPRENSA
QUADRIPÉ MERCADOR nº 1
ALA UNIDOS POR ACASO
ALA MINA FLOR
QUADRIPÉ MERCADOR nº 2
ALA DIFÍCIL É O NOME
ALA DOS GAVIÕES
ALA BANDO DA LUA
ALA FEITIÇO DA VILA
CARRO DA FESTA DO DIVINO (BRANCO)
ALA COM BRONCA NINGUÉM NOS VENCE
MESTRE-SALA/PORTA-BANDEIRA (MIRIM)
ALA DA AMIZADE
CARRO REI DO MARACATU (LARANJA C/RENDA)
ALA URUSSAMBA
CARRO DO MARACATU (ELEFANTES)
ALA MELHOR NÃO
GRUPO IBSEM
GRUPO DO CARIBÉ

Libreto de 1988 da escola, com a formação da Unidos de Vila Isabel (pp. 14-15).
Imagem: Departamento Cultural do GRES Unidos de Vila Isabel

15

GREMIO RECREATIVO
ESCOLA DE SAMBA UNIDOS DE VILA ISABEL
Fundado em 4 de Abril de 1946 Considerado de Utilidade Pública pelo Dec. Lei n.º 1343 de 27-6-67
Sede Provisória Administrativa
Rua Visconde de Santa Isabel, 34 Sala 402 - Tel. 268-7052 - Rio - RJ

CARRO DO BUMBA-MEU-BOI
GRUPO QUIMBANDA DE ANGOLA
GRUPO DO ILÊ AYÊ DA BAHIA
GRUPO OJU-YA ONIM
GRUPO ALUMIE AYÔ
2º MESTRE-SALA/PORTA-BANDEIRA
CARRO DO SACERDOTE
GRUPO FILHOS DE DAN
GRUPO FILHOS DE GHANDI
CARRO DA LUA DE LUANDA
ALA DAS BAIANAS DA VILA
QUADRIPÉ DA (CLEMENTINA)
ALA DA VELHA GUARDA
ALA DA FAMÍLIA - VERA FISCHER e PERRY SALES
CARRO DO BANQUETE
GRUPO DA KIZOMBA (EM VOLTA DO CARRO DO BANQUETE)
ALA APARTHEID
QUADRIPÉS DOS LÍDERES NEGROS
QUIZOMBA DE COMPONENTES (ENCONTRO)
MACUIEIE
CAPOEIRA
SHOW ESNOBAÇÃO

político daquele enredo arrastou para Vila Isabel gente vindo de todo lugar do Brasil, de outras escolas, de Angola e outros territórios africanos. Foi o caso do Jongo da Serrinha e do Império do Futuro, a escola de samba mirim do Império Serrano, que deixaram de desfilar na sua própria escola, que viria logo depois da Vila, para honrar seu compromisso com a negritude.

E quando a sirene soou e os portões se abriram, aquele carnaval já era nosso. A Vila já entrou campeã. Paulo Brazão, que era nosso Soba, e os guerreiros da Comissão de Frente abriram passagem para a avalanche de emoção que tomaria conta de todos que participaram e assistiam. As pessoas choravam de emoção. *Ruça* achou que tinha acabado com a escola; demorou a entender que o choro era de emoção. As pessoas estavam emocionadas, como muitos disseram; estavam possuídas, estavam levitando, desfilando sob nuvens. Muita gente nem se lembra direito de como foi o desfile, pois a adrenalina tomou conta de todos. O encanto estava ali diante de todos, a negritude, a liberdade e a democracia estavam sendo celebrados e festejados.

O povo que compõe mais da metade da população desse país, que chegou aqui sequestrado, acorrentado, escravizado, estava proporcionando ao Brasil um espetáculo completo e absoluto falando sobre a felicidade de ser negro e de ser livre, de resistir com arte e bravura às mazelas da colonização. Se pensarmos que, há pouco mais de cem anos, bem próximo da onde hoje está a Passarela do Samba, se encontrava o Cais do Valongo, o porto que recebeu aproximadamente um milhão de africanos escravizados em quase quarenta anos e que foi a principal porta de entrada dessas pessoas cativas no Brasil e em toda a América Latina, a *Kizomba* impressiona ainda mais. Os mercados de escravizados, o cemitério dos pretos novos, as casas de engordas, locais de castigos públicos, tudo isso aconteceu nas regiões portuária e central do Rio de Janeiro. Estas foram palco de inúmeras violências e atrocidades vividas pela população negra desta cidade, não só no período colonial, como também na República – e assim segue.

Mas se o grito forte dos Palmares corre terra, céus e mares, ele também corre através do tempo e segue ecoando por gerações até chegar a 1988. É preciso lembrar que as pessoas que estavam ali celebrando a vida e ressignificando aquele território eram bisnetos, netos e filhos de sobreviventes da escravidão, sobreviventes do genocídio físico e epistemológico de milhares de pessoas que foram sequestradas de suas casas e de suas vidas. E que mesmo com todo o racismo – que continua sendo o principal pilar que mantém de pé essa nação chamada Brasil –, esse povo criou praticamente tudo que se entende por cultura brasileira hoje. No caso do Rio de Janeiro, essas pessoas fundaram instituições que já começaram a completar seus centenários, muitas gerações se criaram e só existiram por causa da escola de samba. Um desfile é algo absolutamente magnânimo, estão ali presentes uma obra literária, uma obra musical, *performance* teatral, dança, cenografia, efeitos visuais e tudo isso se sucedendo com um tempo delimitado. Um espetáculo com mais ou menos três mil componentes, montado e desmontado todos os anos, e executado em aproximadamente nove meses. É necessário muito conhecimento artístico e tecnológico para fazer isso acontecer.

Como já foi dito aqui, naquele ano tudo deu certo, as fantasias simples e as alegorias, que não eram imensas, permitiram que a escola evoluísse sem limitações. No quesito evolução, é julgado o posicionamento da escola na pista, se vai ter buraco ou não, se os componentes estão dançando, se as alas estão bem posicionadas. Em suma, é a ocupação que a escola faz do espaço. Uma personagem fundamental para esse quesito foi Filomena, responsável pela ala das Baianinhas, que formou família dentro da Vila, seu filho desfilou na ala da bateria mirim. Foi ela a grande artífice do icônico carro da comida. Cozinheira de mão cheia, Filó levou seu tempero e muita fartura para a avenida. O carro contava com uma panela de feijoada, cabrito assado, leitão assado, 120 frangos assados, peixes, vatapá, bobó de camarão, caruru, muitas frutas, cocada, pé de moleque, doce de abóbora com coco, manjar, isso sem falar nos garrafões de vinho e nos dois barris de chope:

> *Eu ia lá na frente com a ala, a ala seguia em frente e eu voltava atrás. Aí fazia assim pra ele: tá na hora, aí tirava assim (a comida) e jogava pra plateia. Ele ia pegava assim com um guardanapo*

Carro do Banquete, última alegoria do desfile.

Foto: Ricardo Leoni / O Globo *(17/02/1988)*

Fotos de Paulo Nicolella e Tasso Marcelo

Filomena Silva

Baianinha faz a festa em ala pobre da Vila

Quem a vê assim sambando não sabe nada da baianinha Filomena. Dona do *buffet* Silva, Filomena Martins Silva, 38 anos, é uma escrava da cozinha. Nem no dia do desfile de sua escola, a Vila Isabel, sua rotina diária foi alterada. Filomena foi escalada para preparar as comidas que enfeitaram um carro alegórico.

— Dizem que a escravatura acabou. Pode ser que o negro de tronco não exista mais. Só que o preconceito não morreu. Por mais que a gente trabalhe, não sobe na vida, *tá* sempre por baixo — queixa-se, comparando sua dura realidade com o enredo da Vila Isabel este ano, sobre a abolição da escravatura.

Mas, na avenida, a história é outra. Um pouco de purpurina no rosto, uma fantasia bem fresquinha para sambar à vontade e a cozinheira se transforma na baianinha mais sorridente e animada de sua ala, formada por moradoras do Morro dos Macacos, em Vila Isabel. Com o alto preço das fantasias, os integrantes originais das escolas de samba — gente humilde dos subúrbios e morros — acabaram confinados em alas como a da bateria e das baianas, onde todos os gastos são financiados pela diretoria.

— A escola dá força para a gente porque nós somos da comunidade e trabalhamos o ano inteiro para ver o brilho do carnaval. É a gente que traz o samba no pé, é a gente que canta o samba na avenida, é a gente que garante a empolgação — explica Filomena, que por uma questão de vaidade prefere a ala das baianinhas: "Não tem muita opção, mas ficar entre as baianas velhas, nem morta."

Foi num ensaio da Vila que Filomena conheceu seu marido, há 20 anos. Nunca mais deixou de desfilar e, hoje, até os filhos do casal saem na escola. Para ela, a emoção de pisar a avenida é "a melhor coisa da vida".

— A gente se sente grande, importante.

Filomena Silva, diretora da ala das Baianinhas no desfile vitorioso de 1988.

Imagem: Jornal do Brasil, *17/02/1988 (Acervo Vila Cultural)*

e jogava assim o frango pra plateia, rasgava e via que era de verdade, aí que gritava "vai, Vila Isabel! Vai, Vila Isabel!'.[114]

Evolução e harmonia foram as marcas da Vila Isabel naquela noite. Com a obra de Luiz Carlos da Vila, Jonas e Rodolpho de Souza, após tantos e tantos ensaios, a comunidade cantou demais e *Jaiminho*, Mestre Mug e Gera garantiram o andamento perfeito do desfile. O casamento entre canto, bateria, cordas e componentes garantiria notas importantes mais tarde. A verdade é que os gritos de "*É campeã!*" começaram a ser ouvidos antes mesmo de a escola deixar a avenida: para o povo, já era evidente quem levaria o campeonato. Nas barraquinhas que ficam do lado de fora, logo depois da dispersão, Mestre Trambique se lembra que todos já tinham certeza e o parabenizavam pelo emocionante desfile. Segundo suas próprias palavras:

Já estava vindo embora pra casa sentindo: eu fui campeão... Esse aí foi o melhor dia da minha vida![115]

Enquanto a escola passava, a grande mente desenvolvedora do enredo tão somente observava. Martinho via com calma a magia acontecer, um sonho que ele pôs no papel e veio a ser sonhado por milhares de pessoas. A *Kizomba* havia se tornado realidade, a festa da raça aconteceu de maneira magistral e, a partir de então, a Vila Isabel seria conhecida para sempre por esse desfile. E faltava só mais um coisa para fazer daquela história um roteiro perfeito: a consagração do campeonato!

---

114 Entrevista prestada por Filomena Silva, a *Filó*, ao Departamento Cultural da Vila Isabel em 22/12/2017.

115 Entrevista prestada por Mestre Trambique ao Departamento Cultural da Vila Isabel em 26/08/2015.

Mestre Trambique, testemunha ocular do vitorioso cortejo de 1988.
Foto: Nathalia Sarro

4. A *Kizomba* é um roteiro perfeito

Com história digna de filme e que não à toa virou documentário, a *Kizomba* possui todos os elementos de uma narrativa perfeita. Emoção, drama, superação, a chegada ao ápice e o desfecho que transformaria em lenda um dos maiores espetáculos do século XX. A Vila levou cinco *Estandartes de Ouro* (melhor escola, melhor samba, melhor enredo, melhor bateria, melhor ala mirim), sem contar os prêmios de votação popular promovidos pela jornal *O Dia*. Dali em diante, era esperar a quarta-feira de cinzas para que a agremiação fosse consagrada por seu desfile homérico. Pois assim foi: no Maracanãzinho, a presidente *Ruça* pôde respirar com alivio e emoção. O carnaval desacreditado, sem luxo, sem brilho, a escola que estava sem quadra e ensaiou na rua havia alcançado pelas mãos de sua comunidade o título. A Vila Isabel foi campeã no centenário da abolição da escravidão, fazendo a *Festa da Raça* com seu cortejo.

Mesmo com a disputa acirrada com a coirmã Mangueira, não teve jeito: o caneco era do povo do samba. E, a partir daí, o *Boulevard* 28 de Setembro virou uma mar de gente, o Morro dos Macacos festejou durante três dias, dizem. *Ruça* recebeu cumprimentos do país e do mundo, todos queriam parabenizar a presidente mulher que se sentiu vitoriosa principalmente por ter colocado na avenida um carnaval construído em coletivo. Todos aguardaram o desfile das campeãs, já diz o samba de quadra: é o morro no asfalto duas vezes, uma pra ser campeão e a outra pra comemorar. Esse dia, porém, não chegou: no sábado das campeãs, um temporal desabou sobre o Rio de Janeiro, a chuva forte impossibilitou que o evento ocorresse. Em Vila Isabel, vários deslizamentos causaram tragédias na comunidade dos Macacos; foi um dia bastante triste.

E com isso, a lenda se estabeleceu de uma vez por todas: *Kizomba, a Festa da Raça*, tornou-se o carnaval que passou pela avenida uma única vez. A magia teve início e fim em uma única noite, o encantado se manifestou naquele momento ofertando aquelas pessoa uma única oportunidade de ter contato com o inexplicável. E a celebre frase surgiu:

Quem viu, viu. Quem não viu, não vai ver mais!

08

MESTRE-SALA & PORTA-BANDEIRA

**A NOSSA BANDEIRA
PARECE QUE TEM MAIS COR
A NOSSA CANÇÃO TEM MAIS
POESIA E MAIS AMOR**

Theresinha de Jesus Cardoso, porta-bandeira da Velha Guarda da Vila.
Foto: acervo pessoal da bailarina

Do alto de seus 92 anos, D. Theresinha de Jesus Cardoso, que há largo tempo vem ocupando o honroso posto de porta-bandeira da Velha Guarda do GRES Unidos de Vila Isabel, conversou carinhosamente com a nossa equipe na residência da cineasta Nathalia Sarro, quase às vésperas de concluirmos esta viagem pelos meandros da "*Kizomba, festa da raça*"[116]. Ela compartilhou conosco lembranças felizes de seu nobre ofício na escola e também nos abriu o coração, desvelando alguns segredos bem íntimos da relevante tarefa que cumpriu nas fileiras da agremiação branca e azul da terra de Noel.

Entre várias revelações comoventes confidenciadas por Theresinha, uma calou mais fundo nos entrevistadores. A traquejada porta-estandarte não hesitou em confessar que, ao longo de sua vida, um medo terrível sempre a assombrou: o terrível risco de que, por causa de um breve momento de desequilíbrio ou desatenção, viesse a escorregar e deixasse a bandeira estrelada da Vila cair no chão, o que a mataria de vergonha e desolação. Caso isso um dia acontecesse, sem dúvida, seria a ruína da abnegada bailarina, cuja função maior não poderia ser outra que não proteger com a sua arte e destreza o pavilhão sagrado da escola.

---

116 Depoimento prestado por Theresinha de Jesus Cardoso a Nathalia Sarro e Thiago Mendes em 05/08/2023.

O temor profundo de Theresinha é bem compreensível e remete-nos de imediato à simbologia do casal de mestre-sala e porta-bandeira, cuja dança promove "a energização do território de uma comunidade", conforme certa vez enunciou a Profª Helena Theodoro. Essa energia, o mais das vezes, atravessa gerações e cria uma cadeia poderosa, como é o caso de Vilma Nascimento, conhecida como o "*Cisne da Passarela*", que, além de brilhar na Portela e na Tradição, arrebatando cinco troféus *Estandarte de Ouro* ao longo da carreira, ainda teve o grato orgulho de ver a filha Danielle Nascimento empunhar o manto azul & branco da Portela em 2009, mantendo o DNA da família, que hoje se estende à neta e à bisneta.

1. As lendas das coirmãs e o legado da nação branca & azul

Vilma foi contemporânea de outra lenda do bailado, a saudosa Neide Gomes Santana, porta-estandarte da Estação Primeira de Mangueira, que, criada numa travessa do "Buraco Quente", bem próximo à quadra da escola, se incorporou à nação verde & rosa aos dez anos, desfilando quase anônima em uma ala da agremiação. Em 1954, Neide assumiu o posto de porta-bandeira, no qual brilhou até 1980, exibindo sua arte ao lado de notáveis mestres-salas, entre eles o mítico Delegado, Roxinho e Élcio PV. Segundo anotou o cronista Aydano Motta, um passo da bailarina, em especial, seduzia o público: "ela girava algumas vezes e, de repente, quicava num salto elegante, encenando um pequeno voo em plena pista".

Nas décadas de 1960 e 70, Vilma e Neide travaram uma disputa à parte pelo título de melhor bailarina das escolas do Rio. Assim como a rival da Portela, a mangueirense também se saiu muito bem, ganhando cinco vezes seguidas o troféu *Estandarte de Ouro*, de 1972 a 1976. Infelizmente, Neide morreu cedo, em 1980, com apenas quarenta anos de vida, vítima de câncer, sendo sucedida por Mocinha, outra lenda da Estação Primeira, que desfilara como segunda porta-bandeira por 25 anos e manteve o pavilhão verde & rosa bem alto, com direito a três *Estandartes* no currículo.

Com seu bailado, as três marcaram época no cortejo, no qual brilhavam igualmente, naquelas décadas de afirmação do samba entre os "anos dourados" de JK e Jango e os "anos de chumbo" da ditadura, as grandes passistas do desfile, entre elas a inesquecível Paula da Silva Campos, conhecida no reino da folia pelo epíteto de *Paula do Salgueiro*. Em sua fértil carreira, além de integrar o corpo de baile de Mercedes Baptista e atuar no Teatro Folclórico Brasileiro, de Solano Trindade (com quem viajou pela Europa), Paula se tornou um ícone das passistas do cortejo, chamadas até então de "pastoras" ou "cabrochas". Admirada por sua arte e beleza, ela tornou-se ainda modelo da Escola Nacional de Belas Artes, sendo, inclusive, imortalizada nas telas do pintor Di Cavalcanti. Não por acaso, o carnavalesco Fernando Pamplona declarou que "sem ela a Acadêmicos do Salgueiro estaria incompleta", ao passo que Mestre Nei Lopes e seu parceiro Dauro do Salgueiro, outros dois salgueirenses ilustres, trataram de enaltecê-la assinando um samba cheio de enlevo e malemolência:

Paula é uma das poucas
Que ainda nos deixam
Com água na boca
No bom miudinho
No machucadinho
No dengo, meu bem

Passistas e porta-estandartes, assim como as veneráveis *baianas* da folia, vieram a contribuir para o empoderamento da figura feminina no universo essencialmente patriarcal das escolas de samba. Todas elas foram decisivas para a paulatina superação desse ranço do atrasado país da casa-grande & senzala, mas não resta dúvida de que as guardiãs do sagrado pavilhão merecem um destaque especial nesse processo, registrando uma extensa galeria de personagens dignas do carinho e da admiração dos foliões e foliãs, todas ainda bastante vivas no imaginário coletivo popular.

Em cada escola, há verdadeiras linhagens de bailarinas cruzando o tempo desde o século passado até este jovem século XXI. Que o digam os integrantes da família portelense e da nação verde & rosa. No caso da Portela, antes mesmo de Vilma, já luzia na pista uma certa Maria das Dores Alves Rodrigues, a admirável *Dodô da Portela* (1920-2015), cuja arte encantou várias gerações de foliões desde a Praça XI até a Av. Marquês de Sapucaí. Ela desfilou 21 vezes como porta-bandeira da águia azul & branca de Oswaldo Cruz e Madureira, período no qual obteve onze títulos no Grupo Especial do carnaval carioca.

Na Mangueira, fazendo jus à herança de Neide e Mocinha, brilhou na última década a bailarina Squel Jorgea, que desfilou pela verde & rosa de 2014 a 2022, sendo campeã em 2016, ao lado de Raphael Rodrigues, no belo desfile dedicado a "*Maria Bethânia: A Menina dos Olhos de Oyá*", e também em 2019, com Matheus Oliverio, no contundente enredo "*História para ninar gente grande*". As exibições de gala da artista, aliás, já lhe renderam, merecidamente, a conquista de dois *Estandartes de Ouro* (em 2015 e 2019).

A copiosa lista de sublimes guardiãs dos pavilhões não poderia elidir, decerto, outras figuras de destaque nas últimas décadas. Entre elas, citemos a saudosa Maria Helena (1945-2022), que brilhou com o filho Chiquinho na Imperatriz, arrebatando três *Estandartes de Ouro*; Lucinha Nobre, detentora de seis troféus *Estandarte de Ouro* pela Mocidade, Unidos da Tijuca e Portela; Marcella Alves, que já arrebatou quatro estandartes neste século na Mangueira e no Salgueiro; e Selminha Sorriso, um ícone da Beija-Flor, agraciada seis vezes desde 1992 (o primeiro troféu pela Estácio de Sá e os demais pela escola de Nilópolis).

É claro que a Vila Isabel não poderia estar ausente desse cenário triunfal. Na década passada, por exemplo, cintilaram com o vistoso pavilhão branco e azul na Passarela do Samba bailarinas do porte de Rute Alves, agraciada com o *Estandarte de Ouro* em 2010 e 2012, e Giovanna Justo, premiada com o troféu em 2014. Rute, em especial, formou com Raphael Rodrigues (de 2005 a 2007) e Julinho Nascimento (de 2008 a 2013) dois vitoriosos casais da agremiação, os quais ajudaram – e muito! – a escola a sagrar-se campeã do Grupo Especial em 2006 (ano do bicampeonato com o empolgante "*Soy loco por ti, América: a Vila canta a latinidade*") e em 2013 (ano do tri, com "*A Vila canta o Brasil, celeiro do mundo – Água no feijão que chegou mais um*").

Os mestres-salas da Vila, por sua vez, também têm reluzido desde o século passado, como atesta o inspirado Carlinhos Brilhante, que escoltou Mariazinha na gloriosa *Kizomba* em 1988 e quatro anos depois, em 1992, arrebatou um *Estandarte* para a escola. Depois de Carlinhos, quem voltou a conquistar o prêmio foi Raphael Rodrigues, em 2007, e o já citado Julinho Nascimento, que, somente pela Vila, foi agraciado com quatro troféus consecutivos entre 2009 e 2012. Já em 2016, seria a vez de Phelipe Lemos, outro mestre-sala de ouro da escola da terra de Noel.

2. A primeira porta-bandeira: Raquel e seu legado branco e azul

Nascida em Vila Isabel, criada em Niterói, Raquel Ramos dos Santos foi quem girou pela primeira vez o pavilhão branco e azul da Vila Isabel em um carnaval. Dona Raquel, que desde moça gostava da folia, ainda em Niterói brincava com a Surdina do Viradouro, que viria mais tarde a dar origem à Unidos do Viradouro. De volta ao bairro, Raquel e sua mãe habitaram diversas localidades do complexo do Morro dos Macacos, que à época se encontrava nos seus primeiros anos de ocupação. Passaram pelo "Terreirinho", "Caminho do alto", Rua Conselheiro Otaviano e "Caminho central".

Raquel conta em depoimento que saía em blocos de sujo da região, e que Cirene presidia um bloco chamado "Deixa Falar", que tinhas as cores verde e rosa. Foi quando conheceu Chaguinha, que, segundo ela, dançava muito bem como mestre-sala e a iniciou no bailado. Onde hoje está o Supermercado Extra Boulevard, no final do *Boulevard* 28 de Setembro, existia um circo que convidava os blocos a se apresentarem, e foi lá onde ela deu início à sua honrosa função. O bloco Amarelinho não deixava, nas palavras de Raquel, "ninguém chegar", relatando um cenário de brigas e desavenças entre os blocos locais. Foi o que a motivou, junto com os colegas, a tentar sair em uma escola de samba. A primeira tentativa foi no Paraíso da Rosas,

Raquel Ramos dos Santos, a porta-bandeira pioneira da Unidos de Vila Isabel.
Imagem: Departamento Cultural do GRES Unidos de Vila Isabel

que ficava na "Tendinha", mas foi impedida de desfilar por ser menor de idade, ainda que já trabalhasse na Fábrica Confiança, a famosa fábrica dos "Três apitos" cantada por Noel Rosa.

Muito bem relacionada e determinada, Raquel e seus colegas, juntamente com *Seu* China e sua turma, finalmente fundaram o Grêmio Recreativo Escola de Samba Unidos de Vila Isabel, em 04 de abril de 1946. Uma escola criada no morro por homens e mulheres pretas, trabalhadores e trabalhadoras brasileiras, descendentes de africanos que se organizaram pelo direito de existir, de viver, de se divertir, de se expressar, de promover sua arte e sua cultura.

O pavilhão da Vila foi empunhado pela primeira vez por essa mulher, que narra, com o devido orgulho, a sua trajetória de luta pelo direito ao lazer, a brincar e se organizar. Se, neste país, a vida de pessoas como Dona Raquel se tornou um inevitável destino de dor, sofrimento e trabalhos subalternos, por meio do Samba ela subverteu essa realidade e se organizou com os seus, tomando as rédeas de seu destino, nos deixando como herança o legado da sua bandeira.

> *Falei pra eles: "Ah, vamos fundar uma escola de samba!", que foi onde eu botei Unidos de Vila Isabel, a cor, tudo eu. Aí falei com Seu China, e ele falou: "Será?" Eu digo: "É, vamos sim, vamos sim". "Eu quero só ver, Raquel, você vai arrumar confusão". Eu digo: "Que nada, Seu China, pega todo mundo daqui mesmo". Só que o pessoal daqui tinha uma mania: ninguém quase se dava com as meninas lá do Petrocochino, só eu. Eu ia pra lá, chegava lá, ficava conversando e sempre saia uma briguinha, bobagem de mocinha, né?! Porque menina de lá não podia namorar menino do Caminho Central (...) Sempre com essas bobagens. E eu falei: "Não, a gente vai ter uma escola de samba, nós vamos ter todo mundo unido, como é que pode com esse pinguinho de gente daqui de cima? Não dá". Aí Seu China: "Ah, Raquel, se arranja lá e depois você fala comigo". Aí eu arranjei tudo, e o primeiro diretor de bateria, que pra mim foi excelente, da Vila Isabel,*

apesar de eu não me dar com ele, por causa de bobagem, né? (...) O Osmar, excelente! Que o irmão dele era diretor de bateria lá do Floresta do Andaraí.[117]

A dimensão política organizacional das escolas de samba foi um fator crucial, que fez com que trajetórias, como as de Dona Raquel e tantas mais, atravessassem décadas e chegassem à *Kizomba* e aos dias atuais. Ela ensejou a superação das dificuldades, a mediação de desavenças e a união por laços de amizade que se estreitam, criando um novo sentido de família e comunidade, pelo direito à cultura, à sua cultura. Produzir, se reconhecer, se identificar com seus pares, em seu próprio território. Tomar para si o direito à humanidade, por séculos negado às populações negras do Brasil.

> *Então a gente entrava na esquina da Barão de São Francisco com a Senador Nabuco, ali que era o nosso comício. O dos outros já era na casa do Seu China, né? Era de noite, porta fechada, e a gente não podia entrar, a gente fazia o nosso ali (...). Primeiro ano que a Vila saiu eu falei: "Olha, é melhor fazer assim, o paletó azul de bolsinho branco, fica bonitinho, e uma calça branca". Chovia pra chuchu... O primeiro ano que a Vila saiu, onze mulheres só (...) Naquela época, não é que nem agora, pontos né? Só tinha que passar. Eu passei bem contente, chuva pra chuchu, a bandeira me cobrindo toda... E eu falei: "Tá tudo bom assim mesmo, vambora!" Quando saímos de lá: "Vamos bater palma pra gente mesmo!" A gente batia palma e assim foi.*[118]

Os primeiros ensaios da Vila aconteceram no terreno cedido por *Seu* Rosa, que foi capinado pelos integrantes da então pequena escola. A porta-bandeira

---

117 Entrevista prestada por Rachel Ramos dos Santos ao Departamento Cultural da Vila Isabel em agosto de 2011.

118 Rachel Ramos dos Santos, entrevista citada, Agosto de 2011

participava ativamente das tomadas de decisão, assim como dos sambas de terreiro, acompanhada de amigas como Anália, de quem viu os filhos pequenos, Martinho Antônio, Analimar e Mart'nalia. Aos poucos as coisas foram caminhando, primeiro com a chegada de luz elétrica ao terreno, e depois em locais maiores, à medida que a escola ia crescendo. Havia muita gente envolvida no processo. O querido Paulo Brazão, um dos maiores compositores da escola, sua irmã Dulcineia, Birica, Alfredo, que atendia pela alcunha de *Estrelinha*, Alfredo Grosso, que também era compositor, mas não aparecia muito, só mandava os sambas. Dona Clarentina, esposa de *Seu* China, e Dona Jardelina também eram dirigentes, além, é claro, de *Tião Arroz*, que dançava com Dona Raquel como primeiro mestre-sala, e Jandira, 2ª porta-bandeira.

Era na lavanderia de Dona Ester, localizada quase na esquina da Rua Torres Homem com a Barão de São Francisco, onde todos se vestiam e faziam os últimos preparativos antes do desfile. Se houvesse qualquer problema com a roupa da porta-bandeira, a Vila Isabel não saía. Raquel era determinada e enérgica, se apresentava sempre com a responsabilidade e o primor de quem leva o pavilhão da sua escola.

É de absoluta importância tomar conhecimento sobre os personagens fundadores da Vila Isabel e das escolas de samba de uma forma geral. No caso dos relatos de Dona Raquel, é possível compreender que o sentido da Kizomba sempre se fez presente nessa comunidade. Uma festa de confraternização em celebração da vida, de que todos participam contribuindo para um bem maior, com ideal de união. A nossa bandeira com certeza tem mais cor, e a primeira foi concebida pelas mãos de Raquel Ramos, nascida em Vila Isabel, cria do Morro dos Macacos, mulher preta que foi feliz, criou os seus e nos deixou de herança o amor pelo nosso pavilhão.

Quando perguntada sobre quem é Dona Raquel, ela responde e nos deixa de inspiração a seguinte mensagem:

> *Eu me acho uma criatura ótima! Fui uma boa porta-bandeira, nunca deixei a minha escola em falta. Eu me acho boa, realizada em tudo. A única coisa que eu não pude realizar, que*

eu tinha vontade de sair na bateria, mas pegava o tamborim e não dava certo.[119]

É uma mensagem absolutamente potente! Ouvir uma mulher falar sobre realização, sem que isso esteja, necessariamente, ligado às funções determinadas ao seu gênero e às mulheres pretas daquele tempo, revela alguns dos valores e fundamentos que realçam as cores do manto da nossa escola. Realização, no campo político da existência, de uma pessoa que se organizou em coletivo, apesar dos incontáveis obstáculos, para viver seus sonhos e gozar dos prazeres da vida.

É disso também que falamos quando trazemos valores de ancestralidade, dessa força, dessa gana de viver, capaz de criar uma instituição que, por mais de sete décadas, segue transformando vidas dentro daquela comunidade. Quando entendemos a força e a importância desse legado, torna-se muito mais fácil caminhar para o futuro, para o futuro que respeita e acolhe nossa história, direcionando-se de forma respeitosa para novos caminhos até chegarmos a uma *Kizomba*.

3. As lembranças de Birinha, 2º mestre-sala da *Kizomba*

Cria de Vila Isabel, o segundo mestre-sala Ubiraci Monteiro da Silva, o *Birinha*, quase nasceu, literalmente, dentro da Vila Isabel. Ele anunciou sua chegada ao mundo enquanto sua mãe estava ensaiando na quadra da agremiação. Filho de Clarimundo Vieira Monteiro, o saudoso Mulato, grande diretor de harmonia da escola, e Regina Pereira da Silva, que por muitos anos foi baiana da Vila, desde cedo ele viveu sob as bênçãos da nação branca e azul. Sua chegada ao posto de mestre-sala se deu por meio de um concurso que aconteceu quando ele ainda era criança, mas Bira, que sempre foi afeiçoado

119 *Idem, ibidem.*

ao batuque, tinha mais interesse pela bateria e já era até integrante da bateria mirim, fundada por Mestre Trambique em 1981. Ele recorda com carinho sua iniciação na Vila:

> *Eu tinha um irmão, que até hoje me faz muita falta, o nome dele era Marco Aurélio ou "Corelha", que foi diretor de bateria da Vila Isabel, melhor repique do carnaval, escola nenhuma foi igual. Tinha de 10 a 12 anos. O meu irmão dançava com a minha irmã Cláudia, eles fizeram o par de mestre-sala mirim da Vila Isabel, mesmo ele tirando uma casquinha na bateria. Resolveram parar do nada e já estavam com a ideia de me colocarem como mestre-sala, mesmo sem porta-bandeira ainda. Até que fizeram um concurso para mestre sala-mirim no América, mesmo gostando de bateria. Junto com o meu primo Rodolfim, filho do saudoso Rodolpho de Souza, que é meu padrinho. Meu primo Godô, junto com meu irmão, me chamaram pra dançar no concurso, mas estava sem a minha porta-bandeira... Até que chamaram a Tuca, minha parceira, madrinha do meu filho mais velho Matheus, uma irmã pra mim.*[120]

A experiência seria um acontecimento crucial na vida de *Birinha*. Ele lembra que o casal começou a ensaiar na casa de seus pais, lá no Morro do Pau da Bandeira, com o cabo de vassoura, seguindo as dicas dadas pelos irmãos. Na época, Ubiraci ainda não estava plenamente convencido de assumir a função que o primo e o irmão lhe queriam ensinar, uma resolução que só viria a ser abraçada após a morte do pai, depois da vitoriosa *Kizomba*, quando Mulato fez sua passagem para o espaço sideral:

> *Meu pai desfilou comigo. Eu ainda estava na tese de continuar ou não... Meu pai veio a falecer. No dia no enterro dele, cheguei*

---

120 Depoimento prestado por Ubiraci da Silva Monteiro, o *Birinha*, ao Departamento Cultural da Unidos de Vila Isabel, na quadra da agremiação, em 25/09/2015.

perto e falei: "- Não queria ser mestre-sala não, mas vou ser por causa de você, porque eu via você puxando minha orelha, mandando eu dançar. E tem mais um detalhe: vou ganhar o Estandarte de Ouro pro Senhor, você pode acreditar nisso." Com isso, continuei dançando.[121]

É curioso pensar que Bira um dia tenha tido dúvidas sobre sua arte no bailado, porque ele e Tereza Cristina Garcia, a Tuca, formaram um casal que era a cara da comunidade. A estreia como primeiro mestre-sala se deu em 1995, com Marcinha, e não com *Tuca*, que continuou como 2ª porta-bandeira. O esforço valeu a pena, porque o novo casal conseguiu ganhar a nota máxima, somando 50 pontos dos jurados. Dois anos depois, finalmente na companhia de *Tuca*, em 1997 (ano em que também nasceu seu filho Matheus, um dos diretores de bateria da Vila), o casal obteve a honraria máxima do carnaval: os dois foram premiados com o *Estandarte de Ouro* de melhor mestre-sala e melhor porta bandeira daquele ano.

Birinha deixou a Vila Isabel em 2000. Desgastados, ele e *Tuca* se afastaram da branco e azul, rebaixada naquele desfile, que enfrentou muitas dificuldades. A pedido de *Bocão*, diretor da escola, ele voltaria para a Vila; mais tarde, quando deixou de vez o bailado, integrou a *Swingueira de Noel*, voltando ao segmento em que começara sua história na Herdeiros da Vila, para tocar o seu querido tarol. Ainda assim, não há como esquecer a gloriosa *Kizomba*, cortejo que ele evoca com raro orgulho e emoção:

Um carnaval que, graças a Deus, tive oportunidade de participar (como 2º mestre-sala). Um dos melhores carnavais que a Vila Isabel fez, que até hoje está marcado na memória. Nós vamos morrer e a ***Kizomba*** *vai ficar na memória dos que estão chegando agora.*[122]

---

121 Depoimento concedido por Birinha ao Departamento Cultural da Vila Isabel em 25/09/2015.

122 Birinha, depoimento citado,

Birinha e Carlinhos Brilhante

Imagem: Departamento Cultural do GRES Unidos de Vila Isabel

Tereza Cristina Garcia, Tuca

Imagem: Departamento Cultural do GRES Unidos de Vila Isabel

4. Carlinhos Brilhante e Mariazinha: o casal mais que energizado da *Kizomba*

A responsabilidade do primeiro casal é imensa, a verdade é que a presença do pavilhão determina a representação de toda a escola. Portanto, apresentar o símbolo máximo de uma instituição, que simboliza milhares de pessoas, não é função simples. Mas Carlinhos Brilhante e Mariazinha conseguiram fazer isso com garbo, elegância, leveza e muita garra. A *Kizomba* foi o ano dos ineditismos. Ano de estreia do casal, que levou nota máxima dos jurados e contribuiu diretamente para a gloriosa vitória. Em um depoimento concedido à equipe do documentário produzido pelo Departamento Cultural da Vila Isabel sobre o desfile, Carlinhos relata os detalhes e a beleza de sua arte:

> *Nós estamos cortejando praticamente a comunidade, porque o pavilhão é o que está escrito, Unidos de Vila Isabel é a comunidade. O mestre-sala representa a comunidade, então por isso que a gente tem que dançar com carinho, e a porta-bandeira é a primeira dama, então a gente tem que ter muito cortejo, muita elegância, muito carinho. É como um namoro, você tem que namorar a porta-bandeira (...) Eu já briguei com a minha porta-bandeira, que ela me beliscava, ela tinha quase um metro e oitenta (...), mas nós conseguimos conquistar muita coisa na elegância.*
>
> *Observa muito bem a dança do casal de mestre-sala e porta-bandeira, não tem mais aquela elegância, o cortejo. Gente, não adianta, tem de cortejar a porta-bandeira, porque na frente do jurado, o jurado tem uma cabeça complicada, a gente tem que tirar da gente tudo que temos e entregar pro jurado.*[123]

---

123 Depoimento prestado por Carlinhos Brilhante para o documentário *Kizomba: 30 anos de um grito negro na Sapucaí*, em 16 de janeiro de 2018.

Ao cortejar Mariazinha, o mestre-sala reverenciava toda a escola presente na avenida, apresentava a todos os espectadores uma Vila Isabel que desfilava as heranças africanas e o desejo por justiça, liberdade e igualdade racial. O casal honrava o legado de Dª Raquel e *Tião Arroz*, e todos os que tiveram a missão de mostrar ao mundo as cores da nossa escola. Carlinhos e *Birinha* cortejaram suas porta-bandeiras tratando com carinho e respeito toda a história e a comunidade da Vila. O sentimento de desfilar no histórico cortejo é de muito orgulho, afinal os dois passaram pela dificuldade de ensaiar na rua, expostos às intempéries do tempo e às incertezas que a fragilidade financeira significava naquele momento.

> *Saber se iria ser campeão ou não foi surpresa pra gente, a escola dependia da nota do casal (...) A nota do mestre-sala derruba a escola, você sabia disso? Aí bateria, e mestre-sala e porta-bandeira, a decisão era aí. Então é muito peso carregar o pavilhão da Vila Isabel. Olha, para segurar o pavilhão, tem que ter cara da Vila, tem que ter garra, tem que ter muito amor e saber como conduzir um pavilhão. Se eu escolho você, você vai ser minha porta-bandeira com dinheiro ou sem dinheiro, dançar por amor e dar nota!*[124]

Os dois falaram então sobre comprometimento, seja com os fundamentos da dança de mestre-sala e porta-bandeira, seja com suas parceiras e, principalmente, com o pavilhão. Um quesito composto apenas por duas pessoas, cujas fantasias contam parte significativa da história do enredo que a Vila escolheu para aquele ano. Carlinhos e Mariazinha flutuaram com suas plumas brancas no templo do carnaval: ele conduziu, cortejou e defendeu sua dama e sua bandeira com emoção e elegância; e ela coloriu de branco e azul todos que testemunharam seu bailado. O casal negro ergueu o símbolo máximo da escola, e convocou toda a massa a kizombar com giros e saltos, mirando um horizonte de lutas e conquistas.

---

124 Carlinhos Brilhante, depoimento citado, 16/01/2018.

Carlinhos Brilhante e Mariazinha, 1º casal de mestre-sala e porta-bandeira do desfile de 1988.
Fonte: jornal O Globo, *17/02/1988*

09

VELHA-GUARDA & BAIANAS

SANKOFA E SOBAS DA VILA ISABEL

A Velha-Guarda da Unidos de Vila Isabel, declarada Patrimônio Cultural de Natureza Imaterial do Rio de Janeiro pela Câmara dos Vereadores, segundo o Projeto de Lei Nº 1807/2023, de 27/08/23.

Foto: acervo do ritmista Nelson da Motta (1992)

Baianas da Vila Isabel dançando na quadra da agremiação, em 2017.

Foto: documentário **Kizomba**, 30 anos de um grito negro na Sapucaí

A grande paixão
Que foi inspiração
Do um poeta é o enredo
Que emociona a velha-guarda
Lá na comissão de frente
Como a diretoria
Glória a quem trabalha o ano inteiro
Em mutirão
São escultores, são pintores, bordadeiras
São carpinteiros, vidraceiros, costureiras
Figurinista, desenhista e artesão
Gente empenhada em construir a ilusão
E que tem sonhos
Como a velha baiana
Que foi passista
Brincou em ala
Dizem quem foi
Um grande amor de um mestre-sala

(Martinho da Vila, "*Para tudo se acabar na quarta-feira*",
GRES Unidos de Vila Isabel, 1984)

S*ankofa* é uma palavra da língua dos povos *akan* da África Ocidental, especialmente Gana e parte da Costa do Marfim. Trata-se de um ideograma pertencente a um conjunto de símbolos gráficos chamado *adinkra*. Cada *adinkra* possui significados complexos e representa ditados ou fábulas que expressam conceitos filosóficos. *Sankofa* significa voltar a apanhar aquilo que ficou para trás. Sua representação gráfica é a de um pássaro com a cabeça virada para trás. É a sabedoria de aprender com o passado para construir o presente e o futuro.[125]

125 Cf. NASCIMENTO, Elisa Larkin (org.). *Sankofa I - Matrizes Africanas da Cultura Brasileira* - A matriz africana no mundo. São Paulo: Selo Negro Edições, 2008.

Vivemos numa sociedade que, apesar de caminhar para o envelhecimento de sua população, em geral, desvaloriza os mais velhos. O mundo do samba, como em sociedades tradicionais africanas, concebe seus velhos e velhas com respeito e valor. Maria Nazareth Fonseca (2008), sobre a velhice na África, afirma que ser idoso e possuir conhecimento profundo das histórias dos antepassados são elementos que valorizam o indivíduo, aquele que representa o saber da comunidade, o contador, o **griô** ou **griote**, forma feminina do termo[126].

A palavra griô, forma portuguesa do vocábulo francês *griot*[127], cuja etimologia é controversa, teria sua origem no *bamanan*, língua do noroeste da África, antigo império do Mali, e seu significado é o sangue que circula. Os griôs são como trovadores ou menestréis, pessoas sábias por suas experiências, considerados agentes que dão continuidade à cadeia da transmissão oral, fazendo circular os saberes tradicionais.[128]

Integrantes da Velha Guarda e baianas são os griôs e griotes das escolas de samba, valorizados por suas longas experiências de vida e por seu conhecimento do passado. São os guardiões da memória e da tradição das agremiações carnavalescas, personagens importantes na transmissão dos saberes do samba e, segundo Nilton Rodrigues Junior (2009)[129], espelham a conexão ancestral com as gerações anteriores.

---

126 FONSECA, Maria Nazareth Soares. Velho e velhice nas literaturas africanas de língua portuguesa. In: *Literaturas africanas de Língua Portuguesa: Percursos da memória e outros trânsitos*. Belo Horizonte: Veredas e Cenários, 2008.

127 Segundo o *Dicionário Houaiss da Língua Portuguesa* (Rio: Objetiva, 2009, p. 990), o termo francês *griot*, forma oriunda de *guirot*, designava o "poeta, cantor e músico ambulante das áreas sudanesa e guineense" da África.

128 Ver, a respeito: BÂ, Amadou Hampaté. Tradição Viva. In ZERBO-KI, Joseph. *História Geral da África I: Metodologia e Pré-História da África*. Brasília: UNESCO, 2010, p. 183. Texto disponível na seguinte página: http://unesdoc.unesco.org/images/0019/001902/190249por.pdf - Acessado em maio de 2023.

129 RODRIGUES JUNIOR, Nilton. O que faz a velha guarda, Velha Guarda? In: CAVALCANTI, Maria Laura Viveiros de Castro; GONÇALVES, Renata de Sá (org.). *Carnaval em múltiplos planos*. Rio de Janeiro: Aeroplano, 2009, p. 309-339.

1. Velha-Guarda: a nata do samba

A ala da **Velha-Guarda** reúne os bambas e baluartes das escolas de samba, aqueles que dedicaram seus tempos de vida à agremiação e que se destacaram em alguns dos seus setores. Podemos também pensar no conceito de *Velha-Guarda* para nos referir a pessoas que, sem necessariamente fazer parte da referida ala, tanto por sua experiência quanto por sua sabedoria, colaboram para a preservação das memórias e das tradições do samba.

Ao longo do nosso livro, citamos vários personagens da Vila Isabel que se enquadram nesse conceito mais individualizado de Velha-Guarda: *Seu* China, Mug, Dinorah, Trambique, *Ruça*, Carlinhos Brilhante, Martinho e tantos outros. Todos eles despertam na comunidade um sentimento de profundo respeito e admiração.

A Unidos de Vila Isabel, em 1988, na abertura de seu vitorioso desfile, trouxe Paulo Brazão, um dos seus fundadores, representando um Soba, majestosamente sentado em trono azul. A imagem desse grande Velha Guarda é marcante e simboliza a importância que a ancestralidade, a memória, a tradição, a resistência e os mais velhos assumiram naquele acontecimento.

Mário João Lázaro Vicente (2021) informa que os sobas eram chefes locais da sociedade africana do antigo reino do Ndongo, governada por um soberano intitulado Ngola, termo que deu origem a denominação portuguesa para a região de Angola, terras do Ngola. Os sobas prestavam obediência, pagavam tributos e juravam fidelidade ao seu soberano, mas gozavam de autonomia para comandar suas localidades[131]. E desde o início das ofen-

---

130 Expressão utilizada por *Seu* Jair, integrante da Velha-Guarda da Portela, em depoimento a Rodrigues Junior (*idem*).

131 Mário João Lázaro Vicente. Os sobas e a construção de Angola nos séculos XVI e XVII. Dissertação de Mestrado. Faculdade de Ciências Sociais e Humanas. Universidade Nova de Lisboa, Lisboa, 2021. Cf.: https://run.unl.pt/bitstream/10362/118908/1/Disserta%c3%a7%c3%a3o_Mestrado_HIP_Mario%20Vicente.pdf – Acessada em maio de 2023.

sivas portuguesas em Angola, os sobas demonstraram a sua oposição, resistiram, tentando conter o avanço português. As principais manifestações de rebeldia traduziam-se em ataques diretos às forças portuguesas, em acolhimento de escravizados fugidos dos portugueses, em prejuízos ao abastecimento de Luanda. Os sobas também se recusavam a abandonar suas crenças tradicionais para se converter ao cristianismo.[132]

Martinho da Vila gravou um samba em homenagem a Paulo Gomes de Aquino, o **Paulo Brazão**, de autoria de Jorge King, Paulinho da Vila e Nely Miranda:

A noite se enfeitou de alegria
Surgiram mil estrelas lá no céu
Nascia um poeta lá no morro
Um bamba, um menestrel
Sua arte que é tão imensa
Em forma de recompensa
Hoje venho a exaltar
A sua fé que é tão grande
A cada dia se expande
Aumentando o seu valor
Paulo Brazão
É Paulo Gomes de Aquino
Um grande homem com o coração de um menino. [133]

---

132 CARVALHO, Flávia Maria de. Poderes locais angolanos: Ngolas, sobas, tandalas e macotas na dinâmica dos governos ilustrados portugueses da segunda metade do século XVIII. XIV Encontro Regional da ANPUH-Rio Memória e Patrimônio, 2010. O texto está disponível na seguinte página virtual: http://www.encontro2010.rj.anpuh.org/resources/anais/8/1276735352_ARQUIVO_TextoAnpuh2010.pdf

133 O samba foi gravado no LP *Martinho da Vila Isabel*, lançado pela RCA em 1984. Pode ser acessado em https://immub.org/album/martinho-da-vila-isabel

Em 14 de janeiro de 1992, **Paulo Brazão** prestou depoimento ao Museu da Imagem e do Som (MIS), na ação intitulada *Personalidades do Mundo do Samba*[134]. Ele nasceu em 19 de fevereiro de 1925, na Tijuca. Disse que começou no samba com dezessete para dezoito anos, no Deixa Malhar, bloco que desfilava no Largo da Segunda-Feira. Antes de participar da fundação da Unidos de Vila Isabel, Brazão afirmou que também participou da Unidos do Acaú, onde disputou e ganhou dois sambas[135].

Paulo Brazão foi o primeiro compositor da Unidos de Vila Isabel. Em 1947, a escola estreou com o seu samba *Escrava Rainha*. Ao longo do tempo, Brazão compôs quinze ou dezesseis sambas de enredo[136] para a escola. Foi presidente da agremiação e, segundo ele, a pessoa que convenceu Martinho da Vila a deixar a Boca do Mato e passar para a Vila Isabel.

Junto a Paulo Brazão, em seu depoimento ao MIS, participou Tião Graúna, fundador da Ala de Compositores da Unidos de Via Isabel. Segundo Graúna, Brazão era "*o nosso cabedal. É a mola mestra da composição que sempre nos guiou para o caminho e a felicidade da escola*"[137].

Questionado sobre o enredo e o desfile da Vila Isabel de 1988, Paulo Brazão disse aos entrevistadores do MIS que sua escola deveria investir somente em enredos daquela linha, de temas que falassem dos negros, pois isso causava muita vibração nos componentes. Sobre o título do carnaval daquele ano, Brazão disse: "*Quase tive um derrame de novo*".

---

134 Depoimento cadastrado no Museu da Imagem e do Som do Rio de Janeiro sob o código BR MIS RJ DP af VI-00163.

135 A **Unidos do Acaú** localizava-se no bairro do Engenho Novo.

136 Em seu depoimento ao MIS, Paulo Brazão afirma que compôs dezesseis sambas para a Vila. Ricardo Cravo Albin, em seu *Dicionário da Música Popular Brasileira*, registra quinze sambas. Sobre o tema, ver https://dicionariompb.com.br/artista/paulo-brazao/

137 Depoimento cadastrado no Museu da Imagem e do Som do Rio de Janeiro sob o código BR MIS RJ DP af VI-00163.

Nosso velha-guarda Brazão teria lugar certo na ala da Vila em que estão seus griôs e griotes, a **Galeria da Velha-Guarda** da Unidos de Vila Isabel. Ela foi criada, oficialmente, em 15 de agosto de 1964. Para ser integrada ao grupo, a pessoa precisa ter pelo menos 55 anos e trajetória significativa na escola. Os candidatos devem apresentar uma carta que relate sua contribuição pregressa à agremiação, documento que servirá de base para avaliação da pessoa pelo grupo quanto à entrada na ala.

Atualmente, a Galeria da Velha-Guarda possui 65 componentes, sendo 39 mulheres e 26 homens. A mais velha integrante possui 92 anos, Therezinha de Jesus, porta-bandeira da ala. E fazem parte do grupo duas netas de *Seu* China, fundador da escola, Sheila Fernandes da Silveira e Suely Fernandes da Silveira.

Cheila Rangel, atual Diretora da Galeria da Velha-Guarda da Unidos de Vila Isabel, nasceu em 17 de julho de 1951, no bairro de Botafogo. Começou a frequentar a Vila Isabel motivada pelos eventos da tradicional *Casa de Bamba*, na década de 1970. Segundo ela[138], seu coração foi tomando as cores da escola e veio a vontade de desfilar. Estreou na avenida com a Vila em 1982, como passista. Ao longo de sua trajetória na escola, desfilou em carros alegóricos, dirigiu alas comerciais, atuou como diretora social, diretora de eventos especiais, diretora da ala de passistas e integrou o Conselho Fiscal da Herdeiros da Vila.

Cheila faz parte da Velha-Guarda há treze anos e dirige o grupo há sete anos. Ela considera que a ala é uma das mais importantes da escola, pois é o último lugar do sambista na agremiação, o setor em que residem as tradições da Vila Isabel:

> *Nós carregamos muitas responsabilidades, precisamos ser educados, dar atenção a todos, pois somos os exemplos para os mais novos que estão chegando. Tenho um orgulho grande*

---

138 Entrevista de Cheila Rangel concedida a Carlos Fernando Cunha em junho de 2023.

Theresinha de Jesus, porta-bandeira da Galeria da Velha-Guarda da Unidos de Vila Isabel

Foto: Nathália Sarro

quando me chamam de Tia Cheila, pois isso mostra que as pessoas respeitam a mim e a minha história na Vila Isabel.[139]

Cheila Rangel participou como passista do desfile de 1988 da Unidos de Vila Isabel e apresentou suas impressões a nós sobre aquele momento:

> *Vou te falar que, antes do desfile, quando a gente viu as fantasias sendo distribuídas para o pessoal, todos achavam que não daria certo. Era quase tudo de palha, uns pedaços de pano que pareciam retalhos, material mais barato. Teve até gente que não desceu o morro para desfilar. Não tinha brilho e sambista gosta de brilho. Pensei que não daria certo. Mas tínhamos aquele enredo e aquele samba. Quando pisamos na avenida, toda aquela ideia sumiu. Foi um desfile deslumbrante, uma coisa divina, alucinante. O brilho não fez a menor diferença porque o enredo não pedia. O povo da avenida, das arquibancadas todo com a gente. Aquilo foi crescendo e motivando cada vez mais. E saímos de lá com a certeza de que tinha sido um desfile maravilhoso.*[140]

Cheila afirma que o desfile de 1988 foi um divisor de águas para a Vila Isabel e um exemplo para o carnaval e as demais escolas de samba:

> *A Vila ainda era uma escola média, pouco valorizada em relação a Mangueira, Portela, Império Serrano. Aquele desfile mostrou a força da Vila Isabel pra todos. E foi a prova de que o dinheiro não vence tudo. Nós não tínhamos quadra, grana, mas tínhamos garra e o chão da escola. Isso é mais importante do que tudo.*[141]

---

139 Entrevista prestada por Cheila Rangel a Carlos Fernando Cunha em junho de 2023.

140 Cheila Rangel, entrevista citada, junho de 2023.

141 *Idem, ibidem.*

Aladyr Francisco Xavier, ex-diretor da Galeria da Velha-Guarda, em entrevista concedida ao Departamento Cultural do GRES Unidos de Vila Isabel, afirma que ingressou na escola em 1958 e viveu momentos muito felizes, mas que nada se comparava à ***Kizomba***. Segundo ele, um dos trunfos do desfile foi o samba enredo que começou a fazer sucesso e ser cantado pelas pessoas antes do carnaval. Na época, Aladyr organizava uma ala de fantasias e relatou que muitas pessoas passaram a procurar a escola para desfilar em função do samba e do enredo:

> *O [desfile da] Kizomba foi impressionante, era só palha, o samba começou a fluir e vinha muita gente querendo desfilar, a gente fazendo fantasias. A escola passou como um vento. Foi um desfile de se encher de alegria.*[142]

Valorizar e bem tratar seus velhos é tarefa fundamental para as escolas de samba. Porém, percebemos que o envelhecimento pode gerar conflitos em certos segmentos das agremiações, especialmente naqueles em que há a necessidade de rendimento físico e técnico por força dos critérios de julgamento, caso das baterias.

Alcy Pinho Toledo Plaisant, integrante da ala da Velha-Guarda e ex-ritmista da Unidos de Vila Isabel, relevou em seu depoimento para este livro que foi eliminado da bateria, em 2014, por um diretor que resolveu retirar os mais velhos do grupo, alegando que eles estavam antiquados e que não tinham mais vigor e força para suportar o desfile. Isso demonstra que os mais velhos podem ser vítimas de preconceito e exclusão também nas escolas de samba:

> *Aquilo pra mim foi um choque porque foi puro preconceito. Estava bem, tocando como sempre, desfilava em outras escolas e o cara me cortou com esse discurso de renovar a bateria,*

---

142 Entrevista concedida por Aladyr Francisco Xavier ao Departamento Cultural da Unidos de Vila Isabel.

que, segundo ele, estava envelhecida, antiquada. Ensaiei o ano inteiro e logo antes do desfile ele me veio com essa. Quando estava saindo da quadra nesse dia, a Beta, a que foi Presidente da Vila, que sabia da minha história na escola desde 1970, perguntou o que estava acontecendo, expliquei e ela sugeriu que eu pedisse para entrar na Velha-Guarda. E fiz isso. Levei meu currículo pro Aladyr, presidente da ala, e acabou dando certo. Nos primeiros anos dos ensaios na rua, confesso que tinha vergonha de acompanhar o grupo da Velha-Guarda. Porque cai a ficha que a gente envelheceu. Mas isso durou pouco e hoje tenho o maior orgulho de pertencer ao grupo, orgulho da história que tenho na escola de samba do meu coração. [143]

Alcy Plaisant, nascido em Vila Isabel, no ano de 1954, aproximou-se da escola também pela frequência no evento Casa de Bamba. Era sócio da Associação Atlética Vila Isabel e um amigo do clube organizou um grupo de pessoas para desfilar na escola. Fez sua estreia na avenida no início dos anos de 1970 e permaneceu na ala até 1978. De 1979 a 1983, desfilou na Comissão de Frente. Voltou para a ala de fantasias em 1979 e em 1990 passou a integrar a bateria da Vila, da qual foi desligado em 2014. Em sua entrevista, Alcy rememorou o desfile de 1988:

Como foi bom aquele desfile. Cheguei na concentração e levei um susto com os carros alegóricos sem luxo, tudo de madeira, palha. Desfilei com uma fantasia de plástico na Ala Feitiço da Vila. Mas é aquela coisa. Como dizem, quando a jiboia estica na avenida é que a coisa fica de verdade. Foi impressionante. A Vila era uma escola ainda pouco conhecida. Foi uma emoção muito grande, especialmente por causa da emoção do público reagindo com a escola. O refrão do samba funcionou muito, foi muito cantado.

---

143 Depoimento de Alcy Pinho Toledo Plaisant concedido a Carlos Fernando Cunha em junho de 2023.

Alcy Plaisant (à direita) com amigos da Ala Feitiço da Vila, Carnaval 1988.
Foto: acervo pessoal de Alcy Plaisant

A Vila sempre desfila bem com enredos relacionados à negritude. E em 1988 foi o máximo de tudo. Aquilo entrou na gente pra sempre. Foi um momento de magia.[144]

Ivone Soares dos Santos, nascida em 24 de julho de 1940, ingressou na escola aos 19 anos, desfilando em ala comum. Wrande, seu irmão, era diretor de bateria e a convidou para fazer parte do grupo, tocando chocalho na década de 1960. É muito provável que Ivone tenha sido a primeira mulher a desfilar na bateria da Unidos de Vila Isabel[145]. Hoje ela faz parte da Velha-Guarda e relembra sua participação na bateria da escola no desfile de 1988:

Comecei lá atrás na bateria tocando chocalho. Era uma novidade mulher ali, mas eu desfilava. Meu irmão era o Wrande, diretor da bateria. Em 1988 foi o Kizomba, aquele desfile lindo. Desfilei tocando agogô. Foi muito bom. A gente saiu de lá todo mundo se abraçando. Cheguei em casa e já estava todo mundo festejando dizendo que a Vila já era campeã. Hoje sou da Velha-Guarda e gosto muito de continuar na escola.[146]

Nossos entrevistados revelaram o orgulho que é ser Velha-Guarda e pertencer à Galeria da Velha-Guarda da Unidos de Vila Isabel. O grupo se reúne frequentemente para reuniões e sua atividade vai muito além do carnaval,

---

144 Depoimento prestado a Carlos Fernando Cunha por Alcy Pinho Toledo Plaisant em junho de 2023.

145 Discutimos o ingresso das mulheres na bateria da Unidos de Vila Isabel no capítulo sobre o segmento. Ivone dos Santos trouxe informações importantes sobre o tema, como a questão de não se lembrar de mulheres no grupo quando de sua entrada. E também se recordou do nome do primeiro responsável pela bateria da Vila, ainda nos anos próximos de sua fundação, Osmar Mariano de Souza.

146 Entrevista de Ivone Soares dos Santos concedida a Carlos Fernando Cunha em junho de 2023.

Ivone Soares dos Santos, integrante da Galeria da Velha-Guarda

Foto: Nathália Sarro

pois participam das famosas festas de Velha-Guarda que acontecem nas quadras da maior parte das escolas de samba.

Ao final de sua entrevista, Cheila Rangel, diretora, fez interessante observação sobre a relação do grupo com os mais jovens da escola:

> *Precisamos ter mais contato com eles. Anos atrás, algumas pessoas da Velha-Guarda participavam do desfile da Herdeiros da Vila. Fechávamos o desfile, como se estivéssemos protegendo nossas crianças, dando a eles o suporte da tradição da Vila Isabel. Temos que voltar a fazer isso.*

2. Gira baiana, deixa a lágrima rolar.[147]

As baianas são figuras valorosas nas escolas de samba e representam a tradição e a autenticidade nos desfiles. Suas origens são anteriores às agremiações carnavalescas e remontam aos tempos dos vice-reis, quando as chamadas *taieiras*, dançarinas trajadas de baianas, formavam a guarda de honra do andor de Nossa Senhora do Rosário e na procissão de São Benedito, em 6 de janeiro, Dia de Reis. Portanto, quando as escolas de samba foram fundadas, durante as primeiras décadas do século XX, as baianas, que eram figuras comuns em festejos religiosos e profanos, especialmente de origem negra, também se inseriram nas novas agremiações carnavalescas (ARAÚJO, 2003)[148].

A atuação da baiana foi fundamental para a formação de uma cultura afro-carioca no Rio de Janeiro, na virada do século XIX para o XX. Em "As tias baianas tomam conta do pedaço", Mônica Velloso fala sobre as baianas e sua circulação na cidade, atestando que, a partir de seus tabuleiros e seu

---

147 Verso do samba-enredo de 2017 da Unidos de Vila Isabel. Autores: Artur das Ferragens, Gustavinho Oliveira, Danilo Garcia, Braguinha e Rafael Zimmerman.

148 ARAÚJO, Hiram. *Carnaval – Seis milênios de história*. Rio de Janeiro: Gryphus, 2003.

trânsito no ambiente urbano, forjavam grupos de proteção e, mais que isso, teciam uma intensa rede de solidariedade e sociabilidade na cidade. Também foram fundamentais para a formação das escolas de samba:

> *Em 1929, o bloco (Deixa Falar) já saiu dentro da corda, ostentando o título de escola de samba com enredo, porta-bandeira, mestre-sala e destaques e tinha ainda uma ala de baianas com 72 figurantes [...] Com certeza, uma homenagem às tias que mantiveram, em seus terreiros, costumes trazidos da África. Alas de baianas já participavam das procissões católicas desde o século XIX.*[149]

Carlos Sandroni (1997) afirma que as baianas simbolizam as "tias do samba", sua experiência e sabedoria, figuras que são parte de um processo de migração de um contingente de pessoas da região Nordeste do país para o Rio de Janeiro, principalmente da Bahia, a partir da segunda metade do séc. XIX, quando se formou a comunidade, sobretudo nos bairros centrais da cidade - Gamboa, Cidade Nova, Praça XI, Saúde. As "tias" eram baianas mais velhas que exerciam uma forte liderança na organização da família, da religião e do tempo do lazer.

Há consenso entre pesquisadores que estudam a história do samba no Rio de Janeiro de que esse contexto propiciou o seu desenvolvimento como gênero musical e prática cultural. Sobre as "tias baianas", Gomes (2010) e Ferrarez (2019) ressaltam que essas mulheres, entre elas nomes como Tia Ciata, Tia Carmem, Tia Amélia e Tia Perciliana, tornaram-se personalidades influentes nas camadas populares do Rio de Janeiro. Ocuparam lugares de destaque nas práticas religiosas e se encarregaram da estrutura que viabilizava a prática cultural e socializadora do samba, bem como o seu fazer musical. As "tias baianas" são, portanto, as matriarcas do samba.

Integrar a ala das baianas das escolas de samba implica carregar o peso das fantasias, bem como a carga da tradição e a responsabilidade de

---

149 FRANCESCHI, Humberto M. *Samba de sambar do Estácio*: de 1928 a 1931. Rio de Janeiro: Editora IMS, 2010, p. 170.

LOBO TIJUCA • 33

Lucy, tudo azul com a paixão à 'Kizomba'

Uma grande **kizomba**. É a promessa da "baiana" Lucy Moreira da Silva ao desfilar pela Unidos de Vila Isabel este ano, ao lado dos sete filhos e do marido. **Kizomba**, em quimbundo, um dialeto africano, quer dizer grande festa e é em ritmo de empolgação que a família inteira quer entrar na Avenida.

Aos 50 anos — e quase 30 de azul e branco —, Dona Lucy, como é mais conhecida na Rua Torres Homem, em Vila Isabel, está em busca de uma realização: o título máximo do carnaval. E se vier este ano, a conquista terá um sabor especial, pois comemora-se o centenário da Abolição da Escravatura, que o carnavalesco Milton Siqueira escolheu para levar à Passarela do Samba, no próximo dia 16.

— Estou entusiasmada com o samba-enredo que conta a história dos negros africanos desde que chegaram ao Brasil como escravos. Espero que a Unidos de Vila Isabel tenha um resultado melhor do que no ano passado, quando ficou em sexto lugar no cômputo geral — diz.

Analisar a cultura negra, sem qualquer discriminação, é um dos pontos que Dona Lucy ressalta no enredo de Martinho da Vila. Ela conta ainda que a Unidos de Vila Isabel está se preparando da melhor maneira possível para contagiar a Avenida, embora não esteja gastando "rios de dinheiro".

— A escola deu preferência por um carnaval mais modesto. Sei que o carnavalesco optou por materiais mais baratos, como o plástico e a palha. Mas o que não falta é animação, além de samba no pé — diz.

Embora tenha começado a desfilar na extinta Unidos da Congonha,

Além do título, baiana sonha com a nova sede para sua escola

em Madureira, Dona Lucy revela que foi para a Unidos de Vila Isabel em 1959, levada por alguns amigos. Comenta ainda que integrar a ala das baianas era um sonho antigo.

— Rodar, rodar, rodar é o mais importante para as baianas, que não devem se cansar nem por um minuto, pois estão defendendo a tradição de uma ala antiga. Nosso desfile é valorizado com fantasias bonitas e, acima de tudo, originais. No **kizomba**, tudo é segredo, mas o azul vai predominar em nossa roupa — esclarece.

Apesar do segredo ser "a alma do desfile", Dona Lucy diz que a Vila Isabel dividiu seu tema em quatro partes: os negros na África, os quilombos, o folclore e a **kizomba** — a grande festa. Ela diz que a apresentação dos 3 mil componentes mostrará uma análise crítico-social:

— O problema racial na África do Sul não pode ser esquecido, além do preconceito disfarçado que acontece aqui no País. E vamos partir para a conquista do primeiro lugar, sem esquecer o Estandarte de Ouro — um estímulo para as escolas de samba.

Mesmo "contando os dias" para entrar na avenida, Dona Lucy está triste com a falta de solução para um único problema: a agremiação ainda não conseguiu uma quadra de ensaios. Diz que a Vila Isabel está se apresentando provisioriamente no Clube Maxwell, já que teve de sair do América Futebol Clube, onde estava alojada.

— Esperamos a resposta do Prefeito Saturnino Braga, que nos prometeu a garagem da CTC, na Avenida Vinte e Oito de Setembro, em pleno coração de Vila Isabel. Vamos torcer para que tudo dê certo para todos nós — conclui Dona Lucy.

Reprodução do jornal *O Globo*, Rio de Janeiro, 9/02/1988.

transmiti-la aos mais jovens da agremiação e ao público que assiste ao desfile, conforme escreveu Maria Laura V. de Castro Cavalcanti (2011).

No ano de 1933, a ala das baianas foi introduzida oficialmente no desfile das escolas de samba a partir de um decreto do prefeito do Rio de Janeiro à época, Pedro Ernesto. A partir dos anos de 1940, o sucesso da canção de Dorival Caymmi, "O que é que a baiana tem?", cantada por Carmem Miranda, que se caracterizou com traje similar ao que vestiam as escravas de ganho, doceiras e quituteiras, na época colonial, cristalizou uma estilização da figura da baiana que ganhou projeção nacional e internacional por meio do cinema. Assim, as fantasias das baianas das escolas de samba, tradicionalmente, envolvem elementos oriundos das vestimentas das escravas de ganho, das "tias baianas" e de Carmem Miranda: saia comprida, rodada, armada, rendas, turbante, pano da costa, batas rendadas, turbantes, balangandãs e outros acessórios.[150]

Em 9 de fevereiro de 1988, uma semana antes do desfile campeão da Unidos de Vila Isabel, Lucy, integrante da Ala das Baianas, deu entrevista ao jornal *O Globo*[151]. O jornalista, não identificado na matéria, apresentou a entrevistada no texto: "*Aos 50 anos – e quase 30 de azul e branco –, Dona Lucy, como é mais conhecida na Rua Torres Homem, em Vila Isabel, está em busca de uma realização: o título máximo do carnaval.*"

Dona Lucy falou sobre a Ala de Baianas da Vila, afirmando que "*rodar, rodar, rodar é o mais importante para as baianas, que não devem se cansar nem por um minuto, pois estão defendendo a tradição de uma ala antiga*". Rodar, girar é a linda dança que caracteriza as baianas das escolas de samba. Giros para a esquerda, giros para a direita, movimentos corporais que acompanham

---

150 PICCIRILLO, Nathalia Fogliati. As baianas no carnaval paulistano: Um estudo etnográfico sobre a ala das baianas na Escola de Samba Unidos do Peruche. Dissertação de Mestrado em Ciências Sociais. UNIFESP: São Paulo. 2018.

151 "Lucy, tudo azul com a paixão à Kizomba". *O Globo*, 9 de fevereiro de 1988, Caderno Tijuca, p. 33. Cf.: https://acervo.oglobo.globo.com/?service=printPagina&imagemPrint=https%3A%2F%2Fduyt0k3aayxim.cloudfront.net%2FPDFs_XMLs... Acesso em maio de 2023.

os refrãos do samba-enredo e nos remetem a práticas ancestrais afro-brasileiras, próprias da tradição dessa ala, como explicou Dona Lucy.

Em sua entrevista, a baiana demonstrou sapiência e consciência do enredo que a Unidos de Vila Isabel organizou para o carnaval de 1988. As palavras de Dona Lucy revelam a força do tema e do samba daquele ano, que tratavam da história da África, do Brasil, de Zumbi e, em última análise, da história dela mesma:

> *Estou entusiasmada com o samba-enredo que conta a história dos negros africanos desde que chegaram ao Brasil como escravos. Espero que a Unidos de Vila Isabel tenha um resultado melhor do que no ano passado, quando ficou em sexto lugar no cômputo geral. O problema racial na África do Sul não pode ser esquecido, além do preconceito disfarçado que acontece aqui no Brasil. E vamos partir para a conquista do primeiro lugar, sem esquecer o Estandarte de Ouro.*[152]

Não veio o prêmio do *Estandarte de Ouro* para as baianas da Vila, que ficou com a Acadêmicos do Salgueiro. Mas a Unidos de Vila Isabel alcançou o máximo, campeã do carnaval de 1988 com um desfile memorável.

A Ala das Baianas, como a Velha-Guarda, atrai a participação de pessoas, mulheres, que desfilaram em outros setores das escolas de samba e, ao envelhecerem, resolvem integrar a ala.

Analimar Ventapane, filha de Martinho da Vila, desempenhou funções diversas na Vila Isabel. Atualmente, desfila como baiana, uma paixão que começou quando fazia parte do Departamento Cultural da escola:

> *A ala das baianas é feita de mulheres empoderadas, que gostam de se vestir, de se iluminar. Mulheres que trabalharam muito,*

---

152 *Idem.*

mulheres que criaram seus filhos, seus netos. São mulheres que sorriem sempre. Olhava pra elas via aquele brilho nos olhos. Antigamente, as alas tinham homens para defesa da própria escola, baianas que desfilavam com crianças escondidas embaixo da saia. Aquelas fantasias lindas e essa história me conquistaram. As baianas são um fundamento do samba.

Além da questão fundamental da tradição carregada e transmitida pelas baianas, outro aspecto relevante é a dimensão citada por Analimar quanto ao empoderamento feminino. A ala é formada, em geral, por mulheres de mais de cinquenta anos, experientes, e o convívio entre elas funciona como um catalisador da elevação de sua autoestima, como uma rede de proteção contra os estereótipos, preconceitos e discriminações relacionadas ao envelhecimento feminino.

As baianas dão muito valor à beleza de suas fantasias, aos mínimos detalhes de suas partes, aos acessórios, à maquiagem de seus rostos. São unidas. Nutrem seu empoderamento com seu embelezamento e bem sabem de sua influência no conjunto de decisões da escola de samba. Segundo Analimar:

As baianas são muito unidas. Cuidam umas das outras. A gente se reúne durante todo o ano. Há muitas festas de baianas nas outras escolas e sempre estamos lá. Somos convidadas para a as festas da bateria, das passistas, da Velha-Guarda e vamos em todas. Baiana não dá pontos, mas tira. Temos muito poder de voz, influenciamos na escolha do samba da escola. Samba que baiana gosta já sai na frente. A ala tem poder. Nós somos vistas e ouvidas.

Em 1988, as baianas da Vila Isabel vieram com fantasia leve, em azul e branco, saia estampada com motivos africanos. Na cabeça trouxeram tabuleiros com doces e quitutes. Tratou-se de uma representação das tias baianas do passado, que nos bairros centrais do Rio de Janeiro eram frequentemente vistas vendendo suas mercadorias, uma forma de prover o seu sustento.

As baianas da *Kizomba*, girando com seu tabuleiro.
Foto: Ricardo Leoni / O Globo *(17/02/1988)*

O Grupo *Canto das Lavadeiras*, formado por baianas da Vila Isabel
Foto: acervo pessoal de Analimar Ventapane

Tradição originária das negras doceiras da Bahia, cujos doces se destacavam no conjunto dos quitutes das senhoras das casas-grandes.[153]

Em entrevista ao Departamento Cultural da Unidos de Vila Isabel, Maria da Penha, paraibana, integrante da Ala das Baianas desde 1983, disse que o desfile de 1988 foi o mais emocionante de todos. Citou que a Vila foi nas origens do povo negro. E sobre a fantasia das baianas, ressaltou que era uma roupa leve, simples, sem brilho, mas linda.

> *A Comissão de Frente, a Ala das Mumuílas. Era a África dentro da Marquês de Sapucaí. Nós não viemos com brilho, pois não cabia no enredo. Mas viemos lindas [...] O Kizomba trouxe o reconhecimento para a Vila Isabel como uma grande escola de samba. Todos cantam e dançam o samba onde quer que seja. A gente nunca vai esquecer esse enredo e esse samba. Foi um desfile lindo. Ficou na memória. Acho que quando entramos ali baixaram os espíritos da África em nós. Estávamos simples, mas foi muito emocionante.* [154]

Velha-Guarda e Ala das Baianas encarnam e simbolizam a história, a memória e as tradições de uma escola de samba. Ao longo de suas vidas, essas mulheres e homens acumularam vivências que precisam ser transmitidas aos integrantes mais jovens das agremiações, bem como ultrapassar os portões das quadras e nutrir a sociedade em geral com esta sabedoria.

Em 2006, Analimar Ventapane, ao ingressar na Ala das Baianas da Vila Isabel, teve a ideia de organizar um grupo vocal com algumas integrantes. Filha de Martinho da Vila, queria homenagear os 80 anos do pai com músicas

---

153 MOURA, Roberto. *Tia Ciata e a Pequena África do Rio de Janeiro.* Rio de Janeiro: Secretaria Municipal de Cultura, Departamento Geral de Documentação e Informação Cultural, Divisão de Editoração, 1995.

154 Entrevista concedida por Maria da Penha ao Departamento Cultural da Unidos de Vila Isabel.

do seu repertório, especialmente sambas de enredo, cantados por aquelas mulheres que possuem vozes especiais.

> *A minha paixão pelas baianas é muito grande, como já disse, pela história daquelas mulheres, da tradição da ala nas escolas de samba. E me chamava atenção o canto delas, uma coisa linda, difícil de ouvir em outro lugar, a não ser nos terreiros de candomblé.*

Maria Cristina Grego Deane, ex-integrante da bateria da Vila, que entrou para a Ala da Baianas junto com Analimar, ressaltou em entrevista a importância das vozes femininas nas escolas de samba, desde os tempos das pastoras, timbres que remetem aos cantos de religião e de trabalho, especialmente da população negra:

> *As vozes dessas mulheres são muito especiais. São timbres graves, médios e agudos que, juntos, lembram muito o canto das lavadeiras, o canto feminino das antigas pastoras nas escolas de samba, um canto tradicional que não se ouve mais por aí com frequência.* [155]

A ideia de Analimar resultou na criação do grupo vocal *Canto das Lavadeiras*, formado por baianas da Vila Isabel, cujo repertório é formado especialmente por canções de Martinho da Vila, seus sambas de enredo. O Canto das Lavadeiras carrega a tradição das baianas da Unidos de Vila Isabel, da agremiação e do próprio samba. Ao se deslocar do chão da quadra da escola, essas baianas levam ao público em geral um conjunto de saberes e símbolos ancestrais que precisam ser reconhecidos e valorizados como fundamentais na constituição do nosso povo.

Maria da Penha, sem sua entrevista, disse uma frase sobre as baianas da Vila Isabel que bem representa a vitalidade e a energia dessas mulheres:

---

155 Entrevista concedida por Maria Cristina Grego Deane a Carlos Fernando Cunha em junho de 2023.

Nós levantamos poeira! [156]

E balançamos a roseira, completamos com o verso do famoso esquenta da Unidos de Vila Isabel.

Meu fim está por vir
Mas levo no peito o teu pavilhão
Nesta despedida
Ó minha Vila querida
Deixo em versos tanta gratidão
No céu pretendo encontrar a beleza
O toque divino, a nobreza
Do velho China fundador
Lembrar dos teus sambas e carnavais
Ouvir as histórias de Paulo Brazão
Vila, substantivo é teu caminhar
Teus escolhidos hão de admirar
A tua história, o teu luzir
Vila, minha princesa siga a brilhar
A paz do branco vai te acompanhar
E nossa gente vai cantar[157]

---

156 Entrevista concedida por Maria da Penha ao Departamento Cultural da Unidos de Vila Isabel.

157 "Testamento em Branco e Azul", samba de Carlos Fernando Cunha, disponível em nas plataformas digitais de música e no *YouTube*.

10

HERDEIROS DA VILA
A CRIANÇA É A ESPERANÇA DE OXALÁ!

Diego Bastos, filho de Décio Bastos, com seis anos, vestindo a fantasia do pai. Um jovem Herdeiro da Vila.
Foto: acervo pessoal de Décio Bastos

Os dicionários da língua portuguesa definem o verbo *herdar* como receber por transmissão ou hereditariedade; receber dos predecessores, de quem veio antes. Portanto, as crianças e jovens, os *Herdeiros da Vila* são aqueles que recebem o conjunto de conhecimentos e tradições produzidos e acumulados historicamente pela escola de samba Unidos de Vila Isabel daqueles que os precedem no tempo.

Nesse sentido, estamos diante de uma instituição social que estabelece uma relação educativa que admite o samba como prática cultural, como um saber a ser transmitido às novas gerações.

As primeiras vivências das crianças com o samba usualmente ocorrem junto à família, aos amigos e vizinhos, em festas, quadras, quintais, terreiros, feijoadas, churrascos e outros eventos. O samba é sentido, incorporado pela criança como sinônimo de alegria, de diversão, de prazer. O samba e sua música, seu ritmo, sua melodia, seus instrumentos, sua comida, sua reza, suas cores, suas texturas, seu território, seu lugar.

Em festividades nas quadras de escolas de samba, especialmente nos ensaios, avistamos crianças tateando instrumentos de percussão, sedutores que são pelos ruídos que provocam, por seus tamanhos, suas formas, suas cores. A criança bate com a mão, pega a baqueta, explora, experimenta. A criança pula e sacode com a música no colo da mãe e mais tarde risca seus primeiros traços de dança no chão. A criança canta e repete o refrão do samba. A criança e suas fantasias de pirata, Colombina. A criança pega a toalha da mesa e gira feito porta-bandeira. A criança e sua ludicidade criam nuvens de paetês e confetes.

O samba é um mundo potente a ser pesquisado, um bem cultural a ser ensinado em suas dimensões diversas, campo sensível, estimulador de criatividade e inventividade. O samba e suas agremiações carnavalescas são instituições que, num determinado momento histórico, passaram a se preocupar mais cuidadosamente com suas crianças por meio das escolas de samba mirins.

As agremiações mirins do Rio de Janeiro surgiram durante a década de 1980[158]. A primeira escola foi criada em 1983, a Império do Futuro, ligada ao Império Serrano. Nesse mesmo ano, temos notícia da criação da Império das Princesas Negras, organizada pela comunidade de uma escola básica do bairro de Lins de Vasconcelos, dando origem posteriormente à Infantes do Lins. Em 1985, temos a Corações Unidos do CIEP, outra agremiação vinculada à rede formal de ensino, escola que funcionava no Sambódromo. Em 1987, Mangueira do Amanhã, cria da Estação Primeira de Mangueira. A Unidos de Vila Isabel fundou sua Herdeiros da Vila, em 1988, e, ao longo do tempo, outras agremiações foram desenvolvidas.

Em comum, as escolas de samba mirins possuem a perspectiva de preparar suas crianças, suas novas gerações, com vistas ao futuro de suas escolas mães. Assim, as mirins reproduzem em seu cotidiano os postos, os ofícios, as alas, as figuras, os quesitos próprios das agremiações adultas: passistas, mestre-sala, porta-bandeira, intérpretes, compositores, a bateria e seus ritmistas, fantasias, alegorias, adereços, baianas.

---

158 Iniciativas com agrupamentos de crianças nas escolas de samba podem ser observadas em período anterior. Segundo Sérgio Cabral (1996), em 1933, Júlio Dias Moreira, diretor da Mangueira, teria formado o Bloco infantil da Estação Primeira, composto por 65 crianças de sete a catorze anos de idade. A pesquisadora Ana Paula P. da G. A. Ribeiro (2009) afirma que, na década de 1960, foi organizada a primeira ala de crianças, também na Mangueira, criada por Dona Neuma. A iniciativa seria adotada posteriormente por outras escolas de samba e, a partir de 1984, tornou-se um componente obrigatório das agremiações.

O momento crucial esperado por todas as agremiações é o desfile, não competitivo, que ocorre anualmente na Passarela do Samba, durante o carnaval, na terça-feira. O primeiro foi realizado em 1984, ano de inauguração do Sambódromo, com a Império do Futuro.

Outro traço comum às escolas mirins é a preocupação mais abrangente com a situação social das crianças e jovens de suas comunidades, o que envolve ações de prevenção e tratamento das violências por meio de projetos sociais, do envolvimento e da assistência às famílias. Projetos que possibilitam assistência às crianças em diversos níveis, bem como atividades educativas de iniciação e formação profissional.

O embrião da escola mirim Herdeiros da Vila foi formado por José Belmiro Lima, o Mestre Trambique. Ao final da década de 1970, Trambique, ritmista da bateria da Unidos de Vila Isabel e músico profissional, autodidata, incomodado com a situação social das crianças na comunidade do Morro dos Macacos, tomou a iniciativa de ensinar os toques dos instrumentos de percussão da bateria de escola de samba para crianças. Em entrevista[159], ele disse que faltava atividade para a molecada do morro que chegava da escola e ficava perambulando pela região, sem algo atrativo, o que facilitava sua entrada no mundo da criminalidade. Quando alguns jovens tentavam aprender os toques dos instrumentos na bateria adulta da Vila, os adultos impediam, não havia chance, não tinham paciência para ensinar. Mestre Trambique juntou alguns instrumentos velhos que possuía, recebeu doação de outros com amigos e passou a ensinar as técnicas percussivas do samba para os meninos. Com o passar dos anos, o grupo passou a ser conhecido como a bateria mirim da Vila Isabel.

Alisson Ramos Lima, filho de Trambique, afirma que a bateria mirim da Vila Isabel foi criada em 1977, ano em que nasceu. Ele fez parte do grupo e, em 1983, seu pai o matriculou na Escola Brasileira de Música. Trambique

---

159 Entrevista dada por José Belmiro Lima (Mestre Trambique) a Carlos Fernando Cunha em novembro de 2016.

Allison, filho de Mestre Trambique, na bateria mirim, em 1980.

Foto: acervo pessoal de Alisson Ramos Lima

tinha o sonho de vê-lo atuar como músico profissional. Alisson completou o curso e ingressou na Orquestra Sinfônica Brasileira, onde ficou por três anos, quando resolveu deixá-la para trabalhar com artistas da música popular.

Alisson nos disse que Mestre Trambique era muito grato à Vila Isabel e esse era um dos motivos que o fez criar a bateria mirim:

> *A Unidos de Vila Isabel deu uma vida nova para meu pai. Ele era muito amigo do Seu Miro do Salgueiro, que pediu ao Mestre Ernesto para dar uma força a ele. Então, na década de 1960, meu pai passou a morar na quadra da escola, onde trabalhava. Ali ele tinha acesso aos instrumentos da bateria e estudava cada um deles todos os dias. Foi a bateria da Vila que o projetou para o mundo da música profissional. Ele começou a gravar os discos do carnaval e a trabalhar com vários artistas tocando percussão. E isso despertou nele a vontade de ensinar música às crianças da comunidade para que elas tivessem a chance de seguir um caminho parecido.* [160]

Carlos Henrique da Silva Vicente, o *Mangueirinha*, conviveu durante décadas com Mestre Trambique. Fez parte do seu grupo de aprendizes e posteriormente ocupou a função de Mestre da Bateria Mirim da Herdeiros da Vila. É músico profissional e atualmente atua como diretor do naipe de repiques da bateria da Unidos de Vila Isabel. Seu depoimento[161] é fundamental para refletirmos sobre a trajetória de vida de meninos do Morro dos Macacos e suas relações de aprendizado a partir das vivências no mundo do samba.

Mangueirinha é de família de sambistas, portanto, como nos disse, sempre esteve ligado ao samba. O pai era músico e trabalhava na organização da

---

160 Entrevista concedida por Alisson Ramos Lima a Carlos Fernando Cunha em agosto de 2023.

161 Entrevista prestada por Carlos Henrique da Silva Vicente (*Mangueirinha*) a C. F. Cunha em abril de 2023.

Mangueirinha, cria da Herdeiros da Vila
Foto: acervo pessoal de Mangueirinha

"Casa de Bamba", evento que, na década de 1980, movimentou a Unidos de Vila Isabel com *shows* de sambistas e festivais de chope. *Mangueirinha* se recorda de, no colo da mãe, admirar as pessoas sambando, dançando na então sede da Vila, localizada no campo do América, na divisa dos bairros de Vila Isabel e Andaraí. Descia do colo e brincava entre as mesas, junto com outras crianças da vizinhança. Suas primeiras recordações sobre a batucada são dos terreiros que frequentava, na companhia da avó. Com aproximadamente sete anos de idade, o pai o levou para o grupo de aprendizes do Mestre Trambique.

A referência principal de *Mangueirinha* é Mestre Trambique, seu ídolo, conforme ele frisou em seu depoimento. Define o mestre como um educador musical, um agente comunitário que se preocupava em colaborar para a formação das crianças do Morro dos Macacos por meio do samba. Segundo ele, Trambique era muito grato à música, de onde tirava seu sustento, e queria que aqueles meninos tivessem também essa possibilidade de viver do seu trabalho como músicos do samba:

> *Aprendi praticamente tudo com ele. E não foi só tocar, não foi só música. Ele ensinava pra nós as coisas da vida: como se comportar, pensar no coletivo. Contava histórias da antiga Vila Isabel. Ele era um educador da comunidade. Aprendi muito mais que tocar repique com ele. Mestre Trambique foi uma referência de vida pra mim e pros meninos daquela época.*[162]

A figura de Mestre Trambique nos remete aos mestres da cultura popular africana e seus modos de ensinar. Sua forma de educar não era sistemática, mas ligada às circunstâncias do território, da necessidade, da vida. Trata-se de um modo de proceder prático e vivo baseado nas experiências, essencial para o aprendizado das crianças e jovens.

---

162 *Idem.*

> *Ao fazer uma caminhada pela mata, encontrar um formigueiro dará ao velho mestre a oportunidade de ministrar conhecimentos diversos, de acordo com a natureza dos ouvintes. Ou falará sobre o próprio animal, sobre as leis que governam sua vida e a "classe de seres" a que pertence, ou dará uma lição de moral às crianças, mostrando-lhes como a vida em comunidade depende da solidariedade e do esquecimento de si mesmo, ou ainda poderá falar sobre conhecimentos mais elevados, se sentir que seus ouvintes poderão compreendê-lo. Assim, qualquer incidente da vida, qualquer acontecimento trivial pode sempre dar ocasião a múltiplos desenvolvimentos, pode induzir à narração de um dito, de uma história ou de uma lenda.*[163]

O grupo de meninos organizado por Trambique reunia cerca de quarenta ritmistas aprendizes. O mestre iniciava os encontros tocando seu repique, que ecoava pela comunidade. Esse era o sinal para as crianças dos quatros cantos do Morro dos Macacos se dirigirem até a Rua Nova, recorda *Mangueirinha*.

Trambique não era um professor letrado no mundo da educação formal, diz *Mangueirinha*. Ele aprendeu a ensinar, ensinando. Conversava com as crianças, demonstrava como segurar as baquetas, como fazer as batidas. Pegava nas mãos dos meninos e fazia o gesto que era para ser realizado. Ensinava a levada dos instrumentos, de caixa, tamborins, surdos e repiques, em acordo com as características rítmicas da bateria da Unidos de Vila Isabel.

A iniciativa de Trambique evidencia aspectos essenciais das relações pedagógicas que se estabelecem na cultura popular negra. O mestre ensina e o aprendiz aprende por meio da oralidade, da prática, da demonstração. A atividade pedagógica conservadora trata a memória como algo frio, descarnado. Impõe a memorização de fatos, datas, fórmulas e personagens

---

163 BÂ, Amadou Hampaté. Tradição Viva. In ZERBO-KI, Joseph. *História Geral da África I* - Metodologia e Pré-História da África. Brasília: UNESCO, 2010, p. 183. Texto disponível na seguinte página virtual: http://unesdoc.unesco.org/images/0019/001902/190249por.pdf - Acessado em maio de 2023.

sem sentido aparente. Quando um mestre ensina a um ritmista mirim o toque de um instrumento e ele experimenta, pratica, a memória está sendo incorporada, repleta de sentidos e significados. A mesma relação encontramos no aprendizado dos passos da dança pela criança passista, mestre-sala ou porta-bandeira; da letra e melodia de um samba antigo pelo jovem intérprete; da criação de um figurino pelo desenhista mirim. Fazem parte deste processo a curiosidade, a dúvida, o detalhamento, o erro, o acerto, o saber pelo fazer, estimuladores da memória.[164]

Elisângela Moreira Peraci e Yara Santos de Oliveira Assis (2011) argumentam que os modos de ensinar e aprender das comunidades populares, os ofícios, os cantos, os tambores, são embasados na tradição oral, não em normas institucionais, regras ou padrões para o ensino. As autoras analisaram os modos de ensinar e aprender de uma comunidade tradicional do Maranhão e suas reflexões nos ajudam a compreender tais relações no ambiente organizado em Vila Isabel por Mestre Trambique:

> *Os modos de ensinar-aprender identificados nas comunidades em relação ao ofício, seja na atividade do canto popular, seja na do tambor de crioula, estão embasados na tradição oral da comunidade, não em especificações burocráticas, normas institucionais legalizadas, regras ou padrões estabelecidos para o ensino.*
> *[...]*
> *A atividade da aprendizagem do canto do tambor de crioula é algo intrínseco à vida comunitária e acontece, muitas vezes, como meio de preservação das memórias e das tradições. A aprendizagem nesses casos acontece por meio do próprio esforço daquele que quer aprender, da criança, porém em condição de*

---

164 Para maiores informações sobre o processo pedagógico de ensino dos instrumentos de percussão na Herdeiros da Vila, ver: SÁ, Guilherme Ayres. Os Herdeiros da Vila: ensino e aprendizagem em uma bateria de escola de samba mirim. Dissertação de Mestrado. Programa de Pós-Graduação em Música. Centro de Letras e Artes. Rio de Janeiro: UFRJ, 2013.

liberdade que implica total responsabilidade e respeito para aqueles que são os mestres experientes, para com a tradição do lugar em que vivem. Nessas comunidades, os laços relacionais são as bases que enlaçam e entrelaçam todo processo do aprender da criança.[165]

Trambique organizou um grupo de meninos batuqueiros que se tornou algo próprio à vida da comunidade do Morro dos Macacos e funcionou como meio de preservação e difusão das memórias rítmicas da escola, a tradição transmitida aos mais jovens, aos herdeiros dos saberes do samba.

Em 1988, a fundação da Herdeiros da Vila foi idealizada e concretizada por Affonsina Pires, conhecida no mundo do samba como Dinorah. A cantora, líder do grupo "As Gatas", participou das gravações de vários LPs dos sambas de enredo, desde a década de 1960. Fez parte do coro de artistas consagrados da nossa música popular brasileira, especialmente do samba.

Segundo o depoimento de sua filha, Silvia Nara Pires[166], Dinorah era torcedora fervorosa da Vila Isabel. Em 1987, convidada pela amiga e cantora mangueirense Alcione, participou da fundação e organização da Mangueira do Amanhã. No ano seguinte tomou a decisão de lutar pela organização de uma escola mirim na Unidos de Vila Isabel. Da janela do seu apartamento, na Tijuca, viu um grupo de crianças gazetando na Escola Municipal João Goulart. Enquanto as aulas aconteciam, meninos e meninas estavam ali, no pátio da escola, cantando, batucando e dançando. Desceu e foi até eles perguntar sobre o que achavam de terem um espaço para aprender o samba, para se divertir. E recebeu resposta positiva, de que seria uma excelente ideia.

---

165 PERACI, Elisângela Moreira; ASSIS, Yara Santos de Oliveira. O ensinar e o aprender para as quebradeiras de coco-babaçu como um patrimônio relacional. In: TUNES, Elizabeth (Org.). *Sem escola, sem documento*. Rio de Janeiro: E-papers, 2011.

166 Depoimento de Silvia Nara Pires concedido ao Departamento Cultural da Unidos de Vila Isabel.

A artista Dinorah, "madrinha" da escola mirim "Herdeiros da Vila"
Foto: acervo pessoal de Silvia Nara Pires

Dali em diante, ela começou a fazer contatos com integrantes da Vila Isabel, com a diretoria da escola, com políticos e com Mestre Trambique. Já se conheciam, pois tinham contato nas gravações, em *shows* e no mundo da música profissional. Dinorah aproveitou o grupo de meninos de Trambique, já conhecido como bateria mirim da Vila Isabel, para fortalecer ainda mais sua ideia de criar a Herdeiros da Vila, o que foi materializado em 23 de julho de 1988.

A fundação da Herdeiros da Vila, meses após o carnaval do primeiro título da escola mãe, ocorreu em momento de festa, num ambiente marcado por ventos democráticos, de abertura política no país. Momento em que os movimentos sociais viviam em efervescência, buscando visibilidade, na luta por direitos sociais. Um tempo de olhar para o passado e agir no presente em busca de um futuro melhor para o Brasil. O ano da *Kizomba* foi de pensar no porvir, nas crianças. Um ano em que a Vila Isabel, além do título, recebeu cinco prêmios do *Estandarte de Ouro*, como o de Melhor Ala das Crianças (e, ainda, o de melhor escola, enredo, samba e bateria).

Mangueirinha se recorda bem do desfile de 1988. Ele estava com treze anos de idade na ala da bateria mirim. O grupo de crianças organizado por Mestre Trambique vestiu fantasia semelhante ao da bateria adulta, com cores diferentes. Desfilaram, sem instrumentos, próximos à bateria da escola. Segundo *Mangueirinha*, a vontade era de tocar, mas não podiam. Então se divertiram pulando e cantando o samba. Ele afirma que a bateria da Vila Isabel, com cerca de trezentas pessoas, parecia ter o dobro, pois o volume sonoro produzido era estrondoso, grave, pesado, impactante.

Além do marcante desfile de 1988, *Mangueirinha* cita outro evento que ocorreu meses depois do carnaval, em maio, quando a bateria da Unidos de Vila Isabel e integrantes da escola foram convidados a participar do Projeto Aquarius. A bateria se apresentou junto com a Orquestra Sinfônica Brasileira, sob a regência de Isaac Karabtchevsky, em festividade na Quinta da Boa Vista. *Mangueirinha* se lembra da emoção de ouvir o público, por volta de cem mil pessoas, cantando o samba "Kizomba, a festa da raça". E de ver no palco, junto com a orquestra, a

Vila, a favorita do povo, ganha 5 Estandartes

Com os CZ$ 13 milhões dados pela Liga das Escolas de Samba — Lícia Maciel Caniné, a **Ruça**, mulher de Martinho da Vila e Presidente da Escola, garante que não gastou um centavo a mais —, a Unidos de Vila Isabel entrou na avenida às 5h da manhã de ontem com três mil componentes e prestou a mais bonita homenagem ao povo negro, no centenário da libertação dos escravos. Com seu grito de guerra "Valeu, Zumbi!", a Vila — ao lado da Mangueira — foi a escola mais aplaudida pelas 60 mil pessoas que estavam na Passarela do Samba.

O júri do Estandarte de Ouro do GLOBO deu à Vila o maior número de prêmios: cinco. Na luta pelo título a Vila é forte candidata, ao lado de Salgueiro, Estácio de Sá, Tradição, Mangueira, Caprichosos e Beija-Flor.

Além do Estandarte de **melhor escola**, a Vila ganhou os Estandartes de Ouro de melhores **enredo** ("Kizomba, a festa de uma raça"), **samba-enredo** (de Rodolfo, Jonas e Luís Carlos da Vila), **bateria e ala infantil** (280 crianças do Morro dos Macacos).

Salgueiro — com o **mestre-sala** Ronaldo e a **ala das baianas** — e Estácio de Sá — com a **melhor passista**, Edna, e a **melhor ala**, Vem que Tem — levaram dois Estandartes de Ouro.

Foram premiados ainda: Carlinhos da Caprichosos de Pilares, o **melhor puxador de samba**; Gilson da

Os cinco *Estandartes de Ouro* do desfile vitorioso da Unidos de Vila Isabel.
Imagem: reprodução de O Globo, *17/02/1988*

bateria da Vila, com alguns de seus amigos mais velhos. *Mangueirinha* cita Marco Aurélio, o *Corelha*, que era diretor da bateria mirim junto com Mestre Trambique. *Corelha* executou um solo de repique com a Orquestra Sinfônica Brasileira e, a partir daquele momento, *Mangueirinha* decidiu que seguiria a carreira de músico:

> *A Vila Isabel tinha ritmistas muito bons. Os caras gravavam as percussões nos LPs das escolas de samba todos os anos. E a maioria era formada ali mesmo no morro, os mais novos pelo Trambique. O Corelha começou com o Trambique na bateria mirim. Para nós que éramos crianças, o Corelha era o nosso Pelé, era um ídolo, além do Trambique. Quando vi ele tocando daquele jeito com a Orquestra, na Quinta da Boa Vista, um repique no meio dos instrumentos de cordas e sopros, decidi que queria ser músico. Aquela vida ali que queria pra mim.*

Silvia Nara diz que a ideia de sua mãe, Dinorah, em criar a Herdeiros da Vila, tinha como objetivo perpetuar a cultura do samba de escola de samba, de preservar a memória das agremiações, de preparar as crianças para seu futuro profissional e para as diversas funções necessárias ao desenvolvimento da escola mãe, a Vila Isabel.

O primeiro desfile da Herdeiros da Vila aconteceu em 1989. A escola apresentou o enredo *Sementes da Raça*. Estavam ali os legítimos sucessores da história e das tradições da Unidos de Vila Isabel, a campeã do ano anterior. Crianças e jovens, as sementes, o porvir em gestação e o enredo de 1988, seus significados e símbolos, as referências fundamentais.

Na visão de Silvia Nara, Dinorah era uma empreendedora. Havia criado seu grupo musical, "As Gatas", participou do processo de fundação da Mangueira do Amanhã e teve a iniciativa de criar a Herdeiros da Vila. Fundada a escola filha da Unidos de Vila Isabel, Dinorah esforçou-se em conseguir financiamento para sustentar as atividades da escola-mirim. Ela pensava em atividades que envolvessem a formação profissional, as artes e o desenvolvimento biopsicossocial e cultural dos meninos e meninas da branco e azul do

Sábado, 14 de maio de 1988 O GLOBO GRANDE RIO • 11

Aquarius, canto de amor ao negro

Foi uma festa do negro e da liberdade a que o Projeto Aquarius — promoção do GLOBO e da Sul América Seguros — realizou ontem na Quinta da Boa Vista. Liberdade até mesmo de, afinado ou não, cantar com a Orquestra Sinfônica Brasileira, ou participar do grande carnaval em que se transformou a última peça do programa, a "Kizomba" da Unidos de Vila Isabel, em arranjo sinfônico.

Mas, sobretudo, foi a festa da emoção contínua, com uma ou outra obra parecendo colocada especialmente para servir de contraponto a um grito negro. Grito como o de Grande Otelo, voz forte mas olhos úmidos, repetindo o refrão do samba-enredo da Mangueira ao perguntar se a liberdade do negro é realidade ou ilusão?; ou o de Mílton Gonçalves fazendo a chamada de negros ilustres que já morreram, como Pixinguinha, André Rebouças, Machado de Assis, Padre José Maurício e muitos outros, e ouvindo de volta o "presente!" das mais de cem mil pessoas que foram à Quinta da Boa Vista assitir ao concerto do Aquarius.

A abertura do espetáculo foi tipicamente negra com Mílton Gonçalves saudado por uma grande salva de palmas e respondendo com o gesto característico do punho direito fechado apontando para o alto.

— Viva o Brasil! — gritou ele.

E quase sem esperar resposta voltou a gritar:

— Viva o Brasil!

A resposta foi imediata.

— É dia de festa — tornou Mílton Gonçalves. — É dia de batuque!

E os tantans dos atabaques soaram com os toques para Ogum, de barravento, aguerê de Iansã, apanijê para Omulum, o samba de caboclo e o toque de Ijexá, que é a batida do afoxé. Roupas brancas, como o do afoxé Filhos de Gandhi, ou multicoloridas, como os dos afoxés Filhos de Tan e Agbara Dudu, tomaram conta do palco. A batida primitiva trazida da África fundiu-se depois de algum tempo com os acordes vibrantes das cordas e instrumentos de sopro da Sinfônica Brasileira no "Batuque" de Lorenzo Fernandez.

O maestro Isaac Karabtchevsky, antes da segunda peça do programa, a abertura "Coriolano", de Beethoven, foi ao microfone e disse que o concerto era uma homenagem ao negro e à liberdade, "a mesma liberdade que sempre preocupou os grandes compositores".

O "Coro dos escravos hebreus", de Verdi, foi a terceira peça do programa, seguida pela "Grande polonaise para piano e orquestra", que teve como solista o pianista Arthur Moreira Lima, aplaudido demoradamente pelo público. Gershwin, um compositor que várias vezes buscou inspiração para suas obras nos negros, foi o autor das duas peças seguintes: "Summertime", do musical "Porgy and Bess", que teve uma comovente interpretação de Eliana Pittman, e "Rapsody in blue", que trouxe de volta ao piano Arthur Moreira Lima.

O "Glória" da "Missa em fá" do Padre José Maurício, apresentado pelo Coral da Universidade Católica de Petrópolis sob a regência do maestro Marco Aurélio Xavier, foi uma homenagem a esse compositor negro, o mais importante das Américas de sua época. Da seriedade do Padre José Maurício para a ternura de Pixinguinha foi um pulo. Num dos momentos de maior descontração do concerto, todo o público cantou "Carinhoso", que teve na orquestra a participação do saxofonista Mauro Senise e do pianista João Carlos Assis Brasil.

A emoção voltou com o pequeno Grande Otelo. Terno e boné brancos, o ator deu uma nova dimensão, vibrante, contestatária, ao samba-enredo da Mangueira escrito por Hélio Turco, Jurandir e Alvinho. Outro grande momento viria a seguir, com a "Ode à raça negra" escrita por Haroldo Costa e apresentada pelo ator Mílton Gonçalves. Mílton foi também o recitante da cantata "Maria Jesus dos Anjos", de Radamés Gnatalli, peça seguinte do programa.

O espetáculo aproximava-se do final. As roupas coloridas dos integrantes da bateria da Unidos de Vila Isabel ocuparam lugar ao lado dos smokings dos componentes da orquestra. O "Maracatu de Chico Rei" foi apresentado em seus quatro movimentos com a participação do Rio Ballet, de Johnny Franklin, fazendo a coreografia.

De repente, os últimos acordes do maracatu fundem-se com outra música, outro ritmo. O estandarte do rei do maracatu cede lugar à bandeira da Vila Isabel, empunhada pela porta-bandeira Mariazinha, que tinha a seu lado o mestre-sala Carlinhos. E tudo se transforma numa grande festa. A festa dos negros, a "Kizomba" da Unidos de Vila Isabel em arranjo sinfônico de Guio de Morais, que levou ao palco Martinho da Vila, até então um assistente do concerto. Entre o público, a atenção com que haviam sido ouvidas as obras anteriores do programa cedeu lugar à participação. E tudo acabou num grande carnaval.

O concerto do Projeto Aquarius teve, entre seus assistentes, a Vice-Presidente do Conselho de Administração da Sul América, Beatriz Larragoiti. Da mesma empresa estiveram presentes os diretores Patrick Larragoiti, Gérard Larragoiti e Ivan Passos; o Superintende de Marketing, Tony Lotar, e o Gerente de Publicidade e Promoções, Walter Daetwyler. Do GLOBO estiveram os diretores Arthur de Almeida, Luís Eduardo Vasconcelos e Mário Mello e as senhoras Hilda Marinho e Heloísa Marinho.

A produção do concerto foi da Gerência de Promoções do GLOBO, com direção geral de Péricles de Barros (O GLOBO) e direção de produção de Ana Luísa Marinho (O GLOBO). A direção musical foi do maestro Isaac Karabtchevsky, com arranjos sinfônicos do maestro Guio de Morais. O consultor de temas afro-brasileiros foi Haroldo Costa; a cenografia de Abel Gomes, a iluminação de Orlando dos Santos Rocha, a sonorização de Antônio Carlos Roldão (Mac-Áudio) e a coreografia de Johnny Franklin. A produção do espetáculo contou com o apoio do Departamento de Parques e Jardins.

Mais de cem mil pessoas lotaram o gramado vizinho ao Museu Nacional da Quinta da Boa Vista para assistir ao concerto do Projeto Aquarius

Os artistas e a emoção sentida no concerto

Os artistas que participaram do concerto encontraram dificuldade para descrever a emoção que sentiram. Segundo Eliana Pittman, cantar numa data tão representativa e acompanhada pela Orquestra Sinfônica Brasileira foi um dos momentos mais brilhantes de sua carreira.

— Subi ao palco não apenas como cantora, mas, acima de tudo, como mulher negra e brasileira. Na verdade, foi um belo sonho.

O ator Mílton Gonçalves disse ter sentido "uma sensação estranha, mas muito gostosa":

— Quando subi ao palco e vi toda aquela gente prestando uma homenagem à nossa raça, fiquei feliz. Foi uma linda festa, que transmitiu uma mensagem verdadeira contra qualquer forma de preconceito.

Um dos momentos de maior emoção foi a chegada ao palco de Grande Otelo. Após recitar a letra do samba-enredo da Mangueira, ele falou entusiasmado:

— Em 63 anos de profissão, nunca senti tanta alegria. Espero que este seja o início de uma nova caminhada para o negro, para o branco e para os povos de todas as raças.

Martinho da Vila, que assistiu à parte do concerto e acabou subindo ao palco para sambar ao som do samba-enredo da sua Vila Isabel, mostrava-se entusiasmado.

— Ficou bonita a fusão do samba com a música clássica e o povo gostou disso. Foi uma emocionante comemoração popular, principalmente para a raça negra, que vê em tudo motivo para uma grande festa.

Imagem: O Globo, *14/05/1988, p. 11.*

bairro de Noel Rosa. Dinorah articulou ações junto à Universidade do Estado do Rio de Janeiro (UERJ), por meio do seu Núcleo de Estudos da Saúde do Adolescente (NESA), elaborou e concorreu a projetos de diferentes editais públicos e solicitou apoio de agentes privados.

A Herdeiros da Vila, durante a década de 1990, contou com recursos do programa "Comunidade Solidária", idealizado por Ruth Cardoso, antropóloga e professora universitária, esposa de Fernando Henrique Cardoso, Presidente da República entre 1995 e 2003. O Programa teve como objetivo coordenar ações governamentais voltadas para o atendimento da parcela da população em situação de vulnerabilidade social, em especial para prover suas necessidades básicas, a fome e a pobreza. Na forma de editais e convênios, o governo federal fomentou atividades diversas nas áreas de alimentação e nutrição, serviços urbanos, desenvolvimento rural, geração de emprego e renda, defesa de direitos, promoção social e cultura.

Silvia Nara afirma que o financiamento obtido com o Comunidade Solidária foi de vital importância para a consolidação da Herdeiros da Vila. O projeto organizado por sua mãe, Dinorah, contemplou atividades culturais, artísticas e de formação profissional. As crianças e os jovens participaram de oficinas de confecção de fantasias, figurinos, adereços e cenários. Também foram oferecidas atividades de dança, capoeira, palestras. Foram distribuídas bolsas remuneradas, certificados e alguns dos participantes, ao final das oficinas de confecção, por exemplo, faziam seu estágio final no barracão da escola mãe.

Analimar Ventapane, filha de Martinho da Vila, também atuou como dirigente da Herdeiros da Vila, no período que se inicia a partir de 2014. Sua aproximação com a agremiação deu-se por meio de Dinorah. Analimar havia levado seu filho Raoni para desfilar na Aprendizes do Salgueiro e, na passarela, encontrou-se com Dinorah, que prontamente sugeriu que levasse sua cria para a escola mirim da Vila Isabel. Analimar incluiu Raoni na bateria-mirim da Herdeiros e passou a frequentar os ensaios, levando também seus outros filhos para a escola, Dandara e Guido.

Em entrevista prestada a um dos coautores desta obra[167], Analimar confirmou a importância de Dinorah para a Herdeiros da Vila, seu pioneirismo e sua liderança em buscar recursos para a escola mirim. Considera sua vivência na Herdeiros como uma das melhores experiências da vida, um tempo de aprendizado com seu trabalho na agremiação. Estava acostumada a cuidar da sua família, um pequeno núcleo, mas se viu envolvida com centenas de crianças, com suas famílias, preocupando-se com as questões próprias do samba, mas também com a vida das crianças em geral.

Analimar Ventapane ressaltou os objetivos principais de uma escola de samba mirim: colaborar para a formação integral das crianças e jovens, desenvolvê-los para que no futuro ocupem funções na escola de samba mãe e transmitir a herança cultural da Unidos de Vila Isabel às novas gerações.

O ato pedagógico de ensinar o samba, seus ofícios, suas memórias e suas tradições na Herdeiros da Vila baseia-se nas figuras dos mestres que, a partir da transmissão oral, das expressões corporais, organizam suas ações nas experiências de vida. De acordo com Joseph Zerbo-Ki (2010)[168], trata-se de uma concepção educativa de matriz africana, em que o tempo e a vivência constroem o mestre. E aprende-se a partir de relações interpessoais entre os mais velhos e os mais novos, estimulando a consciência da ancestralidade e das tradições.

Recuperamos as falas de crianças e jovens da Herdeiros da Vila em entrevistas realizadas em 2018 para o documentário *Kizomba*[169]. Os depoimentos demonstram que os objetivos da escola mirim têm sido atingidos e a memória

---

167 Entrevista concedida por Analimar Ventapane a Carlos Fernando Cunha em maio de 2023.

168 ZERBO-KI, Joseph. *História Geral da África I – Metodologia e Pré-História da África*. Brasília: UNESCO, 2010. Disponível em: http://unesdoc.unesco.org/images/0019/001902/190249por.pdf Acessado em maio de 2023.

169 As entrevistas foram concedidas ao Departamento Cultural do GRES Unidos de Vila Isabel em 10/03/2018.

de 1988 está em plena construção e reconstrução, habitando os pensamentos e o imaginário das crianças e jovens, sobretudo no sentido da valorização e afirmação da negritude, da luta antirracista.

Douglas da Silva Bastos, na época com 14 anos, ocupava a função de primeiro mestre-sala da Herdeiros da Vila. Em seu depoimento, ressaltou a responsabilidade que possuía, já naquele momento, em exercer essa função tão importante numa escola de samba. A disciplina nos ensaios vinha junto com sua alegria, com a emoção de ser mestre-sala e seu sonho era ocupar tal ofício na escola mãe, a Vila Isabel. Para Douglas, o amor que a escola mirim constrói pela escola mãe é algo que se leva para sempre.

Wendel Henrique Cândido, 16 anos, ocupava a função de segundo mestre-sala da Herdeiros da Vila. Seu depoimento vai na mesma direção da fala de Douglas, ressaltando o amor pela Vila Isabel, o orgulho de pertencer à comunidade e o sonho de ser mestre-sala da escola no futuro. Ele citou com emoção o enredo que a Herdeiros da Vila desenvolveu em 2017 sobre Mestre Trambique. Para Wendel, a temática despertou nele a consciência de que Trambique e Dinorah foram os idealizadores da Herdeiros da Vila. E que a escola nunca poderia esquecer essas duas figuras que deixaram exemplos em termos de força de vontade e de compromisso com as crianças e jovens. Segundo Wendel, precisamos sempre dar importância à história da escola e aos mais velhos que passaram pela agremiação.

Brenda do Espírito Santo, sete anos, Princesa da bateria da Herdeiros da Vila e neta de Mestre Trambique, disse que desfilava porque tinha vontade de representar o trabalho que o avô desenvolveu durante muitos anos na Vila Isabel. Em seu depoimento gravado em vídeo pelo Departamento Cultural, Brenda segurava uma estatueta do pensador africano, presente dado pela avó, alusão ao desfile do *Kizomba* de 1988. Para ela, aquele desfile, do qual sempre falaram em sua casa, representava a África e a importância dos seus antepassados negros.

A construção da consciência das crianças e jovens da Herdeiros da Vila em relação aos valores da negritude e da ancestralidade efetiva-se também a partir dos enredos escolhidos pela escola. Ao longo dos anos, as histórias contadas na Passarela do Samba pela escola mirim da Vila Isabel priorizam essas temáticas e outras questões sociais, além de reverenciar personagens fundamentais da história da agremiação. Por exemplo, "*Sementes da Raça*", 1989; "*Herdeiros de Zumbi*", 1996; "*De mineira a carioca, o sonho se tornou realidade!*", 2006, homenagem a Dinorah; "*Zona Norte: berço cultural da cidade maravilhosa*", 2007; "*Muito prazer, Isabel de Bragança ou Drummond Rosa da Silva, mas pode me chamar de Vila*", 2011, reedição de enredo da escola mãe; "*Direito é Direito*", 2015, reedição de enredo da escola mãe; "*Sou Mestre Trambique, músico e compositor. Vou lhe mostrar o samba*", 2017, homenagem a Mestre Trambique.

Em 2013, a Herdeiros da Vila reeditou "***Kizomba**, a Festa da Raça*", o desfile da escola mãe de 1988, mágico e campeão. Os depoimentos das crianças e jovens para o documentário *Kizomba*, gravados em 2018, revelam a importância desse evento e como ele se tornou uma referência para esses herdeiros da Vila Isabel. Vale a pena ler a sinopse do enredo que teve o título "*Vamos reviver **Kizomba**, a festa da raça*", elaborado por Alex Varela, Ana Cláudia Colatino Barreto, Junior Schall, Julio César Cerqueira e Rita de Cássia:

> *Salve os foliões mirins da Herdeiros da Vila! Mais um carnaval está à vista! Vamos reviver um momento nostálgico da nossa agremiação mãe. Vamos entrar no túnel do tempo e regressar ao ano de 1988, ano de comemoração do centenário da Abolição da Escravidão em nosso país. Nenhum de vocês era nascido! Por isso, devemos todos reviver o momento histórico da Vila Isabel na passarela do samba, quando arrebatou o seu primeiro campeonato, com um enredo que se inseria no âmbito de tal referida comemoração. Kizomba – a Festa da Raça, enredo do cantor e compositor Martinho da Vila, foi um daqueles momentos mágicos, inesquecíveis! A Vila não tinha luxo nem riqueza, mas tinha simplicidade, humildade e muito samba no pé.*

Mas vocês sabem o que é Kizomba? Kizomba é uma palavra do Kimbundo, uma das línguas da República Popular de Angola. O termo significa encontro de pessoas que se identificam numa festa de confraternização. Do ritual da Kizomba fazem parte o canto, a dança, a comida, a bebida, além de conversações em reuniões e palestras que objetivam a meditação sobre problemas comuns. A nossa Kizomba conclama uma meditação sobre a influência da cultura negra no Brasil. África! Oh, poderosa África! Lugar de encanto e magia, razão do meu cantar! África, terra habitada por gente de cor de pele escura, guerreiros, e por animais selvagens, belos e exóticos! Zebras, guepardos, palancas, girafas, gazelas, pássaros, entre tantos outros!

Vindo de além-mar, o europeu chegou! E lá encontrou uma riqueza: o braço do negro para trabalhar nas terras das suas conquistas da América! Viva a Rainha Njinga, a primeira a lutar contra a invasão do homem branco! Mas os portugueses eram fortes, valentes e queriam dominar, escravizar! Derrubaram Njinga, e começaram a fazer o infame comércio a funcionar! Dos portos de Luanda e Benguela saíam rebanhos volumosos de negros! Para cá eles vieram, nos navios negreiros! O Valongo era o local de desembarque! Trouxeram a sua cultura! O seu canto, a sua dança, os seus rituais! Trouxeram esse batuque gostoso que não pode jamais parar! Lutaram, resistiram! Organizaram Quilombos! Viva a Zumbi dos Palmares! Conseguiram a sua libertação! Viva Isabel! Viva a Pequena África do Rio de Janeiro! Viva as tias baianas, que vendiam os seus quitutes e professavam as religiões negras! Viva a Deixa Falar!

Mas é hora de refletir! Conseguiram a sua liberdade! Os negros deixaram de ser escravos e passaram a ser homens livres. Se tornaram cidadãos?! A luta por um lugar na sociedade brasileira, lugar de dignidade, ainda é uma conquista a ser concretizada! Os negros deixaram as senzalas da casa-grande, mas foram morar nas favelas, nos cortiços, nos guetos, nos bairros pobres! É certo que muitos já alçaram fama! Viva os negros Reis e Rainhas como Pelé, Piná, Martinho, e tantos e tantos outros que perpetuam a memória e afirmam a cultura negra! Mas, ainda é uma minoria! Por isso, foliões mirins, passados vinte cinco anos de ***Kizomba – a Festa da Raça****, é hora de reviver e refletir sobre o papel do negro na sociedade brasileira! Valeu Zumbi!*

Douglas e Wendel disseram em seus depoimentos que o enredo de 2013 da Herdeiros da Vila, a reedição pela escola mirim do tema de 1988 da escola mãe, provocou neles uma paixão ainda maior pela Vila Isabel. Tiveram a oportunidade de conhecer mais sobre o assunto, sobre aquele desfile que tanto ouviram falar pelos mais velhos. E citaram Carlinhos Brilhante, mestre-sala do desfile campeão da *Kizomba*, como uma referência em que se espelhavam.

Douglas afirmou ainda que 1988 foi um desfile muito importante e lembra que seu pai, Décio Bastos, fez parte da Comissão de Frente. Para Douglas, a luta dos negros e o ensinamento de que sempre devemos reivindicar nossos direitos são as principais lições do desfile da *Kizomba*.

Wendel ressaltou a importância do samba de 1988, dizendo que todos os seus amigos de outras escolas sabem cantá-lo. É um combustível que alimenta o seu amor pela Unidos de Vila Isabel, especialmente porque fala dos pretos, de sua história, afirma Wander sobre o samba de enredo.

Os projetos, objetivos e sonhos de Dinorah e Trambique estão em plena realização. A Herdeiros da Vila, ao longo desses mais de trinta anos, tem desempenhado um importante trabalho de preservação, consolidação e transmissão das memórias e tradições da Unidos de Vila Isabel. A escola mirim desenvolveu e revelou diversos talentos para a escola mãe: intérpretes, ritmistas, violonistas, cavaquinistas, aderecistas, costureiras, passistas, mestres-salas, porta-bandeiras e, ainda hoje, sob a direção de Duda Barreto, continua o trabalho pensado em 1988.

O *Canta, Canta Minha Gente* de Analimar, Dandara e Raoni.

Foto: Fernanda Assis

São muitos nomes, a começar pelo dono da voz principal da escola, Anderson Antônio dos Santos, o Tinga, que desfilou pela primeira vez em 1987, criança, na Vila Isabel. Menino desenvolvido na Herdeiros, hoje o homem do "solta o bicho!" canta ao lado de Rafael Tinguinha, seu filho, também cria da escola mirim.

Nessa cadeia de ancestralidade, constatamos elos firmes que, inclusive, levam a história e a tradição musical da Vila Isabel para além de seus muros. É o caso do grupo *Canta, Canta Minha Gente*, formado por músicos vinculados à escola e descendentes diretos de Martinho da Vila: Analimar Ventapane, sua filha, e os netos Raoni Ventapane, Dandara Ventapane e Guido Ventapane[170].

O *Canta, Canta Minha Gente* reúne em seu repertório sambas de Martinho e sambas de enredo que marcaram a história da Unidos de Vila Isabel. Seus integrantes iniciaram sua trajetória no samba no chão da Herdeiros da Vila e são a demonstração de que as escola de samba mirim são instituições importantes a serem consideradas no processo formativo e educativo de crianças e jovens.

Personagem importante para a Unidos de Vila Isabel, o compositor André Diniz, maior vencedor de disputas de samba de enredo na agremiação com dezesseis vitórias, também é oriundo da Herdeiros da Vila. Ele começou a frequentar a escola mãe levado por seu pai, Roberto Diniz. Ele possuía ala de fantasias e André começou a desfilar na escola ainda criança, em 1985. Porém, sua relação mais orgânica com a Vila se deu por intermédio do amigo André Pretinho, quando os dois ainda eram crianças. Pretinho era filho de uma empregada doméstica que trabalhava na casa de vizinhos de Diniz. Morador do Morro dos Macacos, o garoto era integrante da bateria mirim

---

170 A transmissão da tradição musical da Unidos de Vila Isabel é vigorosa na família de Martinho da Vila. Os filhos Mart'nália e Tunico Ferreira, além de incluírem sambas da escola em seus espetáculos, participam ativamente das disputas de samba de enredo como compositores. Outros filhos músicos, Preto Ferreira, Maíra Freitas e Juju Ferreirah, também atuam em gravações e *shows* com canções relacionadas à Vila Isabel.

O ritmista japonês Mashu Miyazawa, discípulo de Mestre Trambique na *Swingueira de Noel*.
Foto: acervo pessoal do percussionista.

da Vila Isabel, embrião da Herdeiros, comandada por Mestre Trambique, e levava Diniz para ensaios e apresentações do grupo. Assim, André Diniz se aproximou de outros meninos do Morro dos Macacos e da turma de Trambique, entre eles Cassiano (filho de Mug), Bira (que se tornou mestre-sala da escola) e *Mangueirinha*.

André Diniz integrou a bateria da escola principal, a *Swingueira de Noel*. Torcedor do Flamengo, estabeleceu forte amizade com Evandro Bocão a partir de convivência na torcida Raça Rubro-Negra. Faziam pagodes no Maracanã e começaram a defender sambas nos concursos da Vila Isabel, primeiramente como músicos e intérpretes, posteriormente como compositores. Em 1993, entraram para a Ala de Compositores da escola, por meio de concurso, compondo sambas sobre Rodolpho de Souza. Em 1994, a parceria ganhou a primeira disputa de samba de enredo na Vila Isabel.

A herança musical da Unidos de Vila Isabel chegou também ao Japão, por meio do músico percussionista Mashu Miyazawa. Apaixonado pelo samba e pela cultura brasileira, Mashu veio ao Brasil no ano de 2005 para estudar a língua portuguesa. Matriculou-se em um curso para estrangeiros oferecido pela Universidade Federal do Rio de Janeiro. Em busca de se aprofundar no samba, ingressou numa oficina de percussão desenvolvida pelo bloco carnavalesco Cordão do Boitatá, cujo instrutor era Mestre Trambique. Em novembro de 2005, convidado por Trambique, participou de seu primeiro ensaio na bateria da Vila Isabel. E começou a sair na *Swingueira de Noel* a partir de 2007.

Mashu vem ao Brasil com frequência para desfilar na Sapucaí. Em Tóquio, onde trabalha como músico e dá aulas de percussão, fundou o bloco Quer Swingar. Inspirado nas características rítmicas da bateria da Vila Isabel, o bloco veio a ser apadrinhado por Mestre Trambique, que, convidado por Mashu, esteve em 2015 no Japão para o evento.

Nossos herdeiros e herdeiras, sementes da raça, crescem e se desenvolvem em solo fértil, especialmente temperado por *Kizomba*. Com raízes fincadas na tradição da branco e azul da terra de Noel Rosa, expandem seus galhos, oferecem seus ricos e saborosos frutos ao mundo, em forma de samba.

Saravá, Dinorah! Axé, Trambique!

Se liga, meu chapa, vem na minha aba
Meu reco-reco faz você sambar
Plantei a semente, brotaram os meus ideais
São vinte e nove carnavais
Eu vim lá das bandas de Minas
E me embalei no berço de Noel
Andando nas calçadas musicais
Fiz valer a emoção
O samba bateu forte no meu coração
Não sou do tempo que ele era proibido
Mas aprendi sempre ouvindo o mais antigo
Subi o morro, pisei forte no terreiro
Abracei o meu destino de ser batuqueiro
Lá na Pedra do Sal, no quintal da Ciata
Onde o couro comia, reunia a nata
Ouvi dizer que o samba veio da Bahia
Deixa falar, quem me ensinou sabia
Vi nascer a esperança
Salvar crianças portando surdo e tamborim
São as armas de um bamba
A batucada que eu deixei de herança
Sou José Belmiro Lima
Pro mundo, Mestre Trambique
Chama a Dinorah que a chapa quente vai tocar
E os herdeiros vão passar.[171]

---

171 "Sou Mestre Trambique, músico e compositor – Vou lhe mostrar o samba", samba de enredo, 2017, Herdeiros da Vila. Autoria de Marcelinho Moreira, Raoni Ventapane, Dedé Aguiar e Fagundes Fernandes.

VILA
KIZOMBA
88

APÊNDICES

REFERÊNCIAS BIBLIOGRÁFICAS

I. Textos sobre carnaval, samba, música e cultura popular brasileira

ABREU, Martha. *Da senzala ao palco: canções escravas e racismo nas Américas – 1870-1930*. São Paulo: Ed. UNICAMP, 2017.

ABREU, Martha *et alii*. *Escravidão e cultura afro-brasileira: temas e problemas em torno da obra de Robert Slenes*. Campinas, Ed. Unicamp, 2015.

ARAÚJO, Hiram. *Carnaval – Seis milênios de história*. Rio de Janeiro: Gryphus, 2003.

BRAZ, Marcelo (org.); COUTINHO, E. G.; LEITÃO, L. R. *et alii*. *Samba, cultura e sociedade*. São Paulo: Expressão Popular, 2013.

BRAZ, Marcelo & LEITÃO, L. R. (org.). *Samba, democracia e sociedade*. São Paulo / Rio de Janeiro: Expressão Popular / Mórula Editorial, 2022.

CABRAL, Sérgio. *As escolas de samba do Rio de Janeiro*. São Paulo: Lazuli / Cia. Editora Nacional, 2011. Edição anterior: Rio de Janeiro: Lumiar Editora, 1996.

CAVALCANTI, Maria Laura Viveiros de Castro; GONÇALVES, Renata de Sá (org.). *Carnaval em múltiplos planos*. Rio de Janeiro: Aeroplano, 2009.

DA SILVA, Eduardo Pires Nunes. As Vozes da Kizomba: O carnaval da Vila Isabel como manifesto negro (1988). Monografia de conclusão do curso de História. Universidade Federal Fluminense. Niterói, 2011.

FRANCESCHI, Humberto M. *Samba de sambar do Estácio*: de 1928 a 1931. Rio de Janeiro: Editora IMS, 2010.

GASPAR, Márcia Vianna, 2003, "A Vila de Isabel, Amélia e Drummond". In: FRANCA, Nahyda; SANTOS, Alexandre Mello; LEITE, Márcia Pereira (org.), *Quando Memória e História se Entrelaçam: A Trama dos Espaços na Grande Tijuca*. Rio de Janeiro: Ibase, 53-62.

GOMES, Tiago de Melo. In: "Para Além da Casa de Tia Ciata: Outras Experiências no Universo Cultural Carioca, 1830-1930". *Afro-Ásia*, nº 30, Universidade Federal da Bahia. Bahia, 2003.

GUARAL, Guilherme. *O Estado Novo da Portela*. Rio de Janeiro: Paco Editorial, 2012

LEITÃO, Luiz Ricardo. *Noel Rosa: poeta da Vila, cronista do Brasil*. São Paulo: Expressão Popular, 2009.

LOISE, Bruna R. Carnaval e Decolonialidade: o samba-enredo como um chamado à historicidade crítica e marginalizada. Monografia submetida ao Departamento de Desenvolvimento, Agricultura e Sociedade do Instituto de Ciências Sociais e Aplicadas da Universidade Federal Rural do Rio de Janeiro como requisito parcial para obtenção do grau de Bacharel em Relações Internacionais. Seropédica, 2023.

LOPES, Nei. *O Samba, na realidade... Utopia da ascensão social do sambista*. Edição comemorativa de 35 anos. Rio de Janeiro: Malungo, 2012 [edição original: 1987].

MOURA, Roberto. *Tia Ciata e a Pequena África do Rio de Janeiro*. Rio de Janeiro: Secretaria Municipal de Cultura, Departamento Geral de Documentação e Informação Cultural, Divisão de Editoração, 1995.

NASCIMENTO, Beatriz. O negro visto por ele mesmo. Revista *Manchete*. Rio de Janeiro, set. 1976, p. 130-131.

_______________________________. Kilombo e memória comunitária: um estudo de caso. Revista *Estudos Afro-Asiáticos*. Rio de Janeiro: CEAA/UCAM, v. 6-7, 1982, p. 259-265.

NATAL, Vinícius. *Cenografia carioca: carnaval e outros fragmentos*. Rio de Janeiro: Mórula, 2021.

PICCIRILLO, Nathalia Fogliati. As baianas no carnaval paulistano: Um estudo etnográfico sobre a ala das baianas na Escola de Samba Unidos do Peruche. Dissertação de Mestrado em Ciências Sociais. UNIFESP. São Paulo, 2018.

RIBEIRO, Ana Paula Pereira da Gama Alves. Novas conexões, velhos associativismos: projetos sociais em escolas de samba mirins. 2009. 201 f. Tese (Doutorado em Ciências Humanas e Saúde). Universidade do Estado do Rio de Janeiro. Rio de Janeiro, 2009.

RODRIGUES JUNIOR, Nilton. O que faz a velha guarda, Velha Guarda? In: CAVALCANTI, Maria Laura Viveiros de Castro; GONÇALVES, Renata de Sá (org.). *Carnaval em múltiplos planos*. Rio de Janeiro: Aeroplano, 2009.

SÁ, Guilherme Ayres. Os Herdeiros da Vila: ensino e aprendizagem em uma bateria de escola de samba mirim. Dissertação de Mestrado. Programa de Pós-Graduação em Música. Centro de Letras e Artes. UFRJ. Rio de Janeiro, 2013.

SANDRONI, Carlos. *Feitiço decente: Transformações do samba no Rio de Janeiro* (1917-1933). Rio de Janeiro: Jorge Zahar Ed./ Ed. UFRJ, 1997.

SANTOS, Nilton. *A arte do efêmero:* Carnavalescos e Mediação Cultural no Rio de Janeiro. Rio de Janeiro: Apicuri, 2009.

SIQUEIRA, Magno Bissoli. *Samba e identidade nacional: das origens à Era Vargas.* São Paulo: Editora UNESP, 2012.

TINHORÃO, José Ramos. *Música Popular: um tema em debate.* São Paulo: Editora 34, 1997.

________________________. *Os negros em Portugal: uma presença silenciosa.* Lisboa: Editorial Caminho, 1988.

II. Textos sobre arte, crítica literária, literatura, comunicação e temas afins

BAKHTIN, Mikhail. *A cultura popular na Idade Média: o contexto de François Rabelais.* São Paulo / Brasília: HUCITEC / Editora da Universidade de Brasília, 1987.

DEBORD, Guy. *La societé du espetacle.* Paris: Gallimard, 1992.

FONSECA, Maria Nazareth Soares. Velho e velhice nas literaturas africanas de língua portuguesa. In: *Literaturas africanas de Língua Portuguesa: Percursos da memória e outros trânsitos.* Belo Horizonte: Veredas e Cenários, 2008.

LEITÃO, Luiz Ricardo. *Leonor e a modernidade: o urbano e o agrário na experiência periférica.* Rio de Janeiro: System Three, 1992.

PERACI, Elisângela Moreira; ASSIS, Yara Santos de Oliveira. O ensinar e o aprender para as quebradeiras de coco-babaçu como um patrimônio relacional. In: TUNES, Elizabeth (Org.). *Sem escola, sem documento.* Rio de Janeiro: E-papers, 2011.

III. Textos sobre história e formação social do Brasil, da América Latina e da África

BÂ, Amadou Hampaté. Tradição Viva. In ZERBO-KI, Joseph. *História Geral da África I*: Metodologia e Pré-História da África. Brasília: UNESCO, 2010.

CARVALHO, Flávia Maria de. Poderes locais angolanos: Ngolas, sobas, tandalas e macotas na dinâmica dos governos ilustrados portugueses da segunda metade do século XVIII. XIV Encontro Regional da ANPUH-Rio Memória e Patrimônio, 2010.

CAVALCANTE, Paulo. *Negócios de trapaça: caminhos e descaminhos na América Portuguesa (1700-1750).* HUCITEC / FAPESP, São Paulo, 2006.

CHOMSKY, Noam. *Um olhar sobre a América Latina.* Entrevistas com Heinz Dieterich. Rio de Janeiro: Oficina do Autor Editora, 1998.

FONSECA, Maria Nazareth Soares. Velho e velhice nas literaturas africanas de língua portuguesa. In: *Literaturas africanas de Língua Portuguesa: Percursos da memória e outros trânsitos.* Belo Horizonte: Veredas e Cenários, 2008.

FREYRE, Gilberto. *Casa-grande & senzala.* São Paulo: Círculo do Livro [s/d].

GARCÍA CANCLINI, Néstor. *Culturas híbridas.* São Paulo: EDUSP, 2006.

GLEIJESES, Piero. *Misiones em conflito: La Habana, Washington y África - 1959-1976.* La Habana: Editorial de Ciencias Sociales, 2002.

JUPIARA, Aloy & OTAVIO, Chico. *Os porões da ditadura: jogo do bicho e ditadura militar – a história da aliança que profissionalizou o crime organizado.* Rio de Janeiro: Record, 2015.

LEITÃO, Luiz Ricardo (org.). *José Martí: Antologia.* São Paulo: Expressão Popular, 2023.

MOTTA-MAUÉS, Maria Angelica. "Movimento negro no Brasil". Centro de Pesquisa e Documentação de História Contemporânea do Brasil, Fundação Getúlio Vargas, 2009

NASCIMENTO, Elisa Larkin (org.). *Sankofa I – Matrizes Africanas da Cultura Brasileira* – A matriz africana no mundo. São Paulo: Selo Negro Edições, 2008.

PRADO JR., Caio. *Evolução política do Brasil.* 10ª ed. São Paulo: Brasiliense, 1977.

RIBEIRO, Darcy. *O povo brasileiro: a formação e o sentido do Brasil.* 2ª ed. São Paulo: Cia das Letras, 2001.

RISQUET, Jorge. *40 años de solidaridad de Cuba con África*. La Habana: Editorial SI-MAR S. A., 1999.

VICENTE, Mário João Lázaro. Os sobas e a construção de Angola nos séculos XVI e XVII. Dissertação de Mestrado. Faculdade de Ciências Sociais e Humanas. Universidade Nova de Lisboa. Lisboa, 2021.

ZERBO-KI, Joseph. *História Geral da África I:* Metodologia e Pré-História da África. Brasília: UNESCO, 2010.

IV. Obras literárias

BARRETO, Lima. *Os Bruzundangas*. In: *Prosa seleta*. Rio de Janeiro: Nova Aguilar, 2001

LAMPEDUSA, Giuseppe Tomasi di. *O leopardo*. São Paulo: Companhia das Letras, 2017

MACHADO DE ASSIS, Joaquim Maria. *Memórias póstumas de Brás Cubas*. In: *Obra completa*, volume I. Rio de Janeiro: Editora Nova Aguilar, 1979.

V. Dicionários

ALBIN, Ricardo Cravo. *Dicionário Houaiss Ilustrado: Música Popular Brasileira*. Rio de Janeiro: Paracatu Editora, 2006.

CASCUDO, Luís da Câmara. *Dicionário do folclore brasileiro*. 12ª ed. São Paulo: Global, 2012.

MACHADO, José Pedro. *Dicionário Onomástico Etimológico da Língua Portuguesa*. Vol. III. Lisboa: Editorial Confluência, 1981.

VI. Sinopses e documentos de eventos carnavalescos

Kizomba: festa da raça. Rio de Janeiro: GRES Unidos de Vila Isabel, 1987.

VII. Matérias em jornais, revistas e sítios virtuais consultados

"Aquarius, canto de amor ao negro". *O Globo*, 14/05/1988, p. 11.

"Filomena Silva – Baianinha faz a festa em ala pobre da Vila". *Jornal do Brasil*, 17/02/1988.

"Lucy, tudo azul com a paixão à Kizomba". *O Globo*, 09/02/1988.

Martinho da Vila, "A Vila Isabel ganhou porque botou uma escola de samba na Avenida". *Amiga*, 25/02/1988.

"Morre o Mestre Mug, que comandou bateria da Vila Isabel por 30 anos". *Extra*, 18/06/2021.

"Originalidade é o forte no carnaval da Vila". *O Globo*, 06/02/1988.

"Velha Guarda da Vila Isabel se torna patrimônio cultural imaterial do Rio". Extra, 28/08/2023. In: https://extra.globo.com/blogs/extra-extra/post/2023/08/velha-guarda-da-vila-isabel-se-torna-patrimonio-cultural-imaterial-do-rio.ghtml

VIII. Filmes e documentários em vídeo

Mart'nália em África – Ao vivo. CD + DVD (com documentário). Rio de Janeiro: Biscoito Fino, 2010.

SARRO, Nathalia. ***Kizomba****: trinta anos de um grito negro na Sapucaí.* Rio de Janeiro: Vila Cultural (Departamento Cultural do GRES Unidos de Vila Isabel), 2018.

IX. Desfiles carnavalescos

Kizomba, festa da raça. YouTube. Cf. https://www.youtube.com/watch?v=X1DBnHN8Lqc

X. Entrevistas concedidas ao Departamento Cultural do GRES Unidos de Vila Isabel

ALA DAS BAIANAS – 23 de agosto de 2017.

DÉCIO BASTOS – 21 de junho de 2016.

CARLINHOS BRILHANTE E BIRINHA – 16 de janeiro de 2018.

FILOMENA NUNES (*FILÓ*) – 22 de dezembro de 2017.

GERA – 06 de abril de 2018.

HELENA THEODORO – 03 de outubro de 2017.

GRESM HERDEIROS DA VILA – 10 de março de 2018.

ILVAMAR MAGALHÃES – 25 de abril de 2018.

JAIME MACHADO (*JAIMINHO HARMONIA*) E CLAUDIO – 08 de abril de 2018.

JONAS – 23 de janeiro de 2018.

JOSÉ BELMIRO LIMA (MESTRE TRAMBIQUE) – 26 de agosto de 2015.

MARTINHO DA VILA – 6 de abril de 2018.

MESTRE MUG – 6 de dezembro de 2017.

LÍCIA MARIA MACIEL CANINÉ (*RUÇA*) – 22 de dezembro de 2017.

RACHEL RAMOS DOS SANTOS – 23 de junho de 2022.

VELHA-GUARDA – 10 de março 2017.

WILSON CAETANO E JORGE TROPICAL – 26 de outubro de 2017.

XI. Entrevistas concedidas ao pesquisador Carlos Fernando Cunha

ALCY PINHO TOLEDO PLAISANT – junho de 2023.

ALISSON RAMOS LIMA – agosto de 2023.

ANALIMAR VENTAPANE – abril de 2023.

CARLOS HENRIQUE DA SILVA VICENTE (*MANGUEIRINHA*) – abril de 2023.

CHEILA RANGEL – junho de 2023.

IVONE SOARES DOS SANTOS – junho de 2023.

LEILA BENNINI – junho de 2023.

MARIA CRISTINA GREGO DEANE – junho de 2023.

MESTRE MUG – novembro de 2016.

RICARDO TOSCANO – junho de 2023.

DVD

KIZOMBA: 30 ANOS DE UM GRITO NEGRO NA SAPUCAÍ

Dirigir o documentário que o *Acervo do Samba UERJ* e o CTE-UERJ apresentam aos leitores e leitoras desta obra foi, sem dúvida, uma das maiores realizações da minha vida. Ter a oportunidade de ouvir as pessoas que fizeram da Vila Isabel a escola que ela é hoje, que dedicaram suas vidas a essa instituição e enfrentaram inúmeras dificuldades para existir e resistir não só enquanto grupo, mas também pessoalmente, testemunhar o amor e a grandiosidade que a branca & azul tem na vida dessas pessoas foi um imenso privilégio. A partir desse processo, eu compreendi melhor o significado que a escola de samba tem para mim e para história e constituição deste nosso país.

Em realidade, foi por causa da *Kizomba* de 1988 que me aventurei a estudar cinema, consegui uma bolsa integral em uma das mais renomadas escolas da sétima arte do Rio de Janeiro, onde conheci minhas parceiras de jornada: Nathalia Pires, fotógrafa e cinegrafista, e Fatima Rodrigues, montadora. Depois de muito estudo e investimento em equipamentos, estávamos prontos para dar início às gravações. O processo de produção independente é muito desafiador, por isso, agradeço o apoio de Analimar Ventapane, que cedeu o Kasarão Kizomba como cenário para as entrevistas, e de Thiago Medina, o *Gegê*, que fez o som direto do filme.

Costumo dizer que a *Kizomba* é um roteiro perfeito, com todas as nuances que uma história precisa ter. Um grupo de pessoas que, por meio da arte e da cultura, se uniu com o objetivo comum de celebrar suas identidades e conquistas enquanto povo – e que, mesmo enfrentando uma severa dificuldade financeira, encontrou na ancestralidade a criatividade para desenvolver uma estética única a fim de produzir sua obra. Eles participaram de uma competição completamente desacreditados e conquistaram com louvor, aclamados pelo público, o título de campeões do carnaval carioca no ano do centenário da *abolição da escravatura*.

Desde então, houve um trabalho minucioso de decupagem das mais de vinte entrevistas. A responsabilidade de reconstruir essa história a partir das narrativas dos integrantes da escola foi muito grande. Apesar de já ter conhecimento prévio sobra muitos episódios que aconteceram em 1988, eu imaginei que poderia encontrar divergências nos discursos. Engano meu. Trinta anos depois, a memória coletiva e os sentimentos sobre aquele desfile mítico eram unânimes. O encantado cortejo que foi visto uma vez só continua despertando emoção e muita saudade até em quem não o viu.

A estreia no Museu de Arte do Rio (MAR) veio a ser nosso primeiro grande momento com a obra, num dia lindo com três sessões lotadas e muitas pessoas emocionadas. Comecei então a compreender que estava retribuindo à Vila tudo de bom que ela já tinha me dado. Muitas exibições importantes aconteceriam depois disso. Além do Cine Odeon (Rio), com o filme selecionado para o Encontro de Cinema Negro Zózimo Bulbul, ele também foi visto em inúmeras escolas públicas e particulares do Estado do Rio. De tantas sessões, destaco a exibição na escola penitenciária de Bangu 3, que foi mediada por mim e pela companheira de Departamento, Beatriz Barcelos. Foi incrível ver como esse carnaval comunica força e esperança por onde passa, ainda que décadas depois.

Por fim, devo salientar que este filme e, por consequência, esta obra literária talvez não existissem, se não fosse o trabalho de memória e salvaguarda desenvolvido pelo Departamento Cultural da Unidos de Vila Isabel. Fico ansiosa ao pensar em tudo que poderia ser produzido, ou em tudo que literalmente vai para o lixo por conta do descaso existente em relação à memória da cultura afro-carioca e afro-brasileira. A *Kizomba* segue se eternizando nas memórias, agora nas telas e nos livros, mas quantas outras narrativas e personagens mereciam o mesmo cuidado? Conversar e ouvir os nossos é a única forma de entender quem somos, e um povo que conhece sua história e tem acesso à sua memória é um povo poderoso – e isso nem sempre é interessante para quem, hegemonicamente, vem ocupando os espaços de poder desde os tempos de Zumbi.

Por toda essa experiência, posso dizer que é abençoado quem ama uma agremiação – e uma das melhores coisas que me aconteceu foi o amor pela Vila: lá eu me reencontrei com minha ancestralidade, fiz amigos, e me tornei historiadora e cineasta. Nem toda dificuldade supera o prazer e a gratidão de fazer pelos nossos. Que o legado da *Kizomba* siga sendo eterno, que esta *Kizomba* continue nos constituindo. *O pagode é o partido popular!*

Nathalia Sarro
Diretora do documentário e
coautora do livro-DVD

Kizomba:
30 anos de um grito negro na Sapucaí
DVD
Fabricado por Discmídia Indústria Brasileira LTDA. CNPJ: 23.473.430/0001-26 - www.discmidia.com.br
Acervo Universitário do Samba: volume 6

VILA
KI
ZOM
BA
88

IMAGENS &
CARTOGRAFIA
AFETIVA

CARTOGRAFIA DO SAMBA: KIZOMBA, FESTA DA RAÇA

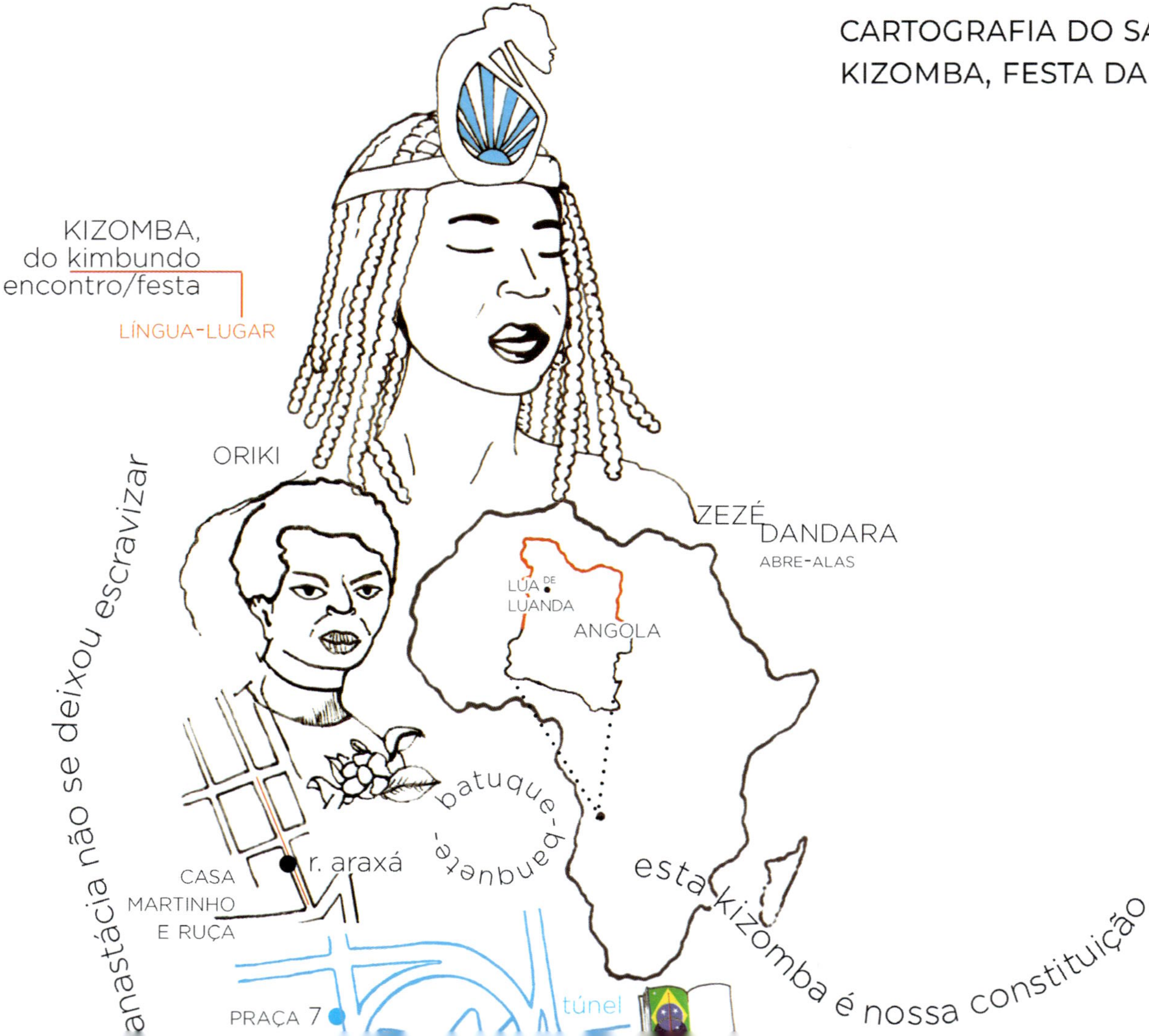

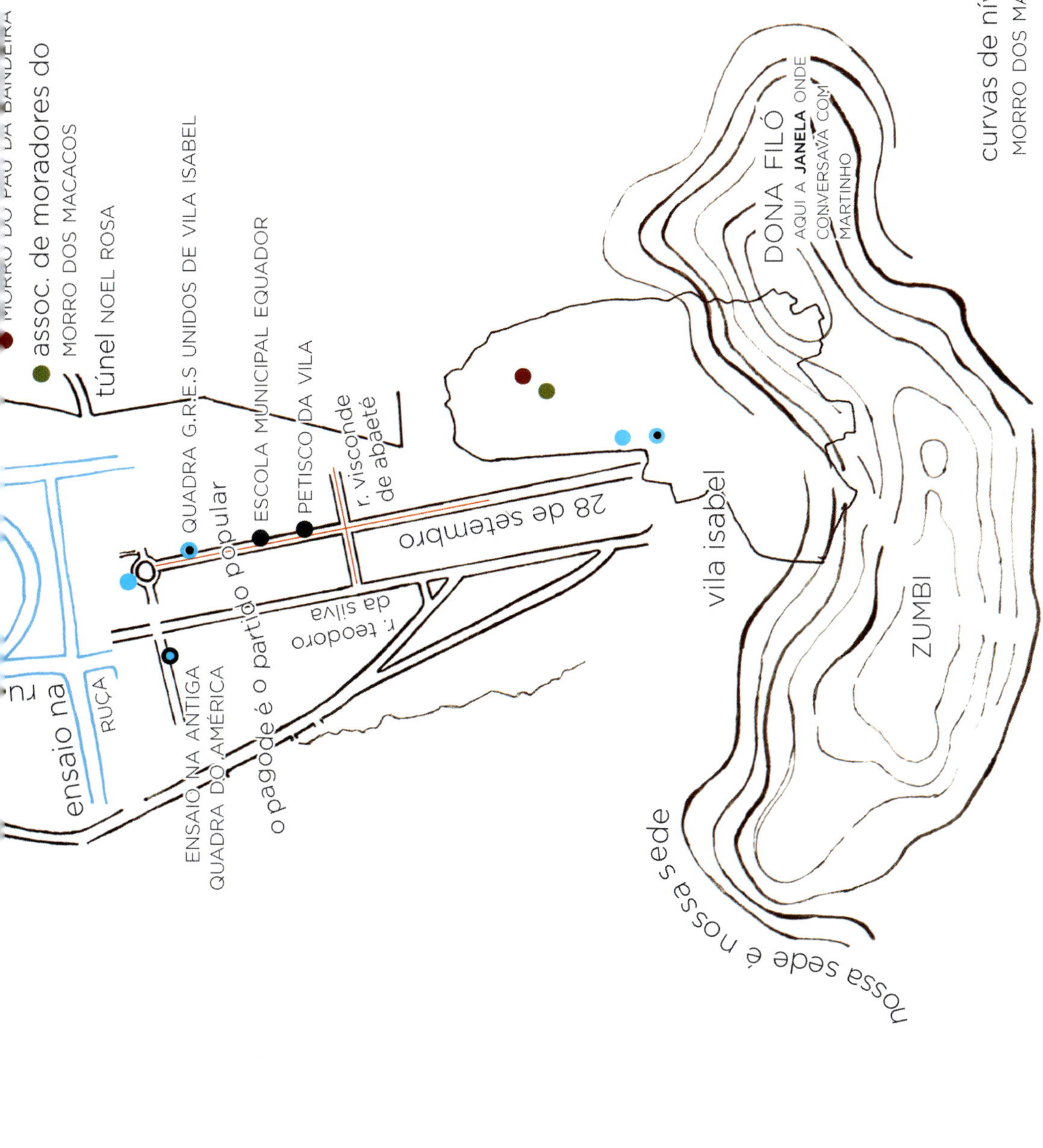

assoc. de moradores do
MORRO DOS MACACOS
túnel NOEL ROSA
QUADRA G.R.E.S UNIDOS DE VILA ISABEL
ESCOLA MUNICIPAL EQUADOR
PETISCO DA VILA
r. visconde de abaeté
28 de setembro
o pagode é o partido popular
r. teodoro da silva
ENSAIO NA ANTIGA QUADRA DO AMÉRICA
ensaio na
RUÇA
vila isabel
DONA FILÓ
AQUI A **JANELA** ONDE CONVERSAVA COM MARTINHO
ZUMBI
nossa sede é nossa sede
curvas de nível do
MORRO DOS MACACOS

CARTOGRAFIA SOCIAL DO SAMBA DE *KIZOMBA*

Kizomba mulher vem a dar linhas a Filomena (Dona Filó), Ruça, Anastácia, Clementina, Dandara, Luanda, Zezé Motta, as Mumuílas e todas as mulheres que deram brilho e luz pela escola de Vila Isabel. A **Cartografia do Samba** traz a sua contribuição ao *Acervo Universitário do Samba*, a fim de deixar fluir as emoções vivenciadas pelos participantes do desfile da Kizomba, da sua concepção à sua prática.

A força da comunidade tem corpo, tem vias de circulação, raízes e mapas errantes que, através das encruzas, permitem enxergar o novo, por meio da coletividade, festejando a força, a luta e a potência criadora do povo negro.

No coração Angola, se permitiu criar o festejo sobre os cem anos que marcavam o fim da escravidão a um desfile que, de festa a protesto, grafou na avenida suas raízes, sua luta e projetou para o futuro seu compromisso de que, quando se faz samba, também se faz política. No mesmo ano, os povos quilombolas encontram espaço na Constituição de 1988, referenciada pela capa de Abdias com sua flecha de Oxóssi na bandeira brasileira. Foi nas terras de Noel que a festa da raça conseguiu marcar a história do carnaval e da cidade.

A proposta da **Cartografia do Samba** é organizar as informações por meio de mapas afetivos dos sambistas e personagens da cultura carioca. Realizar uma cartografia de Kizomba, ao mesmo tempo que resgata a memória de um coletivo, é pensar as raízes que atravessaram essa história quebrando lógicas espaço-temporais.

Pesquisa e concepção: *Andressa Lacerda e Daniela Seixas*

A *Kizomba* da Vila Isabel

Ilustrações de Antonio Vieira

Ancestralidade – Dedicatória aos *bambas*

Kizomba, festa da raça – Introdução

Vila Isabel, o bairro e a escola – Território

Zumbi dos Palmares – Enredo

Abram alas, que a Kizomba vai passar – Comissão de Frente

O impacto visual da Kizomba – Alegorias, Fantasias & Adereços

Sankofa e sobas da Vila Isabel – Baianas & Velha Guarda

A criança é a esperança de Oxalá! – Herdeiros da Vila

Ala das Baianas
Foto de Ricardo Leoni / *O Globo* (17/02/1988)

Os líderes do povo negro da África e dos EUA na Kizomba
Foto de Delfim Vieira / *O Globo* (17/02/1988)

O banquete da *Kizomba*: alegoria final da Vila

Foto de Ricardo Leoni / *O Globo* (17/02/1988)

VILA ISABEL

A VITÓRIA DA RAÇA

DEU Vila na cabeça, *Kizomba* no chope do tri da Mangueira. Uma vitória com gosto de gol de placa aos 45 minutos do segundo tempo. Um feito indiscutível, irreparável, irretorquível — diriam os narradores esportivos. A Vila Isabel venceu gloriosamente o seu primeiro campeonato entre as grandes da Sapucaí, depois de 42 anos na expectativa. Com um ponto na frente da Mangueira, a tradição do carnaval, dois na frente da Beija-Flor, o luxo do carnaval. Desta vez, deu o povo na cabeça, que consagrou a velha escola do bairro de Noel na Avenida do Samba.

Kizomba, a Festa de uma Raça não foi, afinal, nenhuma novidade — nada menos do que quatro escolas decidiram homenagear o negro no ano do Centenário da Abolição. Só que a Vila pôs negro no chão e nos carros, cantou com o coração. Um enredo que marcou uma festa de esperança na vitória, e que se transformou em realidade no empolgante desfile da segunda-feira histórica, em que pediam um apelo à paz entre as três raças. Um título que tocou fundo na alma da cidade e que fez Ruça, a presidenta da agremiação, perder a voz e misturar riso e choro quando carregada pela multidão enlouquecida com a vitória.

A *Kizomba* da Vila Isabel: "a vitória da raça"

Foto da revista *Manchete* (18/02/1988)

A *Kizomba* nas páginas da imprensa carioca

Fotos de Fernando Maia

O carro no barracão da Vila Isabel evita o excesso de materiais vistosos e busca sua beleza na simplicidade

Originalidade é o forte no carnaval da Vila

Pouco brilho, alguma cor e muita criatividade irão marcar o carnaval deste ano da Vila Isabel. Através do enredo "Kizomba, a festa da raça", a escola espera fazer na Marquês de Sapucaí uma grande festa e um encontro alegre entre todas as raças, onde o branco, o negro e o índio estarão juntos e unidos, fazendo um verdadeiro carnaval. O carnavalesco da Vila, Milton Siqueira, está empolgado com o desenvolvimento do enredo, que foi escolhido por Martinho da Vila. Tão empolgado que já sonha com duas coisas: ver a escola ser aplaudida na avenida e ganhar o seu primeiro Estandarte de Ouro, prêmio conferido pelo GLOBO, com o apoio da Cervejaria Kaiser Rio S.A., aos melhores do desfile das escolas de samba.

— Esta é a primeira vez que estou à frente de uma grande escola. Vim da Unidos da Ponte, onde passei por boas experiências, apesar das dificuldades de uma escola de menor porte. Espero levar a Vila Isabel a fazer um lindo desfile, e, para isto, tenho a preocupação inicial de valorizar os nossos artistas, que têm toda liberdade para produzir os carros alegóricos.

Quem espera ver uma Vila Isabel cheia de brilho poderá se decepcionar. Os 21 carros alegóricos que estão em fase de acabamento dão bem uma idéia da simplicidade com que a escola entrará na avenida. Mas isto não quer dizer que a beleza não estará presente à Marquês de Sapucaí, como conta o carnavalesco:

O GLOBO-Kaiser

— Optamos por fazer carros de pouco brilho, mas isto nada tem a ver com pobreza. Quis, desta forma, valorizar o artesanato brasileiro, que é riquíssimo, e, mais do que isto, diferenciar a Vila Isabel das outras escolas, que, na minha opinião, vêm se repetindo ano a ano, sempre com muitas cores e brilho. Sei que corro um risco por esta minha opção, mas acredito muito no que estamos fazendo — diz Milton Siqueira.

Caberá ao público e aos jurados julgar o carnaval da Vila, mas aqueles que visitam o barracão da escola percebem que o cuidado com a beleza, com um bom resultado final, está presente em cada detalhe. A escola sairá com 3,2 mil componentes e os tradicionais destaques, entre eles, Marta Rocha, Toni Tornado, Zezé Motta e Antônio Pompeu, além de Watussi, a Rainha da Bateria. As fantasias, ao contrário dos carros alegóricos, virão com todo brilho a que têm direito, exatamente para contrastar com a simplicidade das alegorias. A Vila Isabel, presidida por Lícia Maria Caniné, a "**Ruça**" — mulher de Martinho da Vila — depende exclusivamente da verba repassada pela Liga das Escolas de Samba. Mas isto não preocupa o carnavalesco, que acredita que a escola poderá quebrar o "encanto" da falta de títulos.

— Estamos com um ótimo samba-enredo e temos tudo para fazer um excelente desfile. No ano passado, a escola recebeu muitos elogios e poderia, sem dúvida, ter sido declarada a vencedora. Estamos confiantes este ano e, se tudo der certo, vamos chegar ao título desta vez.

Comemorar, se possível, duas vezes: uma pela vitória do Grupo I e a outra pelo prêmio do Estandarte de Ouro:

— Ganhar o Estandarte de Ouro é o sonho de todo carnavalesco, de todos aqueles que amam o carnaval — diz Milton Siqueira.

— É um prêmio que tem um valor maior a cada ano e que ninguém pode menosprezar. Se a Vila ganhar um Estandarte, será motivo de muita alegria para mim.

Mesmo antes do desfile, os jornais já reconheciam a originalidade do visual da Vila Isabel.

Imagem: reprodução de *O Globo* (06/02/1988)

QUARTA-FEIRA, 17 DE FEVEREIRO, 1988 • 3

Lindas negras materializam o enredo bem desenvolvido pela Vila, Kizomba, festa da raça

Martinho da Vila, pilar da escola

A Vila Isabel soube, como ninguém, defender a tradição da ala das baianas

A explosão da Vila Isabel na avenida na madrugada do dia 16/02/1988.

Imagem: reprodução do jornal *Tribuna da Imprensa* (17/02/1988)

Martinho da Vila escreve, com exclusividade, sobre a vitória

CARNAVAL 88

"A Vila Isabel ganhou porque botou uma escola de samba na Avenida"

A espera foi longa (42 anos), mas valeu: com muita honra, a Vila Isabel sagrou-se campeã do carnaval carioca, no Grupo I. O tema Kizomba, festa da raça, foi realmente uma festa para o público, que vibrava com o samba-enredo da escola. Foi, porém, muito trabalho para todos os seus integrantes que, unidos, mostraram que nem só de luxo se faz um desfile de primeira (os materiais mais usados foram tecidos de algodão, nas fantasias; palha e ráfia, nas alegorias). Martinho da Vila, um dos genuínos representantes da escola, escreve sobre a vitória e a emoção que ela traz.

"NÃO sei se é verdade; ainda estou sonhando com a vitória da Vila Isabel. É um momento muito importante na minha vida, que me leva ao delírio quando recordo dos olhares apreensivos quanto ao resultado. De repente, tudo se transformou numa explosão de alegria; o meu coração ainda continua acelerado. Foram 42 anos esperando para ser campeão. E neles fluíram momentos de alegria e tristeza, mas sempre lutando por um ideal. Era um antigo sonho, acho que de todos da comunidade de Vila Isabel, que virou realidade. Tudo porque colocamos uma escola de samba na Avenida. Não inventamos nada, porque a realidade não permitia muitas invenções. Apenas colocamos o nosso conhecimento em prática. Agora, depois dessa reflexão, as regras do jogo vão mudar. Escola de samba é aquilo que o povo viu, aplaudiu e consagrou na Passarela do Samba. E quem acreditou na nossa proposta junto à comunidade — alguns se dispersaram por falta de amor ou coragem — acabou recebendo a recompensa da nossa luta. Uma escola de samba não se faz com fortunas e sim com base, a participação da comunidade supera tudo isso. Assistimos a algumas escolas de samba pagando fortunas para porta-bandeiras ou carnavalescos, o que não tem necessidade porque os dirigentes acham que nomes ganham carnaval. Não é por aí. Com a Ruça na linha de frente, eu como artista jogando recuado, vivemos momentos maravilhosos na confecção do barracão de Vila Isabel. O carnavalesco Miltinho, um desconhecido com talento; o Paulo César, um apaixonado pela arte; o Paulinho do Isopor, o Jorge Ferreiro e outros todos trabalhando com afinco, com o mesmo ideal. Mesmo porque não tinha dinheiro. A única fonte de renda que tivemos foi o dinheiro da subvenção; não tínhamos nem quadra. E tudo foi na base de todos por um e um por todos, uma luta. Aliás, a grande vantagem da Ruça, como presidente da Vila Isabel, foi deixar o pessoal trabalhar, com cada um dando um pouco de si. Porque, para administrar e governar, só existem duas maneiras: uma na base da ditadura. O ditador governa fácil, porque manda e ninguém manda nada. Todo mundo diz amém. Já administrar, num governo democrático, precisa ter liderança. O presidente tem que ser líder. E a Ruça tem a liderança da Vila Isabel toda com ela, até a malandragem. Ela transou a base numa boa. Por isso que a vitória é de todos.

Quando digo que a nossa intenção era só de mostrar uma escola de samba, o que quero dizer é que cada escola tem uma característica. O samba-enredo que serve para Vila Isabel também pode servir para outras escolas, embora para algumas já não sirva. O samba que é bom para a Ilha, eu gosto, mas na União da Ilha do Governador. Por exemplo, o samba da Mangueira tem a cara dela. As escolas de samba têm que botar a comunidade desfilando, a que não colocar não tem bandeira. E foi exatamente por isso que cada um da Vila Isabel se transformou num Zumbi. E valeu, Zumbi!"

Martinho da Vila

Artigo escrito por Martinho da Vila para a revista Amiga, edição de 25/02/1988.

ÚLTIMA HORA

Alegria colorida e simplicidade, fórmula do sucesso da Vila

A festa era uma Kizomba. Africana, negra e pobre. A Vila Isabel fez um desfile alegre, simples e colorido. Algo surpreendente porque foi todo feito com muito contraste (tão ao gosto africano) e muita criatividade (própria da raça). Todo plasmado nas modas e costumes africanos, tal como Martinho da Vila deve ter visto em sua visita aos países africanos. Desde o respeito aos antigos na homenagem a Paulo Brazão, o fundador da Vila. Por isso, pode até não ser uma das mais fortes concorrentes ao troféu de 1988, mas foi a mais linda festa popular que o sambódromo viu nos últimos anos. Entre tanta suntuosidade e luxo, veio lá a mulata do Morro dos Macacos e deu um show de chita e lenço no cabelo. Com muita garra e inteligência, o carnavalesco Miltinho orientou Ruça e Martinho.

Eram 4 horas da manhã quando a Vila entrou na avenida. A escola veio forte com um samba de assimilação fácil e bom de decorar, soando bem no ouvido do público graças a dois excelentes refrões.

Usando materiais simples como bambu, palha e um pouco de cenografia, a escola construiu carros belíssimos como aquele **Quilombo**, que, para reforçar, ainda apresentou, como destaques, os negros que viveram (no cinema) os personagens de Zumbi dos Palmares. Usando panos de algodão e muita cor, a escola mostrou como se veste a africana em sua terra, linda em sua simplicidade e muito vistosas nas cores que contrastam para superar a pobreza evidente. Ora rafia, palha e peneiras, ora chita, lenços e lenços coloridos na cintura. Abusando do berrante como fazem na **Mãe África**. Fugindo da mistura das raças – africano também deve ser racista – a ala negra era de negros. Havia alas brancas, mas só de brancos. Homenageando os orixás, mostrando atabaques e festas do Divino, do Maracatu, da Lua de Luanda, e até uma legítima maquete africana deu o clima de festa de todo o desfile. A Vila pode até não ser nota dez em tudo, mas levantou a platéia e comoveu os africanos e baianos presentes.

(Francisco Duarte)

Até o legado africano recebeu destaque nos jornais – *Última Hora* (17/02/1988)

Imagem: acervo do Departamento Cultural do GRES Unidos de Vila Isabel

Bambas e baluartes da *Kizomba* da Vila Isabel

Martinho da Vila, o idealizador do memorável cortejo de 1988: *Kizomba, a festa da raça.*
Foto: Arquivo Nacional / jornal Correio da Manhã (18/10/1972)

Lícia Maria Caniné, a Ruça, destemida presidente da Vila Isabel no desfile da *Kizomba*.
Foto: documentário *Kizomba: 30 anos de um grito negro na Sapucaí* (2018), de Nathalia Sarro

Reunião preparatória do desfile de 1988 na casa de *Ruça* e Martinho da Vila, no Grajaú (Rio).
Foto: acervo pessoal de Lícia Caniné, a *Ruça*

Ruça e Leila Bennini em viagem à África, nos tempos da *Kizomba*.
Foto: acervo pessoal de *Ruça*

Rachel Ramos dos Santos, a porta-bandeira pioneira da Unidos de Vila Isabel.
Imagem: Departamento Cultural do GRES Unidos de Vila Isabel

Mestre Trambique, um dos padrinho do GRES Herdeiros da Vila.
Foto: acervo pessoal do ritmista

Jaiminho, saudoso baluarte e eterno diretor de Harmonia da Vila Isabel.
Foto: Departamento Cultural do GRES Unidos de Vila Isabel

Filomena Silva, uma das personagens do cortejo que contagiou a Sapucaí em 1988.
Foto: documentário *Kizomba: 30 anos de um grito negro na Sapucaí* (2018)

Paulo Brazão, o grande Soba da *Kizomba* da Vila Isabel.
Foto: IMMuB

O saudoso Luiz Carlos da Vila, um dos compositores do vitorioso hino de 1988.
Imagem: reprodução da capa do CD *A Luz do Vencedor: Luiz Carlos da Vila canta Candeia*

O compositor Jonas, em entrevista dada a Nathalia Sarro na quadra da Vila Isabel, em 23/01/2017.
Foto: documentário *Kizomba, 30 anos de um grito negro na Sapucaí* (2018).

Luiz Carlos da Vila, Jonas e Rodolpho, o trio da *Kizomba*, no traço original de @ilustreantonio
Ilustração: Antonio Vieira

Grupo de ritmistas da Vila Isabel, em 1987, com Godô, Mestre Mug e Corelia em destaque.
Foto: acervo da família Braga (agradecimento especial a Luiz Cândido)

Mestre Mug e Carlos Fernando Cunha, coautor desta obra, no desfile das campeãs de 2006
Foto do acervo pessoal do ritmista e escritor

"Hoje a Vila é *Kizomba*
É batuque, canto e dança"

A *Kizomba* da Vila Isabel: festa da negritude e do samba
Ilustração de Antonio Vieira

As baianas da Velha Guarda, bailando na quadra da Unidos de Vila Isabel.
Foto: Nathália Sarro / Departamento Cultural (2023)

Galeria da Velha Guarda da Unidos de Vila Isabel.
Foto: Nathália Sarro / Departamento Cultural (2023)

Um herdeiro da Vila: Allison, filho de Mestre Trambique, na bateria mirim, em 1980.
Foto: acervo pessoal de Alisson Ramos Lima

***Mangueirinha*, cria da Herdeiros da Vila**
Foto: acervo pessoal de *Mangueirinha*

O *Canta, Canta Minha Gente* de Analimar, Dandara e Raoni.
Foto: Fernanda Assis

O Grupo *Canto das Lavadeiras*, formado por baianas da Vila Isabel
Foto: acervo pessoal de Analimar Ventapane

O compositor Wilson Caetano (ao centro) em apresentação da Velha Guarda Musical da Vila Isabel.
Foto: acervo pessoal de Theresinha de Jesus Cardoso

O compositor Jonas, ladeado por Denis Moraes (esq.) e Thales Nunes, no ensaio do carnaval de 2023.
Foto: Diego Mendes / @gres_vilaisabel

OS COAUTORES

Foto: acervo pessoal do coautor

Carlos Fernando Cunha é cantor, compositor, batuqueiro, professor e pesquisador. Carioca, iniciou sua vida musical na bateria da Unidos de Vila Isabel, onde desfila desde a década de 1990. Possui diversos CDs e EPs gravados: *Zeroquarenta* (2011), *Baobá* (2015), *Ponto do Samba* (2016), *Ponto do Samba Vol. 2* (2017), *Sambas de Terreiro* (2021), *Bons Navegantes* (2021) e *Vem Pro Samba* (2021). Dirigiu ainda os documentários *Vai manter a tradição – O samba em Juiz de Fora* (2020) e *Mamão – Sambas e Memórias na Cidade Iluminada* (2022). Em 2022, Carlos Fernando recebeu o título de Cidadão Honorário de Juiz de Fora. É autor do livro *O Imperial Collegio de Pedro Segundo e o Ensino Secundário da Boa Sociedade Brasileira* (Apicuri, 2008). Professor Titular da Universidade Federal de Juiz de Fora, Carlos é Pós-doutor em Educação pela UERJ, Doutor em Educação pela UFMG, Mestre em Educação e Graduado em Educação Física pela UERJ.

Foto: Marcus Knoedt

Nathalia Sarro é graduada em História pela UFF e formada em Cinema pela Escola de Cinema Darcy Ribeiro (Rio de Janeiro). Ela dirigiu o documentário ***Kizomba:*** *30 anos de um grito negro na Sapucaí,* filme que teve sua estreia no Museu de Arte do Rio (MAR), em 2018, e veio a ser selecionado para participar do Encontro de Cinema Negro Zózimo Bulbul, sendo exibido em universidades e escolas públicas e privadas do estado do Rio de Janeiro. Sua experiência na produção da obra é relatada em "*Kizomba: 30 anos de um grito negro na Sapucaí – Um registro plural e democrático*", artigo publicado no livro *Samba, Democracia e Sociedade*, organizado por L. R. Leitão e Marcelo Braz (São Paulo / Rio de Janeiro: Outras Expressões / Mórula Editorial, 2022). A cineasta é também produtora e colaboradora do projeto audiovisual *CinEscola*. Nas lides da folia, Nathalia integra o Departamento Cultural da Unidos de Vila Isabel desde 2014, ocupando atualmente o posto de diretora do grupo, com o qual desenvolve um árduo trabalho de pesquisa e registro das memórias da escola.

Foto: Rebecca Maria

Graduado em História pela UFF, **Vinícius Natal** é mestre e doutor em Antropologia pela UFRJ, com pós-doutorado em História da Arte pela UERJ. Já atuou como diretor de pesquisa do Museu do Samba (RJ) e diretor cultural do GRES Unidos de Vila Isabel, além de ter sido coordenador de Políticas de Promoção da Igualdade Racial do Município do Rio de Janeiro. É autor de livros e artigos sobre o samba carioca e suas diferentes modalidades. Atuou como pesquisador de enredos do GRES Acadêmicos do Grande Rio e, no ano de 2022, ganhou o prêmio Estandarte de Ouro, concedido pelo jornal *O Globo*, pela concepção do enredo "*Fala Majeté! Sete Chaves de Exu*", do GRES Acadêmicos do Grande Rio. Atualmente, é professor do Departamento de Educação da UnB e pesquisador do GRES Unidos de Vila Isabel.